JN038929

岩波講座　世界歴史　24

二一世紀の国際秩序

岩波講座

世界歴史 24

二一世紀の国際秩序

【編集委員】
荒川正晴
大黒俊二
小川幸司
木畑洋一
冨谷至
中野聡
永原陽子
林佳世子
弘末雅士
安村直己
吉澤誠一郎

岩波書店

第24巻【責任編集】木畑洋一
中野聡

目次

コラム｜*Column*

展　望 | *Perspective*

展望｜*Perspective*

多面的な危機と地球社会

木畑洋一

はじめに――現代世界の様相

一九八〇年代末から九〇年代初めにかけて冷戦が終焉を迎えた頃、グローバリゼーションという言葉が急速に広がっていった。当初その言葉は金融や産業にもっぱら関わるものとして用いられていたが、次第により広い範囲で世界の状況を表わす語として使われるようになった。それはさまざまな形で定義されてきているが、ここではごく簡単に、「モノ、カネ、ヒト、情報が、国境を越えて地球規模で広くスピードをもって流通する状況である」と定義しておこう。後で少し詳しく述べるように、こうしたグローバリゼーションは、市場の活動を何よりも重視し国家の役割を相対化する新自由主義(ネオリベラリズム)と密接に結びついて展開してきた。ただし、グローバリゼーションはそれにとどまるものではなく、より広く人間生活のさまざまな局面に関わって変化を生んできている。その点をまずは強調しておきたい。

『岩波講座　世界歴史』(第三期)の最終巻となる本巻で中心的に扱う時期は、冷戦終結後の一九九〇年代から現在(本稿執筆時は二〇二三年)までであるが、人類はこの間に、進行していくグローバリゼーションのなかで(とくにインターネットの劇的な普及は最も顕著な変化であった)、気候変動をはじめとする地球環境問題、さまざまな紛争・内戦(それは時にジェノサイド的状況も含んだ)、国内的・国際的な多様な格差、大量の難民の発生、民主主義をめぐる角逐など、多面的な危機に直面してきた。二〇二〇年からは、新型コロナウィルスによるパンデミックが世界を揺るがし、人類の力が新たに試される状況が生じたし、二二年からのウクライナ戦争は、世界のなかの対立の構図を改めて浮き彫りにした。そのなかでグローバリゼーションの行方についての疑問もさまざまな形で提示されてきている。この「展望」では、こうした危機のもとでの地球社会の様相を、概観してみたい。

冷戦が終わった頃には、それによって人類の未来がきわめて明るいものになったと考えた人々も多かった。しかし、それから三〇年以上が経過した現在、そのような楽観的気分が存在したことは、夢のように思われる。冷戦終結時、フランシス・フクヤマが「歴史の終わり」の徴としてその勝利を称揚した自由民主主義(フクヤマ 一九九二)は、世界の各地で権威主義的な体制に取って代わられている。冷戦は過去のものになったかと思われていたが、この間に急速に台頭してきた中国とアメリカの間で「新たな冷戦」と呼ばれることもある緊張と対立が現れてきており、ロシアのウクライナ侵略に随伴して核戦争の危険性まで生じている。

冷戦が終焉した時期はまた、筆者の呼ぶ「長い二〇世紀」が終わった時期でもあった。植民地や保護国など支配される地域と支配する国々との間で世界が大きく二分されていた帝国主義世界体制の解体がひとまず終わったと考えられたのである(木畑 二〇一四)。それを示したのが、ソ連の非公式的支配下に置かれていた東欧圏やロシア帝国の版図を引き継いだソ連自体が解体したことや、南アフリカにおけるアパルトヘイト体制の撤廃によって、帝国主義世界体制と結びついていた人種主義の退潮が示されたことなどであった。

しかし、ジョージアへの軍事侵攻(二〇〇八年)からクリミア併合(二〇一四年)を経てウクライナ侵攻(二〇二二年)に至るロシアの行動の軌跡は、帝国主義世界体制下での領土獲得行動を思い起こさせるものであったし、「黒人の命は大切だ」(Black Lives Matter: BLM)運動を活性化させたアメリカでの白人警官によるアフリカ系アメリカ人殺害問題に代表されるように、人種主義の根強さを示す現実は随所で見られている。

本稿では、この三〇年余りの期間に一体何が起こり、何がどのように変化し、あるいは変化しなかったのかを検討していく。

その際、本稿ではとくに時期区分することなく議論を行っていくが、この期間をさらに細分することも可能である。まずそれについて述べておこう。

最初の区切りとなる時期は、いわゆる「同時多発テロ事件」がアメリカを標的として発生した二〇〇一年となろう。いうまでもなく、「同時多発テロ」は世界に激しい衝撃を及ぼした。日本にも関係の深いアメリカの政治家で当時国務副長官であったリチャード・アーミテージは、「歴史は今日始まる」とその衝撃を表現した(Gildea 2019: 183)。

次の重要な区切りとなったのは、二〇〇七年秋から顕在化して二〇一〇年まで尾を引いた世界金融危機である。この危機は、冷戦の終結以降広がっていた、資本主義が盤石のものになったとする気運に大きな打撃を与えた。新自由主義が牽引してきた経済的グローバリゼーションは足踏みし、二〇〇九年初めのイギリスの『エコノミスト』誌の表現によれば、「世界経済の統合はあらゆる側面で後退」したのである(*The Economist*, 21 Feb. 2009)。ただし、経済的グローバリゼーションがそれによって中断したわけではなく、二〇一一年頃からは再びはずみがついていった。

その次の区切りとなるのが、二〇二〇年から新型コロナウィルスが世界に広がり、二二年にウクライナ戦争が始まった時期である。コロナ禍のもと全世界で感染者が続出し、多くの死者が出るなかで、国境の管理はきわめて厳しいものとなり、とりわけヒトの移動規模は著しく縮小した。ただ本稿執筆時には、ヒトの移動も再び活発化している。モノやカネの動きは一時的な縮小から拡大に転じ、情報の動きは拡大を止めていない。そのようななかで起こったウクライナ戦争は、世界の結びつきを改めて認識させるとともに、それが新たな対立によって分断されていくことへの深刻な危惧を生んだ。

一、地球環境問題と人間

地球環境問題の深刻化

冷戦の終結に向けて世界が動き始めていた一九八〇年代後半は、人類全体の生存がかかる地球環境の変化について、人々の関心が強まっていった時期であった。太陽の紫外線から地球を守るオゾン層をフロンガスが破壊するというメカニズムはすでに知られていたが、南極でオゾンホールが発見されたことによってそれをめぐる危機感が増大したのは一九八五年のことである。同じ年には、やはりそれ以前から注目されていた地球温暖化をめぐる最初の世界会議がオーストラリアで開催され、問題の深刻さが一挙に浮上した。そうした動きのなかで、八八年には、気候変動に関する政府間パネル(Intergovernmental Panel on Climate Change: ＩＰＣＣ)が設立された。

ＩＰＣＣの第一作業部会(自然科学的根拠担当)が二〇二一年八月に公にした報告書は、産業革命前からの気温上昇が、最悪のシナリオでは、二一世紀末に三・三度から五・七度に達する可能性があるとし、地球温暖化の原因について、「人間による影響が大気、大洋、大地を暖めたことは疑う余地がない」と断言した。これは、それまでＩＰＣＣが採用していた、人間活動が影響した「可能性がきわめて高い」という表現に比べ、大きく一歩踏み込んだ見解であった。そして報告書は、人類の活動に起因する気候変動によって、地球上の至るところで、きわめて極端な気象の変化が生じていることを指摘した(IPCC 2021)。ＩＰＣＣは、二〇二三年三月にそのような立場からの統合報告書を公表し、緊急の気候対策の必要性を強調した。

確かに近年、異常ともいえる豪雨、ハリケーン・台風、竜巻が発生し、大規模な被害を生んでいる。温暖化に伴う北極圏の氷の融解がもたらす海面上昇は、大洋に散在する島嶼国を水没させかねないとの危惧を浮上させているが、一方では熱帯雨林の伐採による水の枯渇への警鐘も鳴らされている。地球環境は、急速に悪化しているのである。環境悪化につながる人間の活動を変えていこうとする努力も続けられてきたものの、それは満足すべきペースでは進んでいない。地球環境の変化に対する取り組みはいやおうなくグローバルな形をとらなければならないが、各国の足並みはそろわず、さまざまなきしみが生じてきているのである。

ただし、積極的な成果が生まれたケースもある。フロンガスなどによるオゾン層破壊問題をめぐっては、一九八七年に、オゾン層破壊物質に関するモントリオール議定書が作られ、各国の政府や産業界は協力姿勢をとって国際的な規制に乗りだしていった。

しかし、包括的な取り組みの進み方は芳しくない。その様相を示すのが、九二年六月の環境と開発に関する国連会議で作られた気候変動に関する国連枠組条約の締約国会議(COP)の歩みである。COP第三回会議は、一九九七年一二月に京都で開催され、そこで京都議定書が採択された。この議定書では、地球温暖化の元凶とみなされる二酸化炭素など六種類の温室効果ガスについて、対象となる先進国それぞれの排出量削減目標が定められた。そして一〇年後の二〇〇八年から一二年までの五年間(第一約束期間)に先進国全体では五%を削減することが決められたのである。

こうした数値目標の設定は画期的であり、京都議定書は共通の課題に対する新たな国際協調のあり方を示すものとして評価された。しかし、グローバルな取り組みとしては、途上国に排出量削減義務を課さなかったという点で当初から不十分な性格を帯びていたし、アメリカが二〇〇一年からのジョージ・W・ブッシュ政権のもとで議定書から離脱したことも大きな障碍となった。森林による温室効果ガス吸収量や排出量取り引きなどを考慮しなかった場合、予定された五年間が終わった時に目標を達成していたのは、対象となっていた先進国のうち約半数(ヨーロッパ連合EUは全体として一国に計算)であった(地球環境センター 二〇一四)。

京都議定書での第一約束期間以降の削減については、しばらく取り決めができなかったが、一五年一二月にパリで開かれたCOP第二一回会議でようやく合意をみた。アメリカも加わったパリ協定では、途上国も含むすべての国が、平均気温上昇を産業革命前と比較して二度未満に抑え、さらに一・五度までに抑制する努力をするため、温室効果ガス排出の削減義務を負うこととなった。そして、二五年または三〇年までの削減目標を各国がそれぞれ設定することになったのである。それだけに各国の自主性が重要となったが、一七年にアメリカ大統領に就任したドナルド・トランプは、パリ協定からの離脱を表明し、地球環境問題をめぐる世界の足並みを激しくかき乱した。

アメリカのこの方針は、二〇年の大統領選挙でトランプを破ったジョー・バイデンが二一年に大統領に就任してすぐにパリ協定再加入を決めたことによって覆ることになった。その年のCOP会議ではアメリカも加わって、気温上昇を一・五度まで抑えることについての合意がなされたが、各国の足並みの乱れは続いている。

原子力エネルギー問題

地球環境問題とエネルギー源をめぐるこのような動きのなかで、大きな争点となってきたのが、原子力エネルギー問題である。

原子力を非軍事的なエネルギー源として用いる方針は、一九五三年一二月に、アメリカのドワイト・アイゼンハワー大統領が、国連総会での演説のなかで平和のための原子力利用を提唱して以来、原子力発電による電気供給を中心として、世界各国で追求されてきた。

原子力発電所の安全性の問題については当初から批判的議論もあり、早い例としては五七年にイギリスのセラフィールドにあるウィンズケール原子炉で火災事故が起こるなど(研究会「戦後派第一世代の歴史研究者は21世紀に何をなすべきか」二〇一三：一四七頁)、放射能汚染につながる事故も実際に起こってきていた。七九年にアメリカで発生したスリーマイル島原発事故や、八六年にソ連で生じたチェルノブイリ原発事故は、はるかに広範な影響をもち、原発の安全性の主張には大きな疑問符が付せられることになったものの、エネルギー源として原子力を評価する趨勢に決定的な変化はみられなかった。チェルノブイリ事故で放出された放射能に直接汚染される地域も出たドイツ(当時はまだ東西両ドイツ)でも、西ドイツが計画していた核燃料の再処理施設建設こそ放棄されたものの、原発維持の方向は変わらなかった(佐藤 二〇二二:一五八頁)。

むしろ、温室効果ガス排出をめぐって、エネルギー源としての石炭や石油に関する批判的見解が強まるなかで、原子力エネルギーに期待をかける傾向が広がっていった。多くの国で、原発=クリーンエネルギー=温暖化ガス削減に有効という立場がとられたのである。

しかし、その趨勢は、二〇一一年に日本の東日本大地震の結果起こった福島原発事故によって、著しく変化した。原発の安全性が高いとみなされていた日本での、「想定をこえた」(実際は、高い津波到来の可能性についての警鐘は鳴らされていた)事態による事故とそれによる放射能拡散の現実に直面し、それまで原発推進策をとっていたドイツのアンゲラ・メルケル首相は、原発廃止の方向に舵をきり、ベルギーやルクセンブルクなども同様の決断を下した。ドイツの隣国オーストリアは、七八年に原発をめぐる国民投票を実施し、僅差で原発反対の意見が勝利して以降反原子力政策をとっていたが、それと同じ姿勢をとる国がヨーロッパでは増えたのである。

ただし、原発をきわめて重視するフランスをはじめとして、ヨーロッパ諸国でも足並みはそろっていない。二〇二二年初頭、EU委員会は、天然ガスとならんで原子力を脱炭素に貢献するエネルギーと位置づけるという方針を発表したが(『日本経済新聞』二〇二二年一月三日)、ドイツなどはこの方針に反発する姿勢を見せた。また福島原発事故の後、原発の新設や増設を想定しないという政策をとってきた日本政府は、二二年暮れに、原子力発電を最大限に活用する方針へと大きく方向転換を行った。原子力エネルギーをめぐる議論は、温室効果ガス削減問題と密接に関わりつつ、今後も続いていくことが予測されている。

地球環境問題と政治

地球環境問題は、さまざまな面から政治との関連で議論されるようになってきている。

後述するように、この三〇年間の世界を特徴づけた問題として、各地での内戦勃発があげられるが、内戦に結びつく対立が生じてくる上では、気候の極端な変動がもたらす資源の枯渇、それに伴う土地をめぐる争いが有力な要因となっている。とりわけもともと地味の貧しいサハラ以南のアフリカでは、その問題が深刻となる。シリアでも、二〇〇〇年代の激しい干ばつの結果、農村から都市への大量の人口移動が生じ、それが内戦の背景となる緊張関係につながった(*The Economist*, 25 May 2019: 58-60)。

また、「テロリスト」と呼ばれる人々が生まれてくる要因としても、地球環境問題の重要性が指摘されている。ベルリンのシンクタンク、アデルフィが二〇一六年に公表した『地球温暖化時代の暴動、テロリズム、組織犯罪』という報告書は、チャド、シリア、アフガニスタン、グアテマラの事例を分析した結果として、気候変動が激化することによって、テロリストグループの力が、二面から強化されたと論じている。一つは、自然災害、水不足、食料不足が深刻化しても、政府が適切に対応できないため、テロリストグループがそのギャップを埋めて力を増すということである。また二つ目は、気候変動で生命の危険に直面しつづける住民が、テロリストグループに勧誘され、新たなテロリストとして育成されやすくなるという点である(Nett and Rüttinger 2016)。アフガニスタンで二〇二一年に政権を握ることになったターリバーンの場合も、それが根強く存続し、勢力を改めて拡大していった背景には、地球温暖化による干害が広がるなかで疲弊していった農村の状況が存在した。

他方で、地球環境の変化は新たな政治的な力を生み出してきている。環境問題を軸として社会改革をめざす政治組織は「緑の党」と称することが多いが、それは、一九七〇年代にオーストラリアで誕生した党を嚆矢とする。そして八〇年に当時の西ドイツで結成された党がはずみをつける形で、ヨーロッパの各国に広がっていった。九五年にフィンランドの党（「緑の同盟」）が政権に参加し、九八年から二〇〇五年にかけてと二一年末からドイツの党が連立政権に加わるなど、政治の中枢にも入っていっている。

緑の党の支持者のなかで若者の比率が高いことに示されるように、地球環境問題をめぐっては、若い世代がめざましい力を発揮してきている。それを最もよく示すのが、スウェーデンの少女グレタ・トゥンベリが始めた環境保護を訴える金曜日運動の世界的な広がりである。彼女は、一八年の夏から金曜日に気候変動への対策を政府に求める「気候のための学生ストライキ」という運動を始めたのである。この運動はインターネットを通じて拡散し、一九年三月一五日の金曜日には、約四〇カ国の学生が学校を休んで、路上で環境悪化に対する抗議の声をあげた。トゥンベリは、その年の秋には国連総会で各国代表に対して、「あなたたちは空っぽの言葉で、私の夢と子ども時代を奪い去った。でも私は運が良い方だ。人々は苦しみ、死にかけ、生態系全体が崩壊しかけている。私たちは絶滅に差し掛かっているのに、あなたたちが話すのは金のことと、永遠の経済成長というおとぎ話だけ。何ということだ」と、怒りの言葉をなげかけた（『東京新聞』オンライン、二〇一九年九月二五日、https://www.tokyo-np.co.jp/article/27279）。

グローバルな形でしか解決への途が見いだせない地球環境問題をめぐって、若い世代の協力関係が広がっていった様相は、二一世紀の世界の将来に一筋の明るい光を感じさせている。

世界人口の変動

このように変化する地球環境の中で人類は生存を続けていこうとしているわけであるが、その人類の規模の現状について、人口の変動を瞥見しておこう。

この三〇年間をとってみると、一九九〇年に約五三億人であった世界人口は、二〇二二年には八〇億人に達したが、年々の人口増加率は低下傾向を見せている。なかには人口が減少し続けている国もあり、〇八年から減少が始まった日本はその代表的な存在である。

人口規模で世界のトップ争いをしているのは、いうまでもなく中国とインドである。これまで一貫して最大の人口をかかえてきた中国では、一九七九年から二〇一五年までの間「一人っ子政策」が実施されて、「人口の決定要因である生死出入のうち、「生」すなわち生殖がほぼ完全に国家の統制下に置かれた」(小浜 二〇二〇:一七頁)ことによって、人口増加にブレーキがかけられた。そのため、中国は二〇二二年に人口減に転じ、二三年にはインドが中国を追い越して最大の人口をもつ国になった。

さらに二一世紀のこれからの世界においては、アフリカ諸国における人口増大が大きな問題となる。二一世紀が始まった時、アフリカの人口は世界の一三%ほどであったが、人口問題を重視するアフリカ研究者峯陽一(本講座第二巻「展望」参照)によると、二〇一九年から「百年後の二一一九年の人口分布を想像すると、世界の人口の四割(またはそれ以上)がアフリカで暮らし、およそ四割(またはそれ以下)がアジアで暮らし、残りの二割がその他の場所で暮らすという構図になっていることは、……かなり確からしいように思われる」のである(峯 二〇一九:八頁)。

アジア、アフリカを中心として世界の人口の絶対数はこれからも増え続け、国連は二一世紀末には二〇二二年の約八〇億人から一〇四億人に増えると推計している(United Nations, Population Division 2022)。こうした規模になる世界の人口を、地球は果たして支えていけるのか。かつて一九七二年に、資本主義諸国の科学者、経済学者、経営者などをメンバーとした「ローマ・クラブ」は、人類の経済活動の形が変わらないまま人口増加や環境破壊が続いていけば、一〇〇年以内に資源や食糧は枯渇していき、成長は限界に達することになると強く警告する報告書『成長の限界』を発表し、大きな波紋を呼んだ(メドウズほか 一九七二)。九二年と二〇〇四年、さらに二二年に出されたこの報告書の続編はいずれも同様の警鐘を鳴らしつづけている。こうした予測をめぐっては、『成長の限界』が出された時に比べて、人間が利用可能な資源は増してきているという楽観的なコメントがなされることもあるが、よほどの努力が払われなければ、人類の将来は厳しいものがある。

二一世紀に入って、国連は、二〇〇〇年に採択して一五年までの期間を対象とした「ミレニアム開発目標」(MDGs)に続いて、一五年に「持続的な開発目標」(SDGs)を採択し、三〇年に向けて、世界の貧困を克服するとともに、開発や経済成長と地球環境保護を両立させる方策を追求する姿勢を示した。しかし、COP会議の混乱に見られるように、またトゥンベリの怒りが広い共感を呼ぶことから明らかなように、人類の活動を地球環境と両立させる途はまだまだ見えていない。

二、グローバリゼーションの曲折

グローバリゼーションとその意識化

地球環境問題についての関心の高まりは、人類の命運が国境をこえたさまざまなつながりにいやおうなくかかっていると、人々がより強く意識するようになったことを意味したが、そうした意識は、この三〇年間にそれ以外のさまざまな面でも浮上してきた。本稿冒頭で述べた、グローバリゼーションがもたらした状況である。

グローバリゼーションと呼ぶことができる状態は最近始まったわけではない。たとえば、イギリスの歴史家トニー・ホプキンズは、①ビザンツ、中国、オスマンなど前近代の帝国のもとで展開した古典的グローバリゼーション、②一七、一八世紀の国家再編成、商業拡張の過程で展開したプロト・グローバリゼーション、③一九世紀以降の国民国家体制の拡大、工業化に伴って展開した近代グローバリゼーション、④一九五〇年代以降続いてきたポストコロニアル・グローバリゼーション、という四段階のグローバリゼーションについて論じた（Hopkins 2002）。筆者は、一九世紀後半の帝国主義の時代を、「近代グローバリゼーション」が進んだ時代と考えている（木畑 二〇一四：二八―三一頁）。

しかし、最近のグローバリゼーションは、その実質とともに、それが人々によって強く意識されているという点で、新たな様相を呈している。

ホプキンズは、一九五〇年代以降を現代のグローバリゼーションの過程とみたが、確かに、経済的グローバリゼーションの一つの指標となる多国籍企業の存在はその頃から顕著になり、六〇年代から急速に増えていった。七〇年に約六〇〇〇であった多国籍企業は、八八年には一万八五〇〇に、さらに二〇〇〇年には六万三〇〇〇になったと推計されている（Dickinson 2018: 209）。またカネの面でのグローバリゼーションは、とくに八〇年代に先進資本主義諸国で進展し、ヒトの移動も、八〇年代後半に日本において外国人労働者受け入れがそれまでにない大きな問題として浮上してきたことにも示されるように、冷戦が終わる頃にグローバルな現象としての性格を強めた。

そして、世界が二つの陣営に分かれているというイメージが冷戦終結で消失するなかで、グローバリゼーションの進行は人々によって強く意識されるようになった。ちょうどその頃、情報の流通面ではインターネットの劇的ともいえる普及が起こった。ネットワーク技術は一九六〇年代にアメリカで生まれていたが、たとえば日本の場合、八〇年代から実験が行われ、九二年に初のインターネット・プロヴァイダーが作られ、九〇年代後半から広く普及し始めた。グローバリゼーションの展開を人々に意識化させる上で、情報伝達面でのこうした変化がもった意味はきわめて大きかった。

グローバリゼーションと新自由主義

最近のグローバリゼーションについては、それが、資本主義を支える思想として浮上した新自由主義（ネオリベラリズム）と強く結びついていたことに注意する必要がある。ネオリベラリズムと混同されがちなのが、一九世紀末に台頭したニューリベラリズムである。ニューリベラリズムは、経済における自由放任を重視し国家の役割を消極視した古典的な自由主義を批判する形で、国家の役割を積極的に評価する思想として登場し、二度の世界大戦における総力戦体制の経験などを経て、第二次世界大戦後の福祉国家体制の拡大につながった考え方であった。社会民主主義とも一定の親和性をもつニューリベラリズムから福祉国家へという流れに抗して、市場の活動を重視し、国家による福祉・公共サーヴィスを縮減し、企業の民営化や規制緩和を進めようとする思想が、新自由主義である。

新自由主義に基づく政策は、八〇年代のアメリカ大統領ロナルド・レーガンのもとでのレーガノミクスやイギリス首相マーガレット・サッチャーによるサッチャリズムの基調となったが、それに先立って、七〇年代には、チリなどで実験的に試みられた（小沢 二〇一七b：二一頁）。チリにおけるサルバドール・アジェンデ政権の政策を社会主義的として嫌ったアメリカが後押ししたクーデタでアジェンデが殺害された後の、軍政下のことである。アジェンデ政権は主要産業の国有化や農地改革を進めつつ、対米依存の経済体制を作り変えようとして、アメリカの反発を招き、それがクーデタと新自由主義の導入につながったのである。

新自由主義の広がりの背景には、さらに脱植民地化後の国際経済をめぐる大きなうねりが存在した。脱植民地化によって新たに独立した国々を中心として、先進国に有利な世界経済の仕組みを作り変えることをめざす動きが、七〇年代初めに「新国際経済秩序」（New International Economic Order: NIEO）を求めて盛り上がり、七四年には、国連の資源特別総会でNIEO宣言が採択された。それに対する先進国側の反発は激しく、NIEOは実現に至らなかったものの、こうしたいわゆる「第三世界」からの挑戦を前にして、先進国の側で広がっていったのが、新自由主義である。新自由主義展開の背景にはNIEOの挫折に代表される「第三世界プロジェクト」の失敗が存在したのである

(Prashad 2012: Ch. 1; 小沢 二〇一七a)。

冷戦終結後に新自由主義の力はさらに増していった。先進国側と途上国の関係においても、国際通貨基金(IMF)や世界銀行が途上国に金融支援を行う際に、国営企業の民営化や、種々の規制緩和、金融活動の自由化などを求める新自由主義的政策が、「構造調整政策」として推進されることが顕著となっていった。

金融危機と格差問題

新自由主義と結びついたグローバリゼーションの進展は、さまざまな問題を生んだ。前述した地球環境の悪化もその一つであるが、国際的な金融危機の続発、世界的な格差の広がり、各地での内戦、それらを背景とする難民の増大などである。このうち、金融危機と格差について以下で簡単に触れ、戦争と難民問題については、節を替えて取りあげてみたい。

新自由主義的グローバリゼーションに伴う変化が世界の安定を大きく損ないかねないことをよく示したのが、あいついで生じた金融危機である。

まず一九九七―九八年には、アジア諸国において、タイでの通貨暴落をきっかけとする通貨危機が生じた(アジア通貨危機)。この危機の後、タイ、インドネシア、韓国ではIMFによる「構造調整政策」が実施されることになった。次いで二〇〇七年からは、アメリカ金融市場の動揺を引き金とする危機が急速に広がり、世界金融危機の様相を呈した。〇八年にはアメリカやイギリスの大きな金融機関が破綻するなど、状況はきわめて深刻となった。さらに〇九年からはEUで、ギリシアの財政危機を発端とするユーロ危機が発生した。この危機はEU全体の存続をめぐる危惧までも生じさせたが、EUはどうにかそれを乗りきった。これらの金融危機は、企業の倒産で多くの失業者を生み出すなど、巻き込まれた国々の民衆生活を直撃した。

グローバリゼーションのなかでの人々の生活をめぐっては、格差の拡大という問題への関心が高まった。それを扱ったフランスの経済学者トマ・ピケティの著書『二一世紀の資本』が、アメリカや日本など多くの地域で大きな話題となったのは、そのあらわれであった(ピケティ 二〇一四)。

最近の格差をめぐっては、「南北問題」や「南南問題」として表わされる国家間の格差に加え、同一国内での格差、とりわけ先進国と目される国の国内格差が強調される。確かに、「南のなかの南」という性格が濃かったアフリカ諸国が二一世紀に入って急速な経済成長を見せる一方(平野 二〇一九)、世界で最も豊かな国であるアメリカ内部での格差拡大は著しいものがある。アメリカにおける一九七四年から二〇一四年までの四〇年間の所得変化をみた場合、下部五〇%の人々の平均所得はほとんど変わらなかったのに対し、上部一〇%の人々の所得は二三一%も増大した(Hopkins 2018: 726)。「北のなかの北と南」の格差の問題が顕在化してきたのである。

世界に広がる格差の問題は、二〇二〇年から新型コロナウィルスが世界に広がるなかで、改めて強く意識されるようになった。コロナ禍による世界経済の攪乱は貧しい国々を直撃し、二〇二〇年に世界銀行が出した貧困と繁栄をめぐる報告書は、二〇年から二一年にかけて途上国において一億一〇〇〇万人から一億五〇〇〇万人の人々が新たに極貧状態に陥ることになると警告した(World Bank 2020: xi)。一方、先進国においても、テレワークなど労働環境の変化に適応する人々と職を失って困窮する人々との間の格差が顕著になっていった。コロナウィルスへの対抗策として登場したワクチンをめぐっても、接種を進める先進国が供給されるワクチンを囲い込む反面、途上国にはそれが行き渡らないという、グローバルな「ワクチン格差」が新しい問題として浮上した。

反グローバリゼーション運動

新自由主義的グローバリゼーションに対する反対運動は、一九九〇年代に多様な形で見られ始めた。

その標的になったのは、グローバリゼーションを推進していると目された国際組織であった。早い時期での動きとしては、八八年に西ベルリン(当時はまだベルリンは東西に分割されていた)で開かれたIMFと世界銀行の大会や八九年のパリにおける主要国首脳会議(G7)への抗議をあげることができる。さらに九四年にマドリードで開かれたIMFと世界銀行の創設五〇年大会に際しての活動などを経て、九九年のシアトルにおける世界貿易機関(WTO)の会議に対する大規模な抗議行動によって、反グローバリゼーション運動は一つの頂点を迎えた。そこには、左翼組織・労働組合・環境保護団体・人権団体・学生運動家・無政府主義者などさまざまな潮流に属する人々が少なくとも四万人集まり、グローバリゼーションが途上国の経済発展を阻害しているという論点を中心に、抗議活動をくり広げたのである。そのため、開会式は中止され、さらに合意文書も発表できない事態となって、会議は失敗に追い込まれた。この出来事は、反グローバリゼーション運動への人々の関心を大きく高めた。

こうした運動の展開を背景として、二〇〇一年には、反グローバリゼーション国際組織の世界社会フォーラム(WSF)が誕生した。毎年一月にスイスの保養地ダボスで開かれて各国の政治家や経営者が経済問題を話し合う世界経済フォーラム年次総会(ダボス会議)に対抗する集まりとして、WSFは作られた。WSFは、きちんとした構造をもつ組織ではなく、戦略も参加者の意思によって多様な形をとる、という柔軟な運動として、新自由主義的なグローバリゼーションに不満を抱く多くの人々を引きつけていった(Prashad 2012: Ch. 4)。

こうした運動の多くについて注意すべき点は、それらがグローバリゼーションに全て反対し、それを止めていこうとする運動ではないということである。WSFの「世界は市場ではない」というスローガンにあらわれているように、抗議の対象となっているのは、新自由主義と結びついたグローバリゼーションである。グローバリゼーションによるヒト、モノ、カネ、情報の流れを抑えるのではなく、それを格差のない公正で民主的な世界を作る方向に振り向けていくという「下からのグローバリゼーション」をめざす運動であると考えるべきであろう。たとえば、二〇一九年に大阪で開かれた金融・世界経済に関する首脳会合(G20)に先行して開催された「市民二〇」(C20)という集まりでは、「新自由主義モデルによるグローバル化が唯一の発展モデルとして世界の人々に押し付けられている限り、多国間アプローチは機能しません。持続可能性、正義、市民社会の民主的参加がその答えであり、権威主義、ナショナリズム、新自由主義から解決策は得られません」との提言がなされたのである(C20 二〇一九:五四頁)。

グローバリゼーションとアメリカ

反グローバリゼーション運動の最大の標的となった国は、アメリカであった。冷戦の終結後、唯一の超大国となったアメリカが牽引するグローバリゼーション下の世界の姿は、二〇〇〇年に出版された(邦訳は二〇〇三年)アントニオ・ネグリとマイケル・ハートの著書において、新たな形の「帝国」であると表現された。彼らは、伝統的な帝国と違ってこの新たな「帝国」には中心は存在しないとしつつも、アメリカはこの「帝国」の「グローバルな区分化と階層秩序のなかで特権的な位置を占めている」と論じたのである(ネグリ、ハート 二〇〇三:四七八頁)。同じ年に、かつての著書『通産省と日本の奇蹟』で日本でもよく知られていたチャルマーズ・ジョンソンは、『アメリカ帝国への報復』という本を書き、帝国の中心に位置するようになったアメリカに対しては、その力に対する報復が続くはずである、と断言した(ジョンソン 二〇〇〇)。彼のこの予言は、二〇〇一年九月一一日のアメリカにおけるいわゆる「同時多発テロ事件」として実現した。イスラームの過激派組織アルカーイダによるニューヨークの世界貿易センタービル(経済グローバリゼーションを象徴する建物であった)などに対する攻撃は、世界を震撼させた。

ネグリらの著書もジョンソンの本も、九・一一以降のアメリカでは大変な売れ行きを示した。しかし、それらに盛り込まれたアメリカの姿への批判が省みられることはなく、アメリカはジョージ・W・ブッシュ大統領のもとで、テロの根を絶つためという理由で、アフガニスタンに対する攻撃を行い、さらに二〇〇三年にはイラクに対する戦争を始めていった。

これらの戦争は比較的短期間で終結し、アフガニスタンではアルカーイダを庇護しているとされたターリバーン政権が、イラクでは強い権力をふるってきたサッダーム・フサイン政権が、アメリカなどによる攻勢の前に倒壊した。しかし、アフガニスタンにせよイラクにせよ、アメリカへの抵抗は根強く、戦争後も駐留した米軍は多くの犠牲者を出し続け、アメリカの影響力はそがれていった。そしてそのような抵抗を抑えるための作戦による現地の民間人の犠牲者数は大規模なものとなった。その状況下で、イラクなどでは一四年から過激派組織「イスラーム国」が勢力を伸ばした。またアフガニスタンではターリバーンが勢力を温存した後、二一年、米軍の最終撤退を機に、再び権力の座につくことになった。

軍事面でのアメリカの力のかげりがこうした形で示される一方、経済面では二〇〇七年からの世界金融危機がアメリカの力に大きな疑問符を付した。「アメリカの世紀は終わった」と言われるようになったのである。二〇一六年の大統領選挙では、世界での影響力のこのような低下、またグローバリゼーションのもとでの格差の拡大などに不満をいだくアメリカ人に支持されて、「アメリカ第一主義」をかかげる共和党のドナルド・トランプが選出された。トランプは、気候変動をめぐるパリ協定や世界保健機関（WHO）からの脱退を決めたり、世界貿易機関（WTO）の機能を邪魔したりするなど、グローバリゼーションのなかのアメリカの位置を自らさらに動揺させる政策をとった。後を継いだ民主党のジョー・バイデン政権は、パリ協定やWHOに速やかに復帰するなど、そうした政策の修正を図ったが、アメリカの力の後退という趨勢に変化は生じていない。

台頭する中国

そのようなアメリカへの挑戦者として台頭してきた国が中国である。

ふり返ってみれば、この三〇年間の中国の動向は一九八九年六月四日の天安門事件が予示していたように思われる。当時中国は鄧小平のリーダーシップのもと改革開放政策をとり、急速な経済成長を開始していた。その経済成長と、天安門事件であからさまに示された民主化への方向を拒絶する共産党政権の姿勢が並行する形で、中国はグローバリゼーション下の世界における大国となってきた。

経済面では、二〇一〇年に名目国内総生産(GDP)が日本を抜いて世界第二位となり、二〇一二年から最高指導者となった習近平のもとで、かつて中国と西方をむすんだシルクロードを意識した一帯一路構想によって経済的勢力圏の拡大・確保をめざす政策が展開されてきている。中国はすでに一九六〇年代頃からアフリカに関心を抱いてきたが、経済進出の結果、そこが「中国の第二の大陸」になったといわれることもあるなど(Welz 2021: 77)、中国は世界経済のなかでの位置を高めてきた。

その一方、中国共産党による一党支配下の政治体制に変化はなく、九七年のイギリスからの返還に際して五〇年間の「一国二制度」が約束されたはずの香港においても、返還後機能してきた複数政治勢力の競合の上に立つ民主主義的体制が、二〇二〇年の「国家安全法」で押しつぶされた。

こうした中国との関係を、バイデン米大統領は就任後初の記者会見で、「民主主義と専制主義の戦い」と形容した。トルーマン・ドクトリンを想起させるこの発言に関しては、「新冷戦」ののろしであるといった受け止め方もなされたが、バイデン自身はそうした見方を強く否定した。しかし、米中関係がどのような形をとっていくかが、これからの世界の形を決めていく大きな要因となることは確実である。「現代世界は経済の相互依存が冷戦期とは比較にならないほど深化していて、米中経済のデカップリングが困難だという点」(菅 二〇二一：一四頁)も確かではあるものの、将来の予測は難しい。ウクライナ戦争をめぐって中国がロシア寄りの姿勢を保ったことや、台湾の位置をめぐる摩擦なども働いて、米中間の緊張はつづいている。

三、戦争と平和

「新しい戦争」？

グローバリゼーションが進む世界で各地の相互依存が深まるなか、国家間の矛盾・対立の解消のため戦争という手段に訴えようとすることは少なくなったと思われてきた。二〇二二年二月に開始されたロシアによるウクライナ侵攻(ウクライナ戦争)で、この考え方は再考を迫られたが、ここではまずそれまでの趨勢をまとめておくことにする。

第一次世界大戦期まで、国際的な紛争解決の手段として戦争に訴えることは国家の当然の権利として認められていたが(「無差別戦争観」)、大戦の惨禍を経て一九二八年のパリ不戦条約で、「国際紛争解決のために戦争に訴えることを非難し、かつ、その相互の関係において国家政策の手段として戦争を放棄する」ことが宣言された(戦争違法化)。しかし世界大戦は再び起こり、第二次世界大戦後も、朝鮮戦争やベトナム戦争に代表されるように、国家間の戦争は生じていた。ただ近年は国家間の紛争の減少傾向が見られてきた。国家間の紛争と国内紛争の境界線をどこに引くかは微妙であるものの、ハイデルベルク国際紛争研究所の分類に従えば、**図1**に示されているように、冷戦終結後をとってみると、国家間(国家の正規軍同士の間)の強度の紛争(限定的戦争と戦争)は減少し、同時に内戦などそれ以外の紛争が増しているのである。また二〇〇一年の同時多発テロ事件以降は、「反テロ戦争」と呼ばれるようになった「国際的なテロ」組織に対する戦争が目立つようになった。このうち「対テロ戦争」については次項で扱うことにして、ここではまず内戦について触れてみよう。

冷戦の終結後一九九〇年代には、旧ユーゴスラヴィアやアフリカのソマリア、ルワンダなどで多くの内戦が発生し

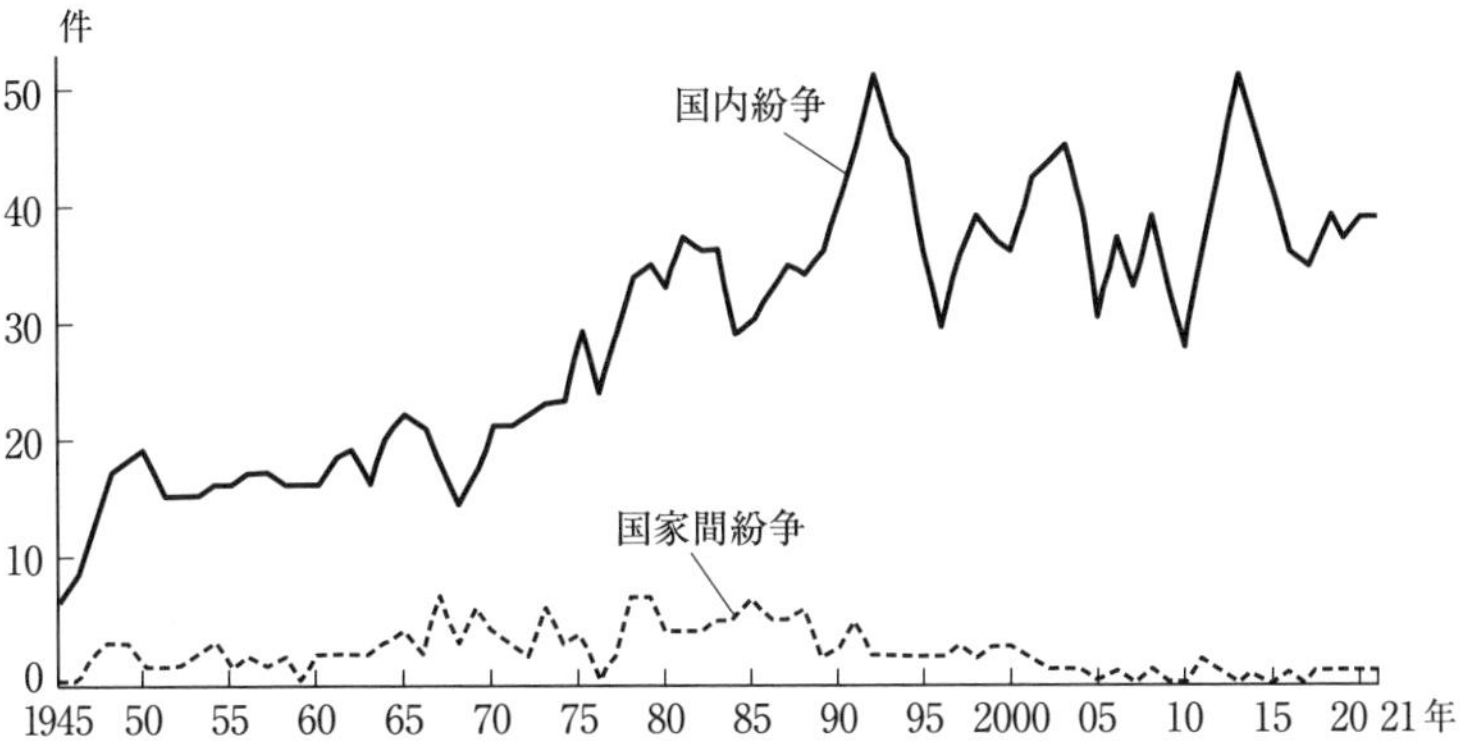

図 1　強度の紛争の推移

注：ハイデルベルク国際紛争研究所は，紛争を次の５つのレベルにわけている．①論争，②非暴力的危機，③暴力的危機，④限定的戦争，⑤戦争．このうち，④と⑤が「強度の紛争」とされる．

出典：Heidelberg Institute for International Conflict Research, *Conflict Barometer 2014*, p. 17 のグラフにその後のデータを加筆（https://hiik.de/conflict-barometer/bisherige-ausgaben/?lang=en）．

た。そのような状況を背景として九九年に出された『新しい戦争と古い戦争』(邦訳は『新戦争論』として二〇〇三年刊行)において、メアリー・カルドーは、内戦にみられる「新しい戦争」の性格について、人々の民族的、宗教的なアイデンティティをめぐるアイデンティティ・ポリティクスという要因の重要さ、政治的暴力と私益のための暴力行使の間の区別のあいまい化、暴力行為の多くが一般市民を対象とするものになること、戦争経済がグローバル化していること、などの特徴を指摘した(カルドー 二〇〇三)。

従来の国家間の戦争においては、領土や資源に関わる対立が争いの要因となることが多かった。「新しい戦争」でも、具体的な利益の問題は決して軽視できないものの、人種・民族や所属宗教などのアイデンティティにもとづく政治的権利の要求という形をとるアイデンティティ・ポリティクスが、それまでまとまりをみせていた国内を分裂させ、紛争を生じさせる要因として浮上してきたというのである。その際カルドーが、アイデンティティ・ポリティクス浮上の源泉として、グローバリゼーションの進展を重視していることに注意したい。グローバリゼーションによって、国民国家の枠組が浸食され既存の政治階層の正統性が低下したことや、所得格差が拡大し失業者が増大するなかで汚職や投機が広がっていったことが、内戦につながるアイデンティティ・ポリティクスを動かしていったのである。

新自由主義的グローバリゼーションはまた、戦争の民営化といえる状態をも引き起した。軍隊以外のさまざまな暴力装置が働くなかで、「新しい戦争」では非国家的主体の役割が重要になってきている。その際、戦争遂行自体から利益を得るような民間軍事警備会社が関わることも多く、新自由主義の中心的性格である「民営化」が戦争にも入りこんできたのである(本山 二〇〇四)。ウクライナ戦争では、ロシアにおけるそうした組織であるワグネルの姿が浮き彫りにされた。

このような内戦は、敵とされた「他者」集団をまとめて破壊する「ジェノサイド」の様相を呈することもあった。九〇年代には旧ユーゴスラヴィアのボスニア内戦におけるセルビア人側によるボシュニャク人(ムスリム人)の虐殺、ルワンダ内戦におけるツチ人によるフツ人の虐殺が起こり、二一世紀に入ってからも、スーダン南部のダルフール紛争におけるアラブ系住民による非アラブ系住民の虐殺などが生じた。そのため、第二次世界大戦期のユダヤ人大量虐殺(ホロコースト)をめぐって用いられ始めた「ジェノサイド」という概念が、一九九〇年代以降はかなり広く適用されるようになってきたのである。

「対テロ戦争」

内戦の続発で特徴づけられた一九九〇年代が終わり、二一世紀に入ってから九・一一以降語られるようになった戦争が、「対テロ戦争」である。国家間の紛争を戦争で解決することは、すでに触れたように第一次世界大戦後に違法化されたが、この「対テロ戦争」は、国家に対するものであっても実際の相手はそこに巣くっている国際的なテロ組織であるとして、正当化されていったのである。新しい「正戦論」と言える議論である。国際的に広がった反対運動にもかかわらず二〇〇三年春に開始されたイラク戦争も、イラクが大量破壊兵器を所有しているという主張(それが完全に誤っていたことは後に明らかになった)とならんで、サッダーム・フサイン政権が九・一一を引き起した国際的なテロ組織アルカーイダと関係しているという理由(これも誤りであった)によって正当化された。

このような「対テロ戦争」論は、たとえばイスラエル政府がパレスチナの民族運動組織ハマースを国際的なテロ組織と呼んで武力攻撃を行うなど、アメリカ以外によっても武力行使正当化の理由として用いられているが、何といってもアメリカによる行動が目立つ。イラク戦争は、国家間の戦争に分類される戦争であったが、「対テロ戦争」論はさまざまな紛争への関与に際して用いられ、〇九年に就任した民主党のバラク・オバマ大統領のもとでも、頻用された。オバマはテロリストと目したイスラーム過激派に対する戦いを続け、「歴代大統領のうちで最も成功した「テロリスト・ハンター」と評される一面もあった」のである(古矢 二〇二〇:二九五頁)。とくに、イラクとシリアを中心として動きを活発化させたイスラーム過激派組織「イスラーム国」は、アメリカの「対テロ戦争」の大きな標的となった。

「対テロ戦争」では、「テロ組織」と一般民衆の間の区別は難しく、一般民衆が戦闘に巻き込まれたり誤って直接の標的にされたりする場合も多い。一般民衆が巻き込まれやすいのは、先述したジェノサイド状況を極端な例として内戦全般にも言えることであり、近年の戦争の目立った性格となっている。

戦争技術の変化と軍拡競争

ただし、戦争技術は近年大きく変化してきている。とりわけ、無人航空機(ドローン)の使用拡大、さらにそれと密接に関連する形での人工知能(AI)の活用開始は重要である。

一九六〇年代以降偵察目的のために使われはじめたドローンは、攻撃目的のためにも用いられるようになり、とりわけアメリカの「対テロ戦争」で積極的に使用された。

戦争の現場からはるかに離れた場所から遠隔操作を行うことで、偵察や攻撃を行う側の人命を全く危険にさらすことなく戦争を遂行できることから、ドローンを現代の戦争の手段として不可欠なものとする見方も強まっている。しかし、直接の戦闘行為による危険はなくとも、ドローンを操縦する人々が、遠隔操作で人を殺すという行為に心理的に耐えられず心的外傷後ストレス障害(PTSD)に悩まされることも多い。また、ドローンは相手を「ピンポイント」で特定して軍事目標に正確な攻撃を加えると宣伝されているが、実際には、攻撃の手掛かりとなる情報の誤りや、攻撃に際しての周囲の巻き込みなどによって一般民衆が犠牲になることもきわめて多い。一般民衆に危害を加えたことへの自覚が、操縦者のPTSDの原因になる場合もある。

こうした操縦者への負担をなくすために、ドローンにAIを搭載して、人間による制御がない形で戦闘行為に使用するという動きも出てきている。すでに二〇二〇年にはリビア内戦のなかで、誰が用いたかは分からないものの、AI搭載のドローンが使われたという(『朝日新聞デジタル』二〇二一年六月二四日 https://www.asahi.com/articles/ASP6R7FDQP6RUHBI00R.html)。戦争の性格をいっそう変えていくこのような兵器については、強い懸念が示されはじめている。

ドローンなどの新しい兵器の増強を含め、多くの国が軍事支出を増していることも、大きな懸念材料である。ストックホルム国際平和研究所のデータによれば、二〇二二年における世界の軍事支出は過去最高の二兆二四〇〇億ドルを記録した。最大の軍事費支出国はアメリカであるが、中国も二八年間連続して軍事費を拡大し、軍事大国としての姿をますます顕著に見せている(SIPRI 2023)。

核戦争の脅威と核兵器禁止の動き

さらに懸念されるのが核戦争の可能性である。核戦争などによる人類の絶滅を「午前〇時」として、それに世界がどれほど近づいているかを一九四七年以降各年の初めに推定してきたアメリカの『原子力科学者会報』の「世界終末時計」は、二〇二〇年に過去最悪の一〇〇秒前となり、二一年、二二年ともその値に据え置かれたが、二三年になるとウクライナ戦争の影響下でさらに悪化して九〇秒となった。ちなみに、過去の最悪は冷戦が最も激化していた一九五三年からの二分前であり、過去の最善は冷戦終結時の一九九一年の一七分前である。

その九一年以降、「世界終末時計」に示された状況は悪化の一途をたどっている。この間、最大の核保有国であるアメリカとロシアの間の核競争はまがりなりにも抑制された形となってきたものの、核兵器の拡散抑制の方は進まず、北朝鮮は度重なる核実験を行ってきた。またイランの核開発をめぐっては、二〇一五年にアメリカ、ロシアなど六カ国とイランの間で「核合意」が成立し、開発に制限がかけられることになったが、一八年にアメリカのトランプ大統領が合意からの一方的な離脱を発表することによって、歯止めがききにくい状況が生まれた。トランプはまた、アメリカが旧ソ連と結んだ中距離核戦力(INF)全廃条約からの離脱も決定した。トランプの次の大統領となったバイデンが、期限がきたロシアとの間の新戦略兵器削減条約(新START)の延長に同意することで、米ロ間の核競争の再発はとりあえず抑えられたが、こうした一連の状況が「世界終末時計」の状況判断につながっていると思われる。

また指導者が実際に核兵器の使用を考えていることは、ロシアのウラジーミル・プーチン大統領の言動に見ることができる。彼は、二〇一五年、前年のクリミア「併合」の際にウクライナに対して核兵器を用いる準備をしていたという趣旨の発言を行った。二〇年には、通常兵器によって攻撃された場合であっても国の存在が脅かされる場合には核兵器で反撃できるとする「核抑止の国家政策の基本」という文書に署名した。さらにウクライナ戦争にあたっては、核兵器使用を辞さないという姿勢をはっきり示したのである。

冷戦終結で遠のき始めたと思われていた核戦争の危険性がこのように改めて浮上してくる一方、核兵器の使用を禁じるための努力も進んできている。

核をめぐる状況に危機感を覚えたノルウェー、メキシコ、オーストリアの諸国政府が、核兵器禁止につながる条約制定の動きに踏み出し、核兵器廃絶国際キャンペーン（ICAN）などの市民運動が強力に後押しした結果、二〇一七年七月、国連の条約交渉会議で、核兵器を違法な兵器としてその製造、保有、使用などを禁止する「核兵器禁止条約」が採択された。そこでの票の分布は、賛成一二二、反対一（オランダ）、棄権一（シンガポール）というものであったが、核兵器保有国（米・英・仏・露・中・インド・パキスタン・北朝鮮）は投票に参加せず、アメリカの「核の傘」の下にある日本も、韓国、ドイツ、オーストラリア、カナダなどとともに不参加の方向を選んだ。この条約は、その後各国による批准が進んだ結果、二〇二一年一月に発効した。世界の過半を大きくこえる国が賛同するなかでこうした条約が成立したことの意味はきわめて大きいものの、核兵器保有国などがかたくなに核兵器使用の可能性を守る態度をとり続けている状況のもとでは、核兵器廃絶への道のりはまだ遠いものがある。

ウクライナ戦争とその余波

戦争をめぐるこのような状況に衝撃を与えたのが、二〇二二年二月に始まり長期化したロシアによるウクライナ侵攻（ウクライナ戦争）である。

ウクライナは一九九一年にソ連から独立したれっきとした主権国家であり、この戦争は、後景に退いたものと思われていた国家間の戦争に他ならない。ロシアのプーチン大統領は、さまざまな理由で侵攻を正当化しているものの、これが国際的に違法化されている侵略戦争であることは疑いない。この戦争は国家の軍隊同士が戦う伝統的な戦争としての様相を呈しているのである。ただ、ドローンの大々的な使用など新たな戦争技術が見られることは確かであり、軍事専門家の小泉悠はこの戦争のことを「二一世紀のテクノロジーを用いたハイテク独ソ戦」と呼んでいる（小泉 二〇二二：一九六頁）。また、民間軍事会社ワグネルが大きな役割を演じたことも見逃せない。さらにプーチンは、すでに触れたように核兵器の使用も辞さないという姿勢をとりつづけているし、先述した米ロ間の新戦略兵器削減条約（新START）の履行を停止する決定を行って、核軍拡の姿勢があることも示した。

この戦争によって、世界の人々の危機意識があおられ、各地で軍備強化の動きが進み始めた。ウクライナを軍事的に支援しているNATOは、すでに一四年のロシアによるクリミア併合を受けて、加盟各国の国防費を増やし二四年から少なくともGDPの二％にする方針をとってきていたが、それをさらに引き上げる可能性も語られるようになったのである。NATO加盟国ではない国でも、この趨勢を奇貨として、軍備増強を図る動きが活発化した。その典型例が日本である。

防衛政策をめぐる日本の変容

戦後日本は、自衛隊を作って実質的な再軍備を行ってはきたものの、一九八〇年代までは国外での軍事行動には携わらない姿勢を守ってきた。しかし湾岸戦争後九二年に制定された「国際平和協力法」（PKO法）で、国連の平和維持活動への自衛隊員の派遣が始まったことで、その姿勢は変わっていき、九・一一以降は、アメリカの「対テロ戦争」に協力するための「テロ対策特別措置法」が制定されて、自衛隊の艦船がインド洋に派遣された。こうした変化の後、二〇一二年に二度目の首相の座についた安倍晋三のもとで、日本政府はそれまで否定してきていた集団的自衛権の行使を認め、国外での自衛隊の活動範囲を拡大するいわゆる「安保法案」を二〇一五年に成立させた。

この間、沖縄では全体としての米軍基地縮小は進まないまま、市街地にあって危険性の高い普天間飛行場の移設についての日米合意が一九九六年になされた。しかし、それは沖縄の負担軽減を意味せず、代替基地建設のため、沖縄住民をはじめとする多くの人々による反対の声を無視する形で、辺野古での海域埋め立てが強行されてきている。

このような日本政府の姿勢からは、日本国憲法の中心的理念であったはずの、「恒久の平和」への積極的貢献という姿勢はうかがい難い。ただ、この三〇年の間には、平和構築のための日本の役割を垣間見させる事態も存在した。九〇年代後半における「人間の安全保障」推進姿勢である。

冷戦終結後、戦争が起こらないという意味での平和(「消極的平和」)を見直し、人々がそれぞれの力を生かして主体的に生きていける状態としての平和(「積極的平和」)を目標にすえて、安全保障を考え直そうとする動きが、国際的にあらわれてきた。それを具体的に示したのが、国連開発計画(UNDP)の一九九四年報告書であった。個々人の生存にとって重要な七種類の安全保障として、経済、食糧、健康、環境、個人、地域社会、政治をあげたこの報告書が「新しい考え方」として提示したのが「人間の安全保障」である(国連開発計画 一九九四)。その後この考え方を推進したのが、カナダ政府とならんで日本政府であり、とくに小渕恵三首相(在任一九九八―二〇〇〇年)は、それを日本外交の重点施策として位置づけた(長 二〇一二:九三頁)。

しかし、日本政府のこの姿勢はつづかなかった。政府開発援助(ODA)の額をとってみても、二〇〇〇年当時は世界第一位であったものの、その後アメリカに抜かれ、ドイツなどの増加傾向とは違って、横ばいに近い状態を示した。それどころか、一二年からの安倍政権は、「人間の安全保障」と密接に結びついた考え方である「積極的平和」の内容と全く矛盾する集団的自衛権の行使容認など、日本の軍事行動の可能性の拡大を、「積極的平和主義」と称して正当化したのである。

さらに、ウクライナ戦争による危機感の高まりに乗じて、二二年春、岸田文雄首相のもとの自民党・公明党連立政府は、軍事予算(防衛予算)のGDP二%への大幅増額、他国の領土への攻撃を可能にする装備の導入計画などを盛り込んだ安保関連文書を閣議決定した。そして二二年一二月には、自衛に徹するというこれまでの日本の軍事姿勢を大きく転換して敵基地を攻撃する能力を容認する方針をも含む安全保障関連の三つの文書が、閣議決定されるにいたった。

その一方で、「核兵器禁止条約」をめぐっては、唯一の核被爆国である日本の参加を求める声が国内外で強くあげられているにもかかわらず、日本政府は、アメリカとの関係を念頭に、参加をかたくなに拒んでいる。

四、移動する人々・逃れる人々

ヒトの国際的移動の現状

グローバリゼーションが進んできた現在の世界における変化として次に取りあげるのは、ヒトの移動の問題である。ヒトの移動は人類史上常に見られてきたが、近代世界に入るとその規模は大きくなり、一九世紀中葉以降（近代グローバリゼーションの時期）には、それ以前の時期をはるかに上回る数の人々が世界を移動していった。とりわけヨーロッパから流出する人々の数は膨大なものとなり、一九世紀半ばから第一次世界大戦直後にかけての期間にヨーロッパから移民として出て行った人々の数は四五〇〇万人を超えたと推定されている（北村・中嶋 二〇二二：八九頁）。しかし、冷戦終結後におけるヒトの移動の規模拡大は、さらにめざましい。**図2**に示す国際移住機関（ＩＯＭ）が発表したデータによって、まずその趨勢を確認しておこう。

移民についての一致した定義はないが、概ね、自らの生存や生活に関わる物質的条件や社会的条件の改善のため、自発的であれそうでない場合であれ、自分が生まれた国以外の国で暮らすようになった人々のことを指す。従って、短期の旅行者などは含まれない。**図2**に見られるように、そういった人々が世界人口の二％強であった状況から、この三〇年間は三％前後となり、二〇二〇年には三・六％に達しているのである。

ヒトの国際的移動が活発化した要因として、ＩＯＭの報告書は、技術的、地政学的、環境的要因に着目している（IOM 2021: 5-7）。技術的要因としては、「第四次産業革命」と呼ばれるデジタル革命による通信技術の飛躍的な発展

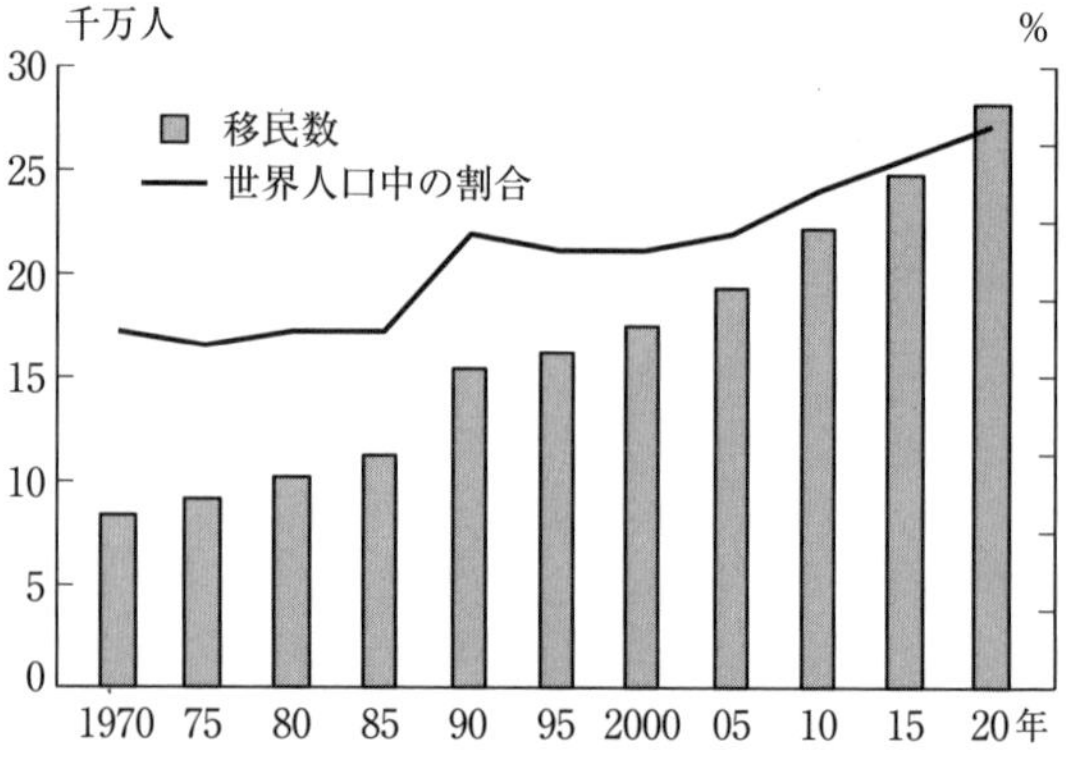

図 2　国際的に移動した人々
出典：IOM 2021: 23 の表に基づいて作成．

が重要である。それによって移動を考える人々は移動過程や移動先の状況についての情報をそれまでよりはるかに迅速に得ることができるようになった。一方、地政学的な競合関係が強まるなかで、国際的な協調関係に揺らぎが生じ、人権が脅かされ、人々に移動を促すような状況が増してきた。さらに地球環境の悪化によって移住を促される人々も増してきている。これらの要因のうち、後者二つについては、すぐ後の難民問題を扱う部分で、今少し詳しく触れることにしたい。

この三〇年間におけるヒトの国際的移動をめぐって、次に注意しておきたい点として、そもそも国際的移動をはかる基準となる国境線の意味が大きく変化した地域が出てきたことがあげられる。シェンゲン空間と言われる地域である。西ヨーロッパにおける地域統合のプロセスが進むなかで、一九八五年、フランス、ドイツ、ベネルクス三国は、共通の国境におけるヒトやモノの監視を漸進的に撤廃することを目的とした協定を締結した。ルクセンブルクのシェンゲンで結ばれたこの協定は、九〇年にその実施をめぐる協定が作られたことを経て、九五年に発効した。それによって生まれた、国境線が事実上見えなくなった領域がシェンゲン空間である。シェンゲン協定は、当初はＥＵの枠外の取り決めという性格をもち、シェンゲン空間にはＥＵに加わっていないアイスランド、スイス、ノルウェーといった国々も参加した。その反面、ＥＵ加盟国でもイギリスとアイルランドは、シェンゲン空間に入らなかった。その後、シェンゲン協定はＥＵの法体系のなかに取り込まれることになり、ＥＵとかなり重なりあう形で（ただし、二一世紀になってＥＵに加盟した旧東欧諸国など、参加しない国も増加した)、ヒトが国境線を越えるときにそれを全く意識する必要のない領域が生まれたのである。しかし一方では、その外の地域に住む人々にとっては、シェンゲン空間との間の境界線は厳として存在したままである。ヒトの移動をめぐるヨーロッパ地域とその外側との間の関係は、二〇一〇年代に入ると難民流入をめぐって深刻な状況を生むことになった。

難民の増大

国境を越えて移動する人々のなかでも、政治的迫害などにさらされて自分の安全を守るために国をはなれざるをえない人々が難民(refugee)という特別の存在として問題とされ始めたのは、第一次世界大戦後のことであった。ロシア革命を逃れた人々やオスマン帝国で迫害を受けたアルメニア人などの動きに国際社会が直面するなか、一九三〇年には、国際連盟のもとにナンセン国際難民事務所という組織が設立された。さらに第二次世界大戦直後に大量のヒトの移動が起こる状況を経て、一九五一年に「難民の地位に関する条約」(難民条約)が結ばれ、現在まで通用している難民の定義が次のように与えられた。

人種、宗教、国籍若しくは特定の社会的集団の構成員であること又は政治的意見を理由に迫害を受けるおそれがあるという十分に理由のある恐怖を有するために、国籍国の外にいる者であって、その国籍国の保護を受けることができない者又はそのような恐怖を有するためにその国籍国の保護を受けることを望まない者及びこれらの事件の結果として常居所を有していた国の外にいる無国籍者であって、当該常居所を有していた国に帰ることができない者又はそのような恐怖を有するために当該常居所を有していた国に帰ることを望まない者。

この定義では、難民はあくまでも「国籍国の外」にいる者に限られている。近年ますます増加している自国内に避難地を求める人々(国内避難民 internally displaced person: IDP)は含まれていなかったのである。

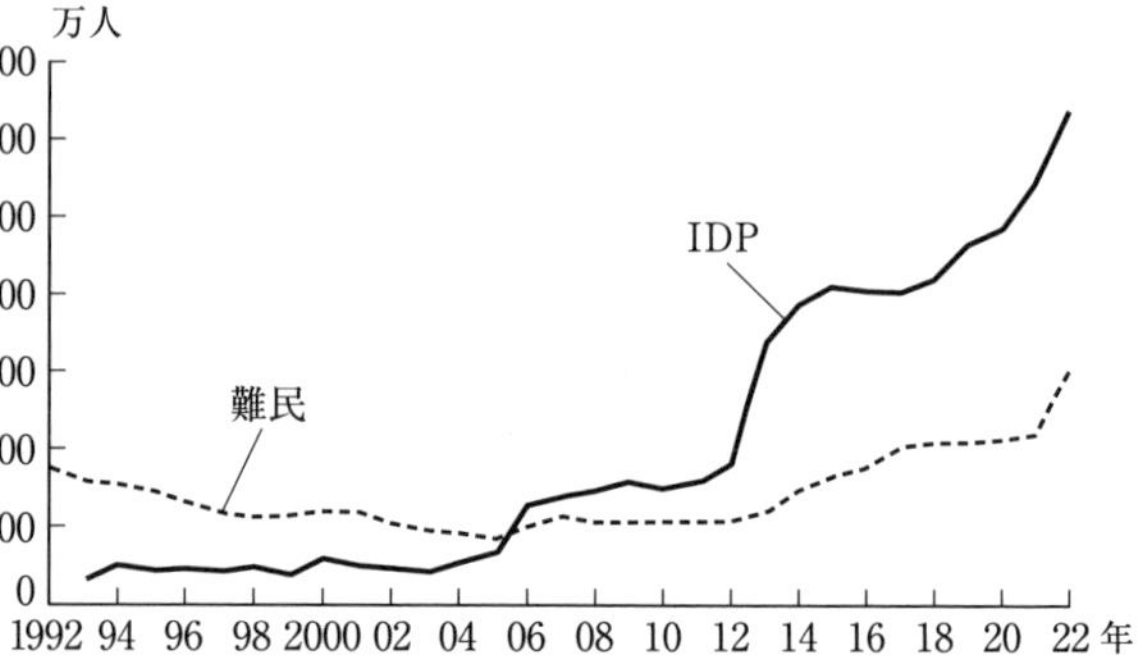

図 3　難民と国内避難民（各年末，万人）

注：2022 年末で約 590 万人になるパレスチナ難民は含まれていない．またこの他に 2022 年末で約 540 万人の庇護希望者（国外に移動して難民資格を申請している人々）がいる．

出典：UNHCR, *Statistical Overview, Statistical Yearbook, Global Trends* から作成．

その後、ベトナム戦争によるインドシナ難民の大量発生などが生じるなど、難民問題の深刻さは冷戦期を通じて意識されつづけてきた。一九五〇年に設立された国連難民高等弁務官事務所（UNHCR）の高等弁務官に九〇年に就任した緒方貞子は、九二年一一月に行った講演で、「一九七〇年には二五〇万人であった難民数は一〇年前には一一〇〇万人となったが、それは今日では一八〇〇万人を超えている。難民問題は冷戦後の時代におけるきわめて大きな政治的関心事になったのである」と述べた（Ogata 1992）。しかし、この緒方の講演の頃をピークとして難民数はその後減少していった。その傾向は二〇一〇年代初めまで続いたものの、**図3**が示すように、それからは上昇してきている。

　またこのグラフは、近年IDPの急激な増大が見られたことを示している。IDPの人数が数えられ始めたのは一九八二年のことであり、その時には、一一カ国で一二〇万人という数であった（小泉二〇一八：四五頁）。それが激増したのである。このグラフについては、ここで示されているIDPの数が、紛争や暴力の結果IDPとなった人の数であり、他に自然災害を逃れてIDPとなった人々がいることにも注意しておく必要があろう。一九九八年に設立されたNGOのIDPモニタリングセンター（IDMC）の統計によれば、二〇二二年末で前者が約六二五〇万人であったのに対し、後者も約八七〇〇万人存在した（IDMC 2023）。この問題にも注目しつつ、こうした難民増大の背景について検討してみたい。

難民発生の背景

緒方貞子が難民の急増を指摘した一九九二年頃には、各地で生じた内戦などによって、難民が生じやすい状況が生まれていた。しかし九〇年代半ば以降は、武力紛争の終息などによって、国外に逃れて難民となっていた人々の帰還が進み、難民数は減少した。とはいえそれはIDPの減少にはつながらなかった。さらに国際的難民もIDPも二〇一二年頃から大きく増大傾向を見せていったが、その変化は、一一年から始まったシリア内戦が大量の難民とIDPを生み出したことなどによるところが大きい(なお〇六年におけるIDPの増大は、前年まで統計にあらわれていなかったコンゴ民主共和国やウガンダでの内戦の結果としてのIDPが含まれ始めたことを反映している)。シリアでの内戦が始まった直後の一二年末時点ではシリアからの難民は約七三万人でありIDPは二〇〇万人にのぼると推定されていたのに対し(UNHCR 2013: 13, 21)、二二年末時点では難民は六五〇万人に、IDPは六八〇万人に達したのである(UNHCR 2023a: 3, 25b)。

内戦と難民の関わりについて言えば、内戦が展開した結果として難民が出るという通常の状況ばかりでなく、人々を居住地域から追い出して難民化させることが、攻撃側のそもそもの目的に含まれていたと言われる場合もあることに注意したい。たとえばスーダンにおけるダルフール紛争の場合である(Fiddian-Qasmiyeh et al. 2014: 320)

また、アメリカが中心となって進めてきた「対テロ戦争」の結果としての難民の発生も顕著な事態となった。ある推定によれば、九・一一以降アメリカが関わったアフガニスタンやイラクでの「対テロ戦争」によって、二〇年まで三七〇〇万人(多く見積もられた場合では約五九〇〇万人)が、住んでいた所を離れざるをえず難民や庇護申請者あるいはIDPとなった(Vine et al. 2020)。この推定にはシリアも含まれているが、それを除いた場合でも、「対テロ戦争」が難民問題を悪化させたことは明らかである。

さらに難民状況を悪化させているのが、ウクライナ戦争である。二二年二月の戦争勃発直後から大量の難民が発生し、二三年七月初めの段階におけるUNHCRの発表によると、国境を越えてウクライナを出た人々の数は二〇〇〇万人を超えた。その内一四〇〇万人近くの人々がウクライナに戻ってきたものの、ヨーロッパ内だけで六〇〇万人近くのウクライナ難民が生まれているのである(UNHCR 2023b)。

「環境難民」

一九五一年の難民条約による定義には含まれず、正式には難民の数には入れられないものの、近年深刻な存在となってきたのが、地球環境の変化に関わる、いわゆる「環境難民」である。長期的には気温上昇などのさまざまな環境変化、短期的には台風や干ばつなどの自然災害によって、生活を脅かされ、住んできた家や土地を一時的にせよ離れざるを得なくなったこうした人々が増してきたのである。二〇二〇年には、短期的災害の結果移動した人々の数は一四五カ国・地域で約三一〇〇万人にのぼると推定されている。それに対し長期的要因のための移動者についてのデータは不十分というが、〇八年から二〇年までで気温上昇によって一一〇〇万人以上、干ばつによって二四〇〇万人以上の移動がみられたという推定もなされている(IOM 2021: 237)。

このような状況への認識は、二一世紀になって深まってきた。その結果二〇一〇年には、メキシコのカンクンで開かれた気候変動枠組条約会議(COP第一六回会議)で、「カンクン適応枠組み」(Cancun Adaptation Framework)と呼ばれる合意が成立した。これは、気候変動に起因する人々の移動について、国際的な理解、調整、協力を促すことを定めたもので、気候変動問題とヒトの移動問題を結びつける動きにはずみをつけた。さらに一二年には、スイスとノルウェーが「ナンセン・イニシアティヴ」と呼ばれる動きを開始し、深刻な気候変動を背景として生じる避難民の保護について、各国共通の基準や国際的な協力体制を整える方向性が示された。このイニシアティヴは一五年に終了したが、一六年にはその後継組織としてスイスなど一九カ国によって、「災害や気候変動の悪影響で国外に移住を強いられた人々を、より手厚く保護する」災害避難民プラットフォーム(Platform on Disaster Displacement)という組織が作られた。

こうした動きはあるものの、地球環境の悪化が進むなかで、この問題の将来は深刻である。国連砂漠化対処条約事務局は、二〇五九年までに干ばつのために移動を余儀なくされる人々の数はアフリカで二二〇〇万人、南米で一二〇〇万人、アジアで一〇〇〇万人にのぼると予測している(IOM 2021: 239)。さらに、地球環境悪化に起因する移動は、経済格差の拡大による貧困化や紛争などグローバリゼーション下の世界で進行している他の要因と絡むことも多く、その解消のためにさまざまな問題の総合的な解決が求められる重大な問題となっているのである。

移民・難民問題と安全保障

この三〇年間における移民・難民の量的増大に伴って生まれてきた問題として指摘できるのが、国境を越えたヒトの移動の安全保障問題化であり、移動してきた人々を受け入れた国々における排外主義の広がりである。

国外からの移民の流入が国の安全・安定を脅かす要因であるとして意識され、政治問題化することは、歴史上しばしば見られてきた。二〇世紀初頭におけるアメリカでの日本人移民排斥問題などはすぐに想起される例であろう。しかし、ヒトの移動を安全保障上の大きな問題であるとする考え方が強まってきたのは、冷戦後のことであった。国家の安全保障について軍事以外の要因を考慮しようとする動きは、冷戦の緊張が緩和した一九七〇年代頃から浮上していたが、九〇年代になって加速化し、そのなかでヒトの移動も重視されるようになったのである。イギリスの国際戦略研究所の機関誌『戦略概観』の一九九〇/九一年版が「大量移住と国際安全保障」いう章を設けたことは、その早い例である(大矢根 二〇一三:五六頁)。

その傾向は、九・一一事件以降にさらに強まった。「対テロ戦争」が叫ばれるなかで、移民・難民のなかにテロを外国から持ちこんでくる人々がいるとみなされることが多くなっていったのである。たとえば、アメリカでの「同時多発テロ事件」に続いて、ヨーロッパでは〇四年にスペインのマドリードで列車爆破テロが、さらに〇五年にはイギリスのロンドンで地下鉄とバスをねらった同時爆破テロが起こったが、前者にモロッコ出身者が、後者にパキスタンとジャマイカの出身者が関わっていたことなども、そのような見方を強めていった。

ヨーロッパの場合、移民・難民の政治問題化がさらに昂進したのは、二〇一〇年代中葉である。すでに見たように、この頃シリアの内戦による難民は増加していたが、彼らをはじめとしてヨーロッパをめざす難民が一五年春頃から急増し、それをめぐって政治的緊張が走ったのである。この状況に際して、一五年八月、ドイツのメルケル首相は、「私たちは成し遂げることができる」と押し寄せる移民・難民をヨーロッパに受け入れる姿勢があると表明したが、それに対しては、ハンガリーやポーランドなど中・東欧諸国から激しい反発の声があげられた。同年一一月にパリで起こった同時多発テロ事件の実行犯に、アルジェリア系フランス人などとともに、難民として入国したシリア人が含まれていたことや、二〇一六年七月にドイツ南部で続発した民間人を標的とした攻撃に、やはりシリア人が関わっていたことなどは、移民・難民の問題をテロや安全保障と結びつけて考える傾向にさらに拍車をかけることになった。

移民・難民を危険視するこうした見方は、彼らを受け入れていたヨーロッパの国々における反移民感情の高まりを招き、新自由主義的なグローバリゼーションのもとで職を失ったり経済格差に苦しんだりしている人々の間で排外主義をひろげていった。イギリスにおける二〇一六年の国民投票で、EUからの離脱(ブレグジット)賛成が過半数を占めた背景の一つは、EU内からの人々を含む移民をめぐるこうした雰囲気であった。

移民問題をめぐる排外主義は近年の世界における民主主義の揺らぎをもたらす重要な要因の一つになってきたが、その問題は次項で扱う。ただその前に一点注意しておきたいことがある。それは、このような形で移民・難民の受け入れ問題が政治化しマスメディアでも大きく取りあげられるのが、ヨーロッパやアメリカなどの「先進国」に限られがちである一方、これまで難民を多く受け入れてきたのは、そうした欧米ではない「南」の国々であるという点である。UNHCRによれば、二〇二二年末で難民および庇護申請者を最も多く受け入れているのはトルコであり、次がイランである。第三位の位置を占めるのはコロンビアであり、ドイツとパキスタンがそれにつづく(UNHCR 2023a: 2)。

それに次ぐのがウガンダであるが、そこで難民受け入れをめぐって、かなり思い切った政策がとられてきたことは注目に値する。難民たちの自給自足を目的として、働く権利や移動の自由を与え、土地を供給しているのである。ウガンダは一九五〇年代中葉にスーダンの難民が入ってきた時から難民受け入れの経験をもち、五九年(六二年の独立前であった)にはアフリカで最初の難民キャンプが作られた国である。ウガンダ自体でも内戦が展開し難民が生み出されたが、内戦が終結した二〇〇六年に「難民法」が制定され、独自の難民政策が展開されるようになった。ただそこでも、ウガンダ人自身の生活が苦しいなか、難民政策を支える国際的な資金支援も不十分で、難民処遇が社会の緊張を高める傾向が生じている(Easton-Calabria 2021)。

五、揺れる民主主義

民主主義の後退

移民・難民問題をめぐる排外主義の高まりは、民主主義的な政治体制を突き崩そうとする各地の動きに油を注ぐ役割を演じている。ただし、それに対して、民衆の力で民主主義を再構築していこうとする動きもまた活発になっており、その競合のなかで社会のあり方が探られているのが、現在の世界の姿である。

ここでいう民主主義とは、リベラル・デモクラシー、代表制民主主義のことである。筆者なりに定義しておけば、

表1　自由度の度合い

年	自由な国の数(%)	半ば自由な国の数(%)	自由でない国の数(%)	対象国総数
1990	65(40)	50(30)	50(30)	165
1995	76(40)	62(32)	53(28)	191
2000	86(45)	58(30)	48(25)	192
2005	89(46)	58(30)	45(24)	192
2010	87(45)	60(31)	47(24)	194
2015	86(44)	59(30)	50(26)	195
2020	82(42)	59(30)	54(28)	195
2022	84(43)	54(28)	57(29)	195

出典：Freedom House 各年の報告書による．

社会の多元性の承認と表現・言論などの自由を前提として、人々が平等に広く参加する選挙によって選ばれた指導者が少数者の意見・利害をも尊重しつつ政治を行い、その政治への異議申し立ての回路が常に開かれている、そのような政治体制である。

世界における民主主義の定着度合いについては、さまざまな観測がなされているが、ここでは、人々の政治的権利や市民的自由に関する指標をもとに各国における自由度を測り(自由、半ば自由、自由でない、という三つのカテゴリーに分類)、それによって民主主義の度合いを測定しているアメリカの団体フリーダム・ハウスの報告書に拠ることにする。それによれば、**表1**に見られるように、冷戦終結後二〇〇五年頃まで曲折はありながらも若干の上昇をみせていた自由度の度合いは、それ以降低下してきているのである。

自由度の判断については当然議論がありうるが、全体としての変化の趨勢はここに示されているとみてよい。冷戦の終焉は、共産主義の瓦解であった一方で、それまで反共主義を掲げることによってアメリカなどに支えられ命脈を保ってきた反民主主義的政権が次々に崩れていったことをも意味した(Dickinson 2018: 300)。その後、自由度の低い国が減っていく傾向が見られたが、その動きが、二〇〇〇年代の半ばから逆転したのである。フリーダム・ハウス報告書の二〇二一年版は、新型コロナウィルスによって民主主義が打撃を受けたことを強調しつつ、それは「地球での自由度が一五年間連続して後退してきたこと」へさらなる打撃を加えたと指摘し、「長期にわたる民主主義の後退は、ますます地球規模の性格を帯びてきており、最も厳しい独裁体制の下で暮らしている人々によっても、長い伝統をもつ民主主義国家の市民によっても感じられる広がりをもつようになってきている」と指摘した(Freedom House 2021: 1)。報告書二〇二三年版によると、二二年にはウクライナで戦争による人権侵害が増したものの、世界全体では自由度の下降傾向の減退がみられたというが(Freedom House 2023: 1)、民主主義の後退が進んでいること自体に変わりはない。

近年のこのような趨勢については、民主主義の動向を観察している他の組織によっても同様の判断が下されている。たとえば、スウェーデンのV-Dem研究所の二〇二三年版報告書は、「平均的な地球市民が享受している民主主義の水準は、二〇二二年には一九八六年頃のレベルに低下した」とする(V-Dem Institute 2023: 6)。またイギリスの『エコノミスト』誌インテリジェンス・ユニットの二〇二〇年民主主義インデックスは、「二〇〇六年にこのインデックスが最初に作られて以降、最悪のグローバル・スコア」を記録したのである(The Economist Intelligence Unit 2021: 4)。

民主化の変転

全体としてのこの傾向を念頭に置きつつ、いくつかの地域について近年における民主主義に向かう動き(民主化)の変転に触れてみたい。

まずサハラ以南のアフリカである。アフリカでは一九八〇年代まで、独立獲得に貢献した第一世代の指導者が権力維持に固執し、複数政党制や自由な選挙を認めず、専制的・強権的支配を行う状況が広がっていた。ところが九〇年代になると、東欧における変動の影響をも受けるなかで、多くの国で民主化の動きが強まり、複数政党による選挙が実施される国が増し、選挙で野党が勝利した結果、権力が交代する情景もみられるようになった(Meredith 2005: Ch. 23)。一九八九年以前には、憲法で多党制を認めていた国が、セネガル、ガンビア、ボツワナなど七カ国にすぎなかったのに対し、九五年末では、多党制を憲法で保障する国は三八カ国に達することになったのである(宮本・松田 二〇一八：五六四頁)。

この時期における変化の最初の例が西アフリカの小国ベナンである。そこでは、マルクス・レーニン主義を掲げながら独裁体制をしき国の経済を破綻させていた軍人支配者マチュー・ケレクに対する民主化要求が強まった結果、九一年に大統領選挙が施行され、野党候補が勝利した。次いでザンビアでも、六四年の独立後一貫して大統領の地位についていたケネス・カウンダが、九一年、野党が勝利した議会選挙と同時に行われた大統領選挙で敗北し、引退に追い込まれた。こうした変化とは無縁に独裁的体制が続く国もあり、また体制変化が生じた国において、新たな政権がすぐに非民主的体制に落ち込んでいく場合もあったものの、民主化、自由化に向けたこうした変化は進行し続けるだろうと、当時は思われた。南アフリカにおいてアパルトヘイトが廃止され、九四年に全人種が参加した総選挙が実施されてネルソン・マンデラを大統領とする政権が成立したことなども、そうした予測を後押しした。

しかし、二一世紀に入り、とりわけ二〇一〇年代以降になると、これに逆行する動きが生じてきた。フリーダム・ハウスによる評価では、アフリカにおける自由でない国の数は九〇年代に減少傾向をたどった後、二〇〇〇年代にはほぼ横ばいになり、二〇一〇年代には増加傾向に転じた。ベナンでも二〇一六年の大統領選挙以降、権威主義化が進行した。こうした流れは、すでに述べた世界全体の趨勢の一環であるが、そもそも民主主義の基盤が脆弱で、民主化を支える諸制度が弱体であり、軍部など民主主義に敵対的な勢力が強いアフリカでは、その傾向がきわめて顕著になっているのである。

二〇一〇年代に、急激に民主化に向かう動きとその後退という変化が起こったのが、北アフリカ・中東地域である。冷戦終結後、民主化という面で取り残されてきていたこの地域では、二〇一〇年一二月以降、チュニジアに発した政治体制の改革を求める運動がまたたくまに広がり、「アラブの春」といわれる状況が展開した。チュニジアでの民主化運動のきっかけとなったのは、失業中の一青年が街頭での商売を警察に止められたことに抗議して焼身自殺を図ったという一つの事件であったが、若者の間での失業率の高さなどで蓄積していた不満がこれを機として爆発し、強力な反体制運動を生み出したのである。この動きは、翌月、それまで二三年間つづいてきたベン・アリー政権の倒壊を招き(ジャスミン革命)、さらにインターネットを通じて周辺のアラブ諸国に広がった。それによって、一一年二月にエジプトのムバーラク政権、八月にリビアのカダフィー政権、一一月にイエメンのサーレハ政権と、強力と思われていた独裁政権が次々に崩壊するに至った。この地域の状況を観察し続けてきていた中東研究者も予測しえていなかったような、大幅な政治変動であった。

しかしこの民主化の動きは、さほど時をおかずにほとんどの地域で逆転していった。やはり攻撃の的となったシリアのアサド政権は、譲歩の姿勢をいっさいみせることなく反政府勢力との間での内戦に突入し、いったん民主的な国家建設が始まるかにみえたリビアやイエメンでも内戦が開始、エジプトでは一三年に軍事クーデタによって実権を握った政権によって再び民主主義を圧殺する政策がとられるようになったのである。「アラブの春」の震源地チュニジアのみが唯一の例外とみられていたが、そこでも、二一年夏、新型コロナウィルス対策を直接の理由として政府批判が広がるなか、大統領が議会活動を停止させるという事態が起こり、民主化の道は揺らぎはじめた。

同じような曲折は東南アジアのミャンマーにおいても見られる。一九六〇年代以降軍政がしかれ、八〇年代末から九〇年代初めにかけての一時的民主化も軍部によってつぶされていたミャンマーでは、改革を求める運動が一貫して続いていた。その結果、二〇〇七年からまた民主化への動きが始まって一一年には民政に移行し、一五年、二〇年には民政下での総選挙が実施されたものの、二〇年選挙におけるアウンサンスーチーが率いる国民民主連盟の圧倒的勝利を前に、軍部がクーデタをおこし、再び非民主的な体制に戻ったのである。

ポピュリズムと権威主義

民主主義が定着したと従来思われてきた国や地域をも含め、民主主義の後退を示す様相として近年目立っているのが、ポピュリズムと権威主義の広がりである。

よく用いられる定義によれば、ポピュリズムとは、「社会が究極的に「汚れなき人民」対「腐敗したエリート」という敵対する二つの同質的な陣営に分かれると考え、政治とは人民の一般意志の表現であるべきだと論じる、中心の薄弱なイデオロギー」である(ミュデ、カルトワッセル 二〇一八:一四頁)。これは民主主義と接合する時もありうるが、リベラルな民主主義の根幹である社会の多元性の承認や少数派の権利の尊重に背反する態度につながって、民主主義に相反する機能を演じる場合の方が多い(水島 二〇二〇)。一方、権威主義は、独裁や専制と等値しうるものであり(フランツ 二〇二一:二五頁)、民主主義を支えるさまざまな自由や、選挙に代表される競争性を否定する政治体制である。そしてこの二つは、しばしば接続しながら民主主義を掘り崩していく。ポピュリズムも権威主義も、歴史上さまざまな形で見られてきたが、最近は、最初は民主主義的に選ばれた指導者が、ポピュリズム的な言説を弄しながら権威主義化していく傾向もよく見られる。現代の民主主義の死は選挙からはじまる、といった議論まで出てきている状態である(レビツキー、ジブラット 二〇一八)。

ポピュリズムや権威主義について語られることが多いラテンアメリカでは、アメリカに支えられた権威主義的な右派の軍事独裁政権が冷戦期に多く存在していたが、一九八〇年代に民政への移行が進み、選挙も機能するようになった。そして九〇年代には、左派政治勢力の力が増し、選挙での左派の台頭につながっていった。その結果、九九年にベネズエラで社会主義者のウーゴ・チャベスが大統領に就任したことを皮切りに、二〇〇〇年代になると、ブラジル(〇三年)、アルゼンチン(〇三年)、ウルグアイ(〇五年)、ボリビア(〇六年)、チリ(〇六年)、エクアドル(〇七年)、パラグアイ(〇八年)、ペルー(一一年)と、左派政権の誕生が相次いだ。

ベネズエラのチャベス政権やエクアドルのラファエル・コレア政権などは、ポピュリスト的であると同時に権威主義的な性格を帯びていた。また、こうした左派の台頭への反動としてあらわれてきた右派政権の場合、二〇一八年にブラジル大統領に当選したジャイール・ボルソナーロ（二二年一〇月の大統領選挙で左派のルーラ・ダ・シルヴァに敗北）は、当初ポピュリストの相貌を見せたものの、結局は、「多数のブラジル国民の意思を体現する「ポピュリスト」というよりは、単に、熱狂的支持者に向けた虚言やフェイクをまき散らす「権威主義的で横暴なデマゴーグ」にすぎない」人物であると考えられるようになった（上谷 二〇二二：一〇頁）。

ポピュリズムと権威主義の結びつきは、ハンガリーのヴィクトル・オルバーン政権などヨーロッパにおいても見られる。このオルバーンにもあてはまるが、ヨーロッパにおいては、前節で扱った各地からの難民の流入を素材として人々の排外意識をあおる勢力がポピュリズム勢力として影響力を増す状況が、近年顕著になってきている。

また、民主主義の担い手であることを標榜してきたアメリカでは、二〇一七年から二一年まで大統領に在職したトランプが、民主主義を掘り崩す動きを大きく進めた。トランプが一六年の大統領選挙中に語った、「われわれの運動は、失敗し腐敗した政治的エスタブリッシュメントを、あなたたち、アメリカ人民によってコントロールされた新しい政府に取って代えることが目的なのだ」という言葉は、ポピュリスト的志向の典型を示すものであった（ミュデ、カルトワッセル 二〇一八：四七頁）。さらに彼は一貫して権威主義的傾向を示し、二〇年の大統領選挙でバイデンに敗れた結果を認めないまま、二一年一月六日に自らの支持者による連邦議会議事堂襲撃を使嗾《しそう》するに至った。アメリカにおける民主主義の後退の様相は、この事件であからさまに示された。フリーダム・ハウスの評価では、アメリカは当然自由な国に分類されているものの、自由度の後退が著しい国の一つとされている。オバマ大統領の時代にも自由度は低下し、トランプ政権になってさらに大きく後退したと見られているのである。

さらに、面積においても人口面でも大規模な、BRICSと呼ばれる国々で、権威主義的傾向がきわめて強いことも、強調しておくべきであろう。ブラジルのボルソナーロ政権については前述したが、ロシアではプーチン大統領のもとでの強権的統治が続いているし、インドでもヒンドゥー至上主義を掲げるモディ首相が権威主義的傾向を示している。中国では最高指導者習近平が率いる共産党の独裁的体制がしかれ、二〇二〇年以降の新型コロナウィルスへの対処に際して強力な社会統制策をみせたし、香港でイギリスからの返還以降の民主主義体制を窒息させる方策をとった。BRICSのなかでは規模の小さい南アフリカの場合は、アパルトヘイト体制の解消以降、民主主義定着の方向が見られてきているものの、アフリカ民族会議（ANC）の一党優位体制が権威主義的方向に向かうことも懸念されている。

民衆運動の新たな様相

世界の民主主義をめぐる状況は、このように近年憂慮すべきものとなっているが、他方では、民主主義（デモクラシー＝民衆の力）の根幹をなす動き、すなわち民主化を推進する民衆の新たな動きも、とくに二〇一〇年代に入ってから目立ってきている。

二〇一〇年末から始まった「アラブの春」で見られた中東諸地域での民衆運動は、世界の他地域の人々にも大きな影響を与えた。その頃ヨーロッパでは、二〇〇九年からのユーロ危機が広がり、緊縮財政のもとで生活に苦しむ人々が増えていたが、一一年五月、スペインではそうした民衆の不満を背景として、「未来なき若者たち」と呼ばれるグループなどが主導する抗議運動が、「真の民主主義」を求める集会やデモを実施した。インディグナース（怒れる人々）運動とも、抗議活動の日付五月一五日にちなんで15-M運動とも呼ばれるこの運動の参加者たちは、マドリードの中心にあるプエルタ・デル・ソル広場を占拠した。アメリカでは同じ年の九月に、金融機関の力を批判対象とする「ウォール街占拠運動」がニューヨークを中心として全国に広がっていった。さらに、一三年にはトルコで権威主義的傾向を強めるエルドアン政権の退陣を求める首都の公園占拠運動が起き、一四年には台湾における中国との自由貿易協定締結に反対する国会占拠運動(「ひまわり運動」)や香港での民主的選挙を求める中心街占拠運動(「雨傘革命」)が起こった。これらの運動は、既成の政治組織によって指導されるのではなく、若者を中心とする多様な人々を含み、インターネット、SNSを活用するという、社会運動としての新たな形を示していた(田中 二〇一八)。日本で、安倍晋三内閣による安保法制策定に反対して一五年に盛り上がった民衆運動も、このような世界的動向の一環として位置づけることができる。

民衆運動の波は二〇一〇年代末から二〇年代初めにもまた現れてきた。二〇一八年にはアルジェリアやスーダンで、一九年にはイランやイラクで、さらに二〇年にはキルギスやタイで、政治改革を求める運動が生じた。フランスの時事評論誌『ル・モンド・ディプロマティーク』のセルジュ・ハリミはその様相を「ある所で火が消されたかと思うと、他の所で火の手が上がる。人々の要求は大きい。アラブの春以来広く使われてきたスローガンは、「民衆は体制を引き倒す」というものだ。どのようにしてそれを成し遂げられるか、成功した暁には何をするか、分っていない場合が多いが、それでも人々は進んでいくのだ」と表現した(Halimi 2020)。そのフランスでは、政府の経済政策に抗議する民衆運動(「黄色いベスト運動」)が一八年秋から断続的に生じた。カーネギー国際平和財団の統計では、二〇二二年一〇月現在で権威主義的な政治体制をとっている国のうち七八%が無視できない規模のデモに直面しているという(市原 二〇二二:一八三頁)。

近年における民衆運動の新たな進展をめぐっては、次のような動きが指摘できる。

一つは、人種差別に抗議する運動である。アメリカでは二〇一三年頃から白人警官による黒人射殺などに抗議してBLM運動が台頭してきていたが、それは二〇二〇年に起きた黒人殺害事件をきっかけにいっそう活性化した。人種差別、人種主義は、帝国主義世界体制下における支配・被支配の構造の基底に存在していた要素であり、南アフリカのアパルトヘイト体制の終焉などによって、希薄化する方向をたどるものとも思われていたが、アフリカ系アメリカ人であるオバマのアメリカ大統領への選出といった変化が起こる一方で、強固に存続してきた。それを批判するこの民衆運動は、民主主義の核となる人々の平等性を求め、差別意識を助長する社会の構造的な格差の是正を求めるものであった。アメリカにはもとよりこの運動につながる人種差別批判の長い歴史があったが(Lebron 2017)、それが新たな勢いをえて世界に広がっているのである。

人種差別とともに根強く存在しつづけてきた女性差別の問題をめぐっては、女性の社会的地位向上をめざす運動が一貫して進められてきている。冷戦の終結とほぼ時を同じくして展開を始めた第三波フェミニズムでは、ジェンダー差別が構造化した社会のあり方を問題にした六〇―七〇年代の第二波フェミニズムの問題意識を継承しつつ、多様性の主張など個人の自由が強調されたが、二〇一〇年代になると、ソーシャル・ネットワーキングを利用した第四波フェミニズムと呼ばれる運動がひろがっていった。二〇一七年頃から、世界各地で運動しつつ勢いを強めた、女性を対象とする性的な虐待やセクシャルハラスメントを告発する運動(MeToo 運動)が、その典型である。

さらに、社会のマイノリティの権利拡大を求める運動も、障害をもつ人々や性的マイノリティ(LGBT)の運動、各国の先住民による運動など、さまざまな形で展開している。マイノリティの権利を国際的に認めていこうとする動きは、近年確かに進んできており、二〇〇六年には、障害者権利条約が国連総会で採択されたし、二〇一一年には国連の人権理事会が、性的オリエンテーションとジェンダー・アイデンティティに言及する形で、それに関わる人権侵害についての調査を求める決議を採択した。また二〇〇七年の国連総会は、先住民族の権利に関する宣言を採択し、先住民が集団もしくは個人として国連憲章などで認められたすべての人権と基本的な自由を享受する権利を有することを明確にした。

また本稿でもすでに取りあげた、地球環境問題への取り組みを求める、グレタ・トゥンベリなどの運動も、この民主化運動の広がりという文脈のなかで、改めてあげておく必要があろう。

本項で言及したようなさまざまな民衆運動は、民主主義の深化を求める性格をもっているが、同時に、代表制民主主義の枠組みをはずれる「左派ポピュリズム」を招来する可能性も否定できない。こうした運動があらわす声を実現しながら、安定した民主主義の体制をいかに育てていくかが、問われているのである。

本書の構成

以上は筆者なりの現代世界論であり、本巻の各論文での主張と重なるものでは必ずしもないが、この展望を結ぶにあたり、問題群と焦点の各論文の内容について、簡単に紹介をしておこう。

問題群「リベラルな国際秩序の拡散・終焉とグローバル・サウス――中東地域の事例を中心に」(酒井啓子)は、一九九〇年代以降世界を覆ったかに見えたアメリカ主導の「リベラルな国際秩序」が退潮の傾向を示している要因を、大国主導の国際秩序のなかでも「客体」の位置にとどまることはなかったグローバル・サウスの歴史的経験に即して分析する。そしてその具体的な検討が、中東を主な素材として成されている。

問題群「民主主義とポピュリズム――「二〇世紀型政治」の衰退」(水島治郎)は、特に二〇一〇年代から世界の各地で浮上してきたポピュリズムについて、その歴史的背景をたどるとともに、民主主義や権威主義との関連を探り、さらにその中に見られる左右両派のそれぞれの特質に切り込んでいる。

焦点「二一世紀の国連へ――非公式帝国の展開と国際組織」(半澤朝彦)は、国際連合を非公式帝国の構造をもった国際組織として見るユニークな視角から、現代世界における国際連合の力の根源を検証している。国際連合が国際関係のなかでもつ意味についてはさまざまな疑念も出されてきているが、これは一つの有力な解答である。

焦点「「アラブの春」の世界史的意義」(栗田禎子)は、「アラブの春」が新自由主義のもとにおける政治的・社会的矛盾への異議申し立てとして世界的な意味をもっていたことを確認しつつ、植民地支配に対する中東の人々の闘争の経験にその背景を求める。さらにその後の状況を検討するなかで、「イスラーム主義」やイスラームの「宗派主義」をめぐる言説の含意を明らかにする。

焦点「中国と世界」(川島真)は、既存の国際秩序と中国との関係を、歴史的な経緯および国内政治との関連に着目しつつ論じる。現在、既存の秩序への挑戦者であると目されることが多い中国の姿勢が、秩序の修正者から挑戦者へと習近平体制のもとで変化するまでの様相が描かれている。

焦点「アフリカの変容――二一世紀のサハラ以南アフリカ」(島田周平)は、一九九〇年代以降、一方で政治の民主化が進みつつ、他方で国境を越える紛争が頻発してきたアフリカの変化を追うなかで、地域機構の役割増大、中国の存在感の増大といった新たな要因の意味を論じ、二一世紀の世界におけるアフリカの位置を展望する手がかりを示している。

焦点「ラテンアメリカの模索」(大串和雄)は、近年におけるラテンアメリカの民主化の問題を、長い歴史的スパンのなかで位置づけた後、対立軸の変化や左派政権の性格などにそって政治状況の変容を分析し、さらに自律的な外交政策の展開などに説き及んでいる。

焦点「移民・難民」(森千香子)は、移民・難民の増大状況について、人の国際的移動の要因をめぐる主な理論の利点と限界とを紹介し、トランスナショナルな視角にとくに注目する。さらに移民の安全保障化の重要性を指摘するとともに、ジェンダーの視座から現在の移民・難民現象を捉える必要性を強調する。

焦点「ジェンダーとセクシュアリティ」(田村慶子)は、アジア社会におけるジェンダーとセクシュアリティが、近代になって欧米の影響のもとで再編された様相を検討した後、一九九五年の第四回国連世界女性会議がもたらした「ジェンダーの主流化」の流れに着目しつつ、なお格差は解消せず、コロナ禍がそれを改めて顕在化させたことを指摘する。

焦点「コンピュータの普及とメディアの変容」(喜多千草)は、一九五〇年代以降のコンピュータの発展過程と九〇年代以降のインターネットの爆発的な普及の様相を紹介した上で、それによる社会の変化をめぐる「情報社会」論の問題点に切り込んでいく。世界史講座の最終章としてこのような内容が取りあげられることの意味をめぐる結びの議論も興味深い。

コラムとしては、子どもの散歩から見えてくる世界史の動態を浮き彫りにする「「お散歩」から考える世界史のなかの三・一一」(大門正克)、EUが二〇一〇年代に入って連続的な危機に陥った要因を分析した「EUが直面する危機」(池本大輔)、ソ連時代と独ソ戦をめぐるプーチンの歴史観にメスをいれた「プーチンの歴史観」(立石洋子)、戦争期の朝鮮からの労働者強制動員をめぐって一九九七年に新日鐵と韓国人遺族の間で成立した「和解」を紹介する「忘れられた「和解」――韓国強制動員労働者問題をめぐって」(太田修)、ビッグデータの構築が歴史学においてもつ意味を論じた「デジタルアーカイブの拡充がもたらす歴史学の変化」(菊池信彦)、の五本をおさめた。

おわりに――現代世界と歴史的視座

本巻でとりあげたさまざまな課題と格闘している人類をどのような未来が待ち構えているか、予想は難しい。二〇二〇年以降地球をおおった新型コロナウィルス感染症は、その予測をさらに困難にした。さらにロシアのウクライナ侵攻によって、戦争につながる世界の不安定性は著しく増してきた。そうしたなか、歴史を学ぶことが、現在のこうした諸問題に向き合い、未来をみつめる姿勢を整えていく上でどのような意味をもつかという点について、改めて考えてみることが重要であろう(南塚・小谷・木畑 二〇二二)。

コロナ禍が広がりはじめた頃、二〇二〇年四月に、アメリカ歴史家協会(American Historical Associat on)は、それをめぐる声明をいち早く発したが、そこでは歴史家の役割が次のようにうたわれていた。

> 事実や証拠、文脈が、効果的で人間的な公共政策を生み出していく上で必須になる混乱の時代には、……歴史家の仕事が特に重要となる。歴史家は証拠と文脈を〔歴史の〕叙述に織り上げていく。危機に直面する社会は、その危機を描き出し定義していく叙述が精査に堪《た》えるという信念をもつ必要がある。歴史家はまた、文脈を与えていく上で重要な役割を演じている。この場合は、パンデミックの歴史と、その歴史が政策形成と文化にとってもつ有効性とに光を投げかけるのである。あらゆるものには歴史があり、危機状況——エピデミックやパンデミックもそれに含まれる——で直面する社会的、文化的挑戦について説明していく存在としてとくにふさわしいのが歴史家である。このパンデミックに伴う恐れ、挑戦、恒久的変化は、歴史的文脈に根ざし、歴史的先例を有しているのである(American Historical Association 2020)。

歴史を学ぶこと、歴史研究がもつこうした力と役割は、さまざまなところで問い直されている。日本においても、二〇一一年の東日本大震災とそれに伴う原発事故をめぐって、歴史学の役割が鋭く問われた(研究会「戦後派第一世代の歴史研究者は21世紀に何をなすべきか」二〇一三など)。

それだけに他方では、社会が直面している問題について的確な理解を人々がすることを妨げるために、歴史を歪曲したり、歴史を書き換えたりしようとする動きも、世界の各地であらわれている。たとえばインドでは、一九九八年にヒンドゥー至上主義をとるインド人民党が政権を握ると、ムスリムが統治した時代を暗黒の時代として描くインド史像が提示されたが、二〇〇四年に国民会議派が政権を奪還するとそのような歴史観にもとづいて書かれた教科書は廃棄されることになった。しかし、二〇一四年にインド人民党がまた政権の座につくに及んで、改めて歴史教科書の書き換えが始まった。南アフリカでは、アパルトヘイト撤廃の歴史をめぐって、その後政権をとってきたアフリカ民族会議（ANC）以外の勢力の役割を歴史叙述から消し去ろうとする動きが見られたことがある。日本でも一九九〇年代以降、日本史、とりわけ植民地支配と戦争をめぐって歴史の書き換えを図ろうとする「新しい歴史教科書をつくる会」の活動が活発化したが、それは決して孤立した動きではないのである。

このような力が、強弱の違いはあれどこでもいつでも作用しているということに留意しながら、私たちは歴史に向き合っていく必要がある。本巻を最終巻とするこの世界史講座の各巻は、本巻で対象とする現在の世界状況のなかで生きている私たちが今の時点から世界史を見る視点について、いろいろな手掛かりを提供するものとなっている。幅広い活用を希望するものである。

＊本文および参考文献欄記載のURL最終閲覧日、二〇二三年七月二四日。

参考文献

市原麻衣子（二〇二二）「自由主義をめぐる分断と日本の役割」『世界』一二月号。

上谷直克（二〇二二）「多層的な政治問題に苛まれるラテンアメリカ政治」『ラテンアメリカ・レポート』三八巻二号。

大矢根聡編（二〇一三）『コンストラクティヴィズムの国際関係論』有斐閣。

長有紀枝（二〇一二）『入門 人間の安全保障――恐怖と欠乏からの自由を求めて』中公新書。

小沢弘明（二〇一七a）「新自由主義時代の歴史学――下からのグローバル・ヒストリーについて」『歴史科学』二二七号。

小沢弘明（二〇一七b）「新自由主義の時代と歴史学の課題 Ⅰ」歴史学研究会編『第4次現代歴史学の成果と課題1 新自由主義時代の歴史学』績文堂。

カルドー、メアリー（二〇〇三）『新戦争論――グローバル時代の組織的暴力』山本武彦・渡部正樹訳、岩波書店。

菅英輝（二〇二一）「冷戦とは何だったのか――冷戦後の世界にとっての含意」『京都外国語大学 COSMICA』五〇号。

北村暁夫・中嶋毅編（二〇二二）『近現代ヨーロッパの歴史――人の移動から見る』放送大学教育振興会。

木畑洋一（二〇一四）『二〇世紀の歴史』岩波新書。

研究会「戦後派第一世代の歴史研究者は21世紀に何をなすべきか」編（二〇一三）『21世紀歴史学の創造 別巻「3・11」と歴史学』有志舎。

小泉康一（二〇一八）『変貌する「難民」と崩壊する国際人道制度――21世紀における難民・強制移動研究の分析枠組み』ナカニシヤ出版。

小泉悠（二〇二二）『ウクライナ戦争』ちくま新書。

国連開発計画（UNDP）編（一九九四）『人間開発報告書1994』国際協力出版会。

小浜正子（二〇二〇）「ジェンダーとリプロダクションからみる中国の人口史」秋田茂・脇村孝平編『MINERVA世界史叢書8 人口と健康の世界史』ミネルヴァ書房。

佐藤温子（二〇二二）「チェルノブイリ原発事故後のドイツとフィンランド」若尾祐司・木戸衛一編『核と放射線の現代史――開発・被ばく・抵抗』昭和堂。

C20（二〇一九）『C20政策提言書2019』(https://www.janic.org/wp-content/uploads/2019/06/C20_policypack_japanese_2019.pdf)

ジョンソン、チャルマーズ（二〇〇〇）『アメリカ帝国への報復』鈴木主悦訳、集英社。

田中ひかる（二〇一八）「現代の社会運動とその特徴」同編『社会運動のグローバル・ヒストリー――共鳴する人と思想』ミネルヴァ書房。

地球環境センター（二〇一四）『地球環境センターニュース』二五巻四号(https://www.cger.nies.go.jp/cgernews/201407/284004.html)

ネグリ、アントニオ、マイケル・ハート（二〇〇三）『〈帝国〉――グローバル化の世界秩序とマルチチュードの可能性』水嶋一憲ほか訳、以文社。

ピケティ、トマ（二〇一四）『21世紀の資本』山形浩生・守岡桜・森本正史訳、みすず書房。

平野克己（二〇一九）「東アジアと結びつくアフリカ――二一世紀」秋田茂編『MINERVA世界史叢書2 グローバル化の世界史』ミネルヴァ書房。

フクヤマ、フランシス（一九九二）『歴史の終わり』上・下、渡部昇一訳、三笠書房。

フランツ、エリカ（二〇二一）『権威主義――独裁政治の歴史と変貌』上谷直克・今井宏平・中井遼訳、白水社。

古矢旬(二〇二〇)『シリーズアメリカ合衆国史4 グローバル時代のアメリカ――冷戦時代から21世紀』岩波新書。
水島治郎編(二〇二〇)『ポピュリズムという挑戦――岐路に立つ現代デモクラシー』岩波書店。
南塚信吾・小谷汪之・木畑洋一編(二〇二二)『歴史はなぜ必要なのか――「脱歴史時代」へのメッセージ』岩波書店。
峯陽一(二〇一九)『2100年の世界地図――アフラシアの時代』岩波新書。
宮本正興・松田素二編(二〇一八)『新書アフリカ史 改訂新版』講談社現代新書。
ミュデ、カス、クリストバル・ロビラ・カルトワッセル(二〇一八)『ポピュリズム――デモクラシーの友と敵』永井大輔・髙山裕二訳、白水社。
メドウズ、ドネラ・Hほか(一九七二)『成長の限界――ローマ・クラブ「人類の危機」レポート』大来佐武郎監訳、ダイヤモンド社。
本山美彦(二〇〇四)『民営化される戦争――21世紀の民族紛争と企業』ナカニシヤ出版。
レビツキー、スティーブン、ダニエル・ジブラット(二〇一八)『民主主義の死に方』濱野大道訳、新潮社。
American Historical Association (2020), *AHA Statement Regarding Historians and the COVID-19 Public Health Crisis*. (https://www.historians.org/news-and-advocacy/aha-advocacy/aha-statement-regarding-historians-and-covid-19-(april-2020))
Dickinson, Edward Ross (2018), *The World in the Long Twentieth Century: An Interpretive History*, Oakland Ca.: University of California Press.
Easton-Calabria, Evan (2021), “Uganda has a remarkable history of hosting refugees, but its efforts are underfunded”. (https://theconversation.com/uganda-has-a-remarkable-history-of-hosting-refugees-but-its-efforts-are-underfunded-166706)
Fiddian-Qasmiyeh, Elena et al. (2014), *The Oxford Handbook of Refugee & Forced Migration Studies*, Oxford: Oxford University Press.
Freedom House (2021), *Freedom in the World 2021: Democracy under Siege*, Washington, DC: Freedom House. (https://freedomhouse.org/report/freedom-world/2021/democracy-under-siege)
Freedom House (2023), *Freedom in the World 2023: Marking 50 Years in the Struggle for Democracy*, Washington, DC: Freedom House. (https://freedomhouse.org/sites/default/files/2023-03/FIW_World_2023_DigtalPDF.pdf)
Gildea, Robert (2019), *Empires of the Mind: The Colonial Past and the Politics of the Present*, Cambridge: Cambridge University Press.
Halimi, Serge (2020), “Protest is the new normal”, *Le monde diplomatique* (English edition), 2020. 1. 5. (https://mondediplo.com/2020/01/01world-pro

test)

Hopkins, A. G. (2018), *American Empire: A Global History*, Princeton: Princeton University Press.

Hopkins, A. G. (ed.) (2002), *Globalization in World History*, London: Pimlico.

IDMC (2023), *2023 Global Report on Internal Displacement*, Geneva: The Internal Displacement Monitoring Centre. (https://www.internal-displacement.org/global-report/grid2023/)

IOM (2021), *World Migration Report 2022*, Geneva: International Organization for Migration. (https://publications.iom.int/books/world-migration-report-2022)

IPCC (2021), *AR6 Climate Change 2021: The Physical Science Basis.* (https://www.ipcc.ch/report/ar6/wg1/)

Lebron, Christopher J. (2017), *The Making of Black Lives Matter: A Brief History of an Idea*, New York: Oxford University Press.

Meredith, Martin (2005), *The Fate of Africa: From the Hopes of Freedom to the Heart of Despair: A History of 50 Years of Independence*, New York: Public Affairs.

Nett, Katharina and Lukas Rüttinger (2016), *Insurgency, Terrorism and Organised Crime in a Warming Climate: Analysing the Links Between Climate Change and Non-State Armed Groups.* (https://climate-diplomacy.org/sites/default/files/2020-10/CD%20Report_Insurgency_170724_web.pdf)

Ogata, Sadako (1992), "Refugees: Challenge of the 1990s". (https://www.unhcr.org/admin/hcspeeches/3ae68fae18/refugees-challenge-1990s-statement-mrs-sadako-ogata-united-nations-high.html)

Prashad, Vijay (2012), *The Poorer Nations: A Possible History of the Global South*, London and New York: Verso.

SIPRI (2023), "World military expenditure reaches new record high as European spending surges". (https://www.sipri.org/media/press-release/2023/world-military-expenditure-reaches-new-record-high-european-spending-surges)

The Economist Intelligence Unit (2001), *Democracy Index 2020: In sickness and in health?* London: The Economist Intelligence Unit. (https://www.eiu.com/n/campaigns/democracy-index-2020/)

UNHCR (2013), *Global Trends 2012: Displacement: The New 21st Century Challenge.* (https://www.unhcr.org/statistics/country/51bacb0f9/unhcr-global-trends-2012.htm)

UNHCR (2023a), *Global Trends: Forced Displacement in 2022.* (https://www.unhcr.org/global-trends-report-2022)

UNHCR（2023b）, *Operational Data Portal: Ukraine Refugee Situation.*（https://data.unhcr.org/en/situations/ukraine）

United Nations, Population Division（2022）, *World Population Prospects 2022.*（https://population.un.org/wpp/）

V-Dem Institute（2023）, *Defiance in the Face of Autocratization: Democracy Report 2023.*（https://www.v-dem.net/documents/29/V-dem_democracyreport2023_lowres.pdf）

Vine, David et al.（2020）, "Creating Refugees: Displacement Caused by the United States' Post-9/11 Wars".（https://watson.brown.edu/costsofwar/files/cow/imce/papers/2020/Displacement_Vine%20et%20al_Costs%20of%20War%202020%2009%2008.pdf）

Welz, Martin（2021）, *Africa since Decolonization: The History and Politics of a Diverse Continent*, Cambridge: Cambridge University Press.

World Bank（2020）, *Poverty and Shared Prosperity 2020: Reversals of Fortune.*（https://openknowledge.worldbank.org/bitstream/handle/10986/34496/9781464816024.pdf）

コラム｜Column

「お散歩」から考える世界史のなかの三・一一

大門正克

災害について考えるようになったのは、一九九五年の阪神・淡路大震災からである。東日本大震災後は、岩手県陸前高田市に通って人に話を聞いてきた。

陸前高田で話を聞いているのは、保育所長だった佐々木利恵子さんである。二〇一三年にはじめて訪れたとき、「高田の保育は過程を大事にする」という印象的な言葉を聞き、それ以来、この言葉を手がかりに三・一一について考えようとしてきた。津波で壊滅的な被害を受けた陸前高田では、市街地を嵩上げして新たな町をつくる復興の道が選ばれた。地権者や商店との話し合いを丁寧に進めようとする行政、しかし、三陸沿岸一帯ではどこでも市街地の嵩上げと防潮堤および三陸道の建設の音が鳴り響き、グローバル化に連なる巨大再開発の波がかつての町を根こそぎ変えていくように見えた。喪失感と町の将来が見えない不安感が交差するなかで、年に一、二回、佐々木さんにおずおずと話を聞いてきた。

＊

陸前高田をめぐり、いくつかの転機があった。二〇一九年、高台の佐々木さんの自宅で、津波の被害を免れた陸前高田の保育資料が奇跡的に発見されたこと、その保育資料を読むなかで、震災以前の陸前高田と先の佐々木さんの言葉を考えるきっかけを得たこと、そして陸前高田の保育の特徴である「お散歩」コースを、佐々木さんのガイドで二〇二一年と二二年に実際に歩いたことである。

陸前高田の保育は、「問いかけ」と「話し合い」を特徴とする。行事や日常の保育のなかで、保育士はたえず子どもたちに問いかけ、子どもたちの話し合いを促す。日常の保育では、お散歩とお話を読むことが盛んだ。高田保育所の保育目標は、「生命を大切にする子ども」「健康で明るい子ども」「自分で考え、判断し、行動する子ども」「心豊かな子ども」。この保育目標は、お散歩をたどるなかで得心がいった。子どもたちは、お散歩で見つけた生き物や畑の野菜などを育てて「生命」にふれ、お話や話し合いを通じて「心」を響かせ、問いかけと話し合いを通じて「自分で考え判断する」ことを学び、「健康で明るい子ども」に育つ。

子どもたちの大好きな「エルマーのぼうけん」シリーズのお話や昆虫などの図鑑。お話や図鑑の世界は、「トトロの森」「かたつむりロード」などと名づけられた魅力的な散歩コースや、高田の松原のひろがる海や山にまっすぐつながっている。お散歩は、保育士や保護者、地域の人たちによってつなげられ、またお散歩は地域の人たちを支えている。

こうして、地域・自然・保育が結びつく「過程」が陸前高田の保育の何よりの特徴であり、お散歩が保育の特徴をもっともよく体現していることを、私は資料を読み、散歩コースを歩くなかで実感できた。ガイドの佐々木さんは、散歩コースの草花や木々などに私たちの視線を導き、知らぬ間に私たちは散歩コースをワクワクしながら歩いていた（写真）。

とはいえ、私が歩いた散歩コースは、巨大再開発による改変と、かつての散歩道が入りまじったものであり、佐々木さんのガイドには以前の散歩道への思いが強くにじんでいた。一九九〇年代以降の陸前高田の保育には、行革や保育所の統廃合、少子高齢社会、過疎化の波が押し寄せ、保育士と保護者、地域の人たちはそれらに抗して保育をつくってきた。そこに訪れたのが三・一一と巨大再開発だった。

2021年のお散歩コース（宮代栄一氏撮影）

＊

お散歩は世界史のなかの三・一一について考える道に通じているように思える。陸前高田の保育はローカルに閉じたものでは決してなかった。保育は行革やグローバル化、巨大再開発の波に洗われる一方で、地域と自然、保育を結びつけ、さらにお散歩とお話を通じて、子どもたちを広い世界につなげた。保育目標にみられるように、お散歩は子どもたちが育つ世界の全体にかかわるものであり、さらに「過程」にほかならない。子どもたちの世界の全体を動態（過程）として考えられる道、それがお散歩にほかならない。

お散歩は、ローカルの側から、ローカルと世界（世界史）をつなぐ道を探ることに通じている。ローカルで身近な経験は、そのままでは世界史につながらない。保育目標全体にかかわるお散歩からは、陸前高田の子どもの世界だけでなく、その世界におよぶグローバル化や地域社会のあり方も見えてくるはずである。しかも、お散歩はつねに「過程」のなかにある。お散歩を通じて、ローカルと世界史の動態を考える道が開けてくるのではないか。

最近、私は、読書会や保育などを例に、人びとの生活世界から世界史とのつながりを見直す試みを行ってみた（大門『世界の片隅で日本国憲法をたぐりよせる』岩波ブックレット、二〇二三年）。ローカルな世界を世界史の一部として演繹的に説明するのではなく、生活世界の側から世界史とのつながりを問い直すこと、そこに試みの含意がある。お散歩もまた私にとって世界史とのつながりを考える大事な道である。

問題群 | *Inquiry*

問題群｜*Inquiry*

リベラルな国際秩序の拡散・終焉とグローバル・サウス

——中東地域の事例を中心に

酒井啓子

はじめに

世界が本格的にリベラルな国際秩序によって形成されたのは、第二次世界大戦後から冷戦後においてである、と指摘したのは、アメリカの著名な国際政治学者、ジョン・アイケンベリーである。第二次世界大戦後、「緩やかにルールに基づいたグローバルなシステムのなかで、自由民主主義諸国に導かれた諸主権国家が互いの利益や保護のために協力する」秩序概念が（池嵜 二〇一九：九六頁）、主としてアメリカにおいて形成され、冷戦期においては西側世界の間での限定的な国際秩序として成立した。そして、冷戦後は唯一の超大国としてのアメリカがそれを主導して、グローバルにいきわたるものとなった。二〇世紀の最後の一〇年間から二一世紀初めの二〇年間弱は、アメリカのパワーを背景にした「リベラルな国際秩序」が冷戦後の国際社会における唯一の国際秩序とみなされてきたといえる。もっとも、納家の言葉を借りれば、そのグローバル・サウスも含めた全世界的な伝播、拡散は、「自由主義原理に立つ国内体制を持つ諸国が、国家の生存、国益という優先規範との見合いの中で、国際社会で優位に立ち連携して、個人の自由の拡大を可能にする国際秩序を実現しようとする運動」でしかなく、アメリカの単極支配のもとでは「諸国をリベラルな国際秩序に結集するのは実に難しい」ことであった(納家 二〇一八:二一、二五頁)。

その「リベラルな国際秩序」の終焉が論じられるようになったのは、その納家の論考が発表された、二〇一八年であった。契機は、アメリカ大統領選挙でのドナルド・トランプの勝利、第四五代アメリカ合衆国大統領就任である。「アメリカ・ファースト」を謳い、アメリカの国際社会に対する関与、協力を極力低減させたトランプ政権の登場は、アメリカ主導による国際秩序の維持が望めないことを意味した。とはいえ、アメリカはすでにオバマ政権期に、シリア内戦への対応において「アメリカは世界の警察官ではない」と発言していたので、すでに二〇一三年には孤立化を強めていたといえる。

こうした傾向は、アメリカに限定された現象ではなく、もうひとつの「リベラルな国際秩序」の主軸であるヨーロッパでも顕著であった。二〇一六年にイギリスで実施された国民投票の結果、イギリスがEUから離脱する(BREXIT)と決定したこともまた、国際協調、国際秩序の維持よりも自国利益を優先させる方向への政策シフトを体現したものであった。シリア内戦を主たる原因として、二〇一五年に大量にヨーロッパに流入したシリアやアフガニスタンなどからの難民に関する問題(欧州難民危機)は、移民に対する露骨な排外主義の台頭にもつながり、フランス、イタリアなどではその後右派勢力が政治的に伸長することとなった。

そして、リベラルな国際秩序の機能不全を決定づけたのが、二〇二二年二月のロシアによるウクライナ軍事侵攻である。大国のむき出しの力による他国攻撃、支配に対して、これを抑止、あるいは阻止できる国際的メカニズムは存在せず、それを支える国際秩序観や国際規範も希薄化している。そのなかで、国際社会は再び、大国の覇による政治に回帰するのか否かが注目されている。

このアイケンベリーのいう「リベラルな国際秩序」は、本書の編者である木畑がいうところの「長い二〇世紀」と重なりつつも、微妙なずれを示しているともいえよう。木畑は、一九世紀後半の植民地支配期から冷戦終焉までを「帝国世界の時代」として二〇世紀と一連の流れとみなし、冷戦の終焉と植民地主義の払しょくによって「長い二〇世紀」が終わった、と指摘している(木畑 二〇一四)。木畑の言う「長い二〇世紀」の終わりとは、冷戦体制と植民地支配体制の二重の大国主導のグローバルなシステムのもとに置かれた非欧米世界が、それに対して包摂・抵抗・挑戦する過程を経て、「植民地や保護国など支配される地域と支配する国々との間で世界が大きく二分されていた帝国主義世界体制の解体がひとまず終わった」という意味だが(同:序章、本巻「展望」参照)、それは同時に、冷戦期には西側諸国の間でのみ共有されていた「リベラルな国際秩序」が、グローバルに拡大する始まりでもあった。その「リベラルな国際秩序」に陰りが見え始めていくのが二〇一〇年代半ばであることを考えれば、本巻が扱う一九九〇年代から現代という時代は、ポスト帝国主義世界体制解体後の試みとしての「リベラルな国際秩序」のグローバルな普及に向けた試行錯誤の四半世紀と、二〇一〇年代半ば以降の衰退・終焉の一〇年間とみることができるのではないか。

ここで、冷戦終焉から「リベラルな国際秩序の終焉」までの期間を「試行錯誤の時代」というのは、その期間、「リベラルな国際秩序」は必ずしもスムーズに世界大に拡大し受容されたのではなかった、ということを意味している。むしろ、近年グローバル・サウスと呼ばれる国連貿易開発会議七七カ国グループ+中国という、「第三世界」や「途上国」に代わって称される地域や(Freeman 2017)、旧東側諸国においては、多くの矛盾と冷戦期、植民地期の遺恨を抱えたまま移行を余儀なくされたのであり、さまざまな問題が積み重なるように継承されていたからである。

しかし、それらの問題は置き去りにされたまま、「リベラルな国際秩序」の拡大という部分ばかりに光が当てられてきた。「リベラルな国際秩序」の衰退についても、トランプ政権の登場によるアメリカの牽引的役割の終わりや、ＢＲＥＸＩＴによるＥＵというリベラルな国際秩序実践の挫折にみられるように、国際政治を巡る諸議論において常に議論の中心にあるのは、それを主導する立場にある側の欧米先進国の政策的変質である。だが、リベラルな国際秩序の衰退期とは、見方を変えればそれがグローバルに拡大するにあたって欧米先進国が目をつぶってきた、秩序の伝播対象であるグローバル・サウスが抱えてきたさまざまな障害や課題が、徐々に顕在化してきた時代でもあるということができる。

その代表例が、湾岸危機（一九九〇年）や九・一一米国同時多発テロ事件（二〇〇一年）、「イスラーム国」(Islamic State)の台頭（二〇一四年）などといった、中東地域を舞台として起きた諸事件である。先進国主導の国際秩序を当然と考える視座では、中東地域を舞台としたこれらの事件は、リベラルな国際秩序への挑戦、逆行とみなされ、多くの場合、国際秩序に反するスポイラー、例外的存在として扱われてきた。しかし、これらをリベラルな国際秩序の拡大、普及の過程で生じた逸脱事例と単純視してしまうと、リベラルな国際秩序がなぜ欧米自由主義世界の「外」から挑戦をしばしば受けてきたのか、説明することができない。むしろ、植民地支配期から冷戦期において、欧米先進国の政策のツケとしてこの地域に課されたさまざまな桎梏が、「長い二〇世紀」が終わってもなお、澱のように沈殿し続け、それが暴発するように噴出したがゆえにこうした事件が発生したと考えると、納得がいく。

本稿では、「長い二〇世紀」のあとに出現した「リベラルな国際秩序」という世界観が、なぜ四半世紀という短い期間で退潮を見ることになったのか、いかにして退潮の道をたどったのか、その背景を、グローバル・サウス、特に中東地域が、「長い二〇世紀」期に形成された過去の「国際秩序」によって被ってきたさまざまな負の遺産に光を当てることで、概観していく。

一、「国際秩序」に巻き込まれる「客体」にとっての「冷戦後」とはなにか

国際秩序のなかの「客体」としてのグローバル・サウス

近代以降の「国際秩序」とは、帝国主義的支配体制の主人公であり続けてきた欧米諸国がそのルールを制定し主導的に維持するものであって、被支配側におかれたグローバル・サウスは、ルール策定者の立場から外されてきた。ヨーロッパの自由貿易体制の帰結としてアジア、アフリカ地域が植民地支配下におかれた植民地体制期はもとより、西側世界にリベラルな国際秩序が確立されたとされる冷戦体制のもとでも、大国は支配する側としてその世界戦略に基づいて新興独立国を取り込み、支配対象として利用・活用してきた。そして、現在グローバル・サウスと呼ばれるアジア、アフリカ地域は、その支配関係を通じて欧米型リベラル・デモクラシーを移植する対象と位置付けられた。

その結果、グローバル・サウスは常に「他国が中心となってつくられたルールを適用されるだけの、いわば客体にとどまるほかはない」(藤原 二〇二二：七〇頁)状態に置かれてきた。第一次世界大戦後に生まれた「国際関係論」という学問が、欧米を中心に成立、発展したのは、そのことをよく表している。

しかし同時に、ロビンソン(Robinson 1972)が提起した「コラボレーター論」にみられるように、被支配国もまた、大国主導で作り上げられた国際秩序のなかに取り込まれることで、それを自らの利益追求のために妥協したり利用したりするという協働関係が存在していたことを忘れてはならない。アラビア半島ペルシア湾岸地域の首長一族が、イギリスのアジア進出過程でその地をイギリスの保護領化されることで、同地の統治者としての地位を確立することに成功したのは、その例である。そして、大国主導の国際秩序を利用しようとする被支配国の行動様式は、その秩序規範が変化してもなお、変わらないことが多かった。前述のペルシア湾岸首長政諸国は、イギリスの植民地支配が終焉したのちは、石油輸出国として西側先進国の経済を支えるうえで、そしてアメリカの同地域における覇権確立を支えるうえで、重要な役割を果たした。

大国主導で形成される国際秩序の「客体」と位置付けられつつも、そのなかで自勢力の利益や規範を追求するグローバル・サウスの域内や地域社会のアクターたちが、その時代時代における大国、そしてそれが主導する「国際秩序」といかなる関係を紡いでいったか。その複雑な関係の交差性こそが、現代の諸紛争や危機を生み出す起源にあると考えられる。

その問題の起源は、以下の三つに集約される。第一は、「客体」にとっての諸「国際秩序」の連続性と重複性である。第二は、その「国際秩序」を共有する上で、その秩序形成の根幹にある規範に関して、「客体」と大国の間で認識や利益追求のベクトルがずれていたということ、さらにはそのずれに対して大国側が無頓着だったということである。第三は、そのようなずれを解消しようと、「客体」と位置付けられたグローバル・サウス側がオルタナティブとして独自に「国際秩序」を主張した場合、往々にして大国側はそれを、既存の大国主導型の「国際秩序」にとって「異端」あるいは「逸脱」である、とみなすことである。

「国際秩序」の連続性と重複性

第一の問題から見ていこう。グローバル・サウスを覆ってきた国際秩序体系は、二〇世紀半ばまでの植民地主義体制から第二次大戦後の冷戦期、そして冷戦終焉後の「リベラルな国際秩序」のグローバルな展開と、変化した。しかし、国際秩序が変化したとしても、その国際秩序を主導するアクターはしばしば変わらなかった。中央アジアやスラブ系諸国にとっての一九世紀のロシア帝国から二〇世紀のソ連、そして冷戦終焉後のロシア連邦へというシフトのように、基本的に同じアクターである場合もあるし、イギリス植民地支配から西側世界を主導するアメリカへという、継承性の強いアクターへとバトンを引き継いだ場合もある。

こうした場合、植民地支配体制から冷戦期自由民主主義体制へ、あるいは帝国主義的支配から社会主義体制へと国際秩序が質的に変化しても、そこで支配される・参加を求められる非欧米諸国側にとっては、同じ支配・被支配構造が続いていると見なされがちである。植民地支配から脱却したとしても、ほぼ同時に冷戦対立構造のなかに組み込まれ、実質的に植民地支配体制が冷戦期に継承され固定化されることとなった。

ゆえに、そこで固定化された植民地支配体制の遺恨は、冷戦構造が解体されたのちも、解消されることはなかった。植民地支配体制を基盤として形成された諸国家群は、リベラルな国際秩序の構成員となるべく、冷戦終焉後に求められた自由主義的民主主義と市場経済化のみを推進し、そこに残存する植民地性については目がつぶられたのである。むしろ、冷戦対立軸が失われたことで、植民地支配体制の対立軸もまた解消したかのような認識が生まれた。実際には解消されていないのに、である。中東地域でその典型例として挙げられるのが、イスラエル・パレスチナ間の問題で、冷戦終結後、イスラエルによるパレスチナ支配は、より直接的、暴力的な形で展開された。

国際秩序を担う欧米大国と「客体」の認識のずれ

第二の問題は、同じ「国際秩序」を担うものとみなされたとしても、グローバル・サウスにおける被支配国――国家主体であれ非国家主体であれ――の利益追求の方向性が、大国が掲げる秩序概念と一致したわけではなかったことである。非欧米諸国に大国主導の国際秩序認識が必ずしも共有されないばかりか、共有しないことを承知で、域内や地域社会のアクターの個別の利益追求に利用されるにすぎないという事例は、多々見られる。支配国は自国の覇権や広域での利権獲得を目指す一方で、被支配国は支配国の庇護のもとで支配エリートの国内での地歩を固めることに専心する、といったケースがそれだ。

特に典型的な例として、ソ連のアフガニスタン侵攻(一九七九年)に呼応した、アメリカとサウディアラビア、パキスタンの間での反共同盟関係があげられよう。同侵攻により、アメリカは冷戦体制下でソ連とのパワーバランスが変化することに危機感を抱いたが、それとは別に、サウディアラビアにとってアフガニスタン侵攻問題に関与することは、イスラーム世界の護持と連帯が主たる目的であった。さらには、アメリカの中東・南アジアにおける同盟パートナーであるサウディアラビアとパキスタンが起用した、各国からのイスラーム教徒義勇兵たちの行動原理は、冷戦体制における西側世界の国際秩序規範とは全く無関係であったばかりか、のちに露呈するように、むしろ相反するものであった。

しかしながら、そうした大国と、大国が起用する域内、あるいは地域社会のローカルな勢力の、行動原理や認識の違いは、少なくとも大国にとってはさほど問題視されず、齟齬は齟齬のまま、放置された。前述の、アフガニスタンの反共イスラーム戦士の目指すものに対して、それを利用したアメリカがほとんど顧みることがなかったのは、その好例である。換言すれば、大国主導型「国際秩序」維持に利用されるグローバル・サウスの諸アクターは、あくまでも大国にとっての「客体」に過ぎないがゆえに(そして利用する側とされる側とのパワーの圧倒的な差によって)、両者間に相互認識のずれが生じたとしても、大国側にとっては無視できる範囲の誤差でしかなかったのである。

このずれが原因となって、両者の依存関係が大国側の都合で終焉したとき、そのことが与える影響がいかなるものか、どの程度の大きさか、についての認識上の違いを生み、そうした相互誤解が外交政策の失敗をもたらす。そうしたずれと誤認に対して大国が無頓着なまま、大国が国際秩序を変容させたとき、被支配側はこの新たな国際秩序に対して、挑戦へとその姿勢を転ずるのである。再びアフガニスタンの事例でいえば、ソ連軍のアフガニスタン駐留は一〇年間で終焉し、アメリカはアフガニスタンに関与する必然性を失った。しかし、アメリカが起用してきた域内や国内地域社会における域内の、あるいはローカルなパートナーであるイスラーム教徒義勇兵たちにとっては、目的追求が完了したわけではなかった。

第三節で詳細を論じるが、そのことが、アルカーイダの成立を生み、九・一一事件を引き起こした。自由主義世界を守るという、西側の国際秩序意識のもとに一九八〇年代にアメリカが主導したアフガニスタンでの反共政策は、のちにアルカーイダという反米組織を生んだのである。当時の西側にとっての国際秩序は、その後の「反米国際テロ」を生むほどの同床異夢のもとに成立していたといえよう。このアルカーイダという冷戦期国際秩序の副産物を、アメリカはその後、二〇〇〇年代の最初の一〇年間をかけて「対テロ戦争」として回収せざるを得ないこととなる。

オルタナティブを目指すグローバル・サウス

第三に挙げられる問題の根源は、欧米大国主導の「国際秩序」に代替、あるいは挑戦する秩序観や規範の存在である。欧米主導の国際秩序形成のもとで、非欧米地域は「客体」としてしか位置づけられなかったが、それは非欧米地域において国際秩序概念、規範が不在だったこと、不在だったがゆえに欧米主導の秩序に追従するしかなかったことを意味するのではない。むしろ、「長い二〇世紀」以前の世界においては、非欧米地域はそれぞれ独自の国際秩序概念を有していた。中国を中心とした中華世界や、イスラーム法を統治論理とするイスラーム世界がそれである。近年では、現代ユーラシアにおける「帝国的地域秩序」が注目されている(宇山 二〇一三)。

なかでも中東諸国は、その多くが第一次世界大戦を機に、イスラーム国家から西欧型近代主権・領域国家へと転換した。その転換とヨーロッパによる植民地支配の開始とが重複した結果、植民地支配に対する抵抗において、抵抗の一形態としてイスラーム主義が一定の社会的、政治的影響力を持った。欧米起源の国家理念、世界観に対するオルタナティブとして、イスラーム世界の「独自性」が強調されたのである。

そうした欧米理念に対するオルタナティブへの模索としてのイスラーム主義は、すでに「長い二〇世紀」の末期には、中東のみならず南アジア、東南アジア、アフリカなどで台頭がみられた。なかでも一九七九年に成就したイラン革命は、イスラーム共和制という形でオルタナティブが実践された稀有な例である。さらに、冷戦後、自由主義世界の「見た目の勝利」によって国際秩序の欧米偏向性がいっそう強まると、さらにそれに挑戦する側もまた、多様なオルタナティブを提示した。それは、植民地期・冷戦期において大国にとってはただの「客体」でしかなかった非欧米世界が、「主体」として国際秩序に影響を与える、あるいは挑戦することであったといえよう。九・一一事件やアフガニスタン戦争やイラク戦争後のテロ事件の急増、「イスラーム国」の登場などがその例である。

以下では、「長い二〇世紀」の間に積み重ねられてきたさまざまな「国際秩序」の諸矛盾が、欧米世界＝支配する側によって「客体化」された非欧米世界＝被支配国において蓄積され、その結果、「長い二〇世紀」後に非欧米世界を発信源とするさまざまな紛争、衝突を惹起したことに注目し、上記三点の現代の諸問題の起源を、それぞれ遡って分析する。特に、二一世紀の始まりとともに発生した暴力的事件の舞台となった中東地域での展開に絞って、論じることとする。

二、「植民地支配による歪み」という桎梏をどう解消するか——湾岸戦争と中東和平交渉

「リベラルな国際秩序」グローバル展開の試金石としての湾岸危機

一九九〇年八月二日、イラクが隣国クウェートに軍事侵攻して全土を制圧した際、時の米大統領だったジョージ・ブッシュ(父)は、マーガレット・サッチャー英首相と対応策を巡って会談した。その際、態度を決めかねていたブッシュに対して、サッチャーは、一九三〇年代のヒトラーのポーランド侵攻を引いて侵略者を容認してはならないことを強調、迅速にイラクの行動を阻止するために立ち上がるべきだと促した、と言われている(サッチャー 一九九三)。

その姿は、植民地主義時代に中東、アジア、アフリカを支配してきたイギリスが、その後継者たるアメリカに、冷戦後もその政策を引き継いで旧植民地諸国に決然とした態度をとるべしと命じたかのように見える。欧米にとっては、

九〇年代初めに冷戦構造が潰えたことは、冷戦期に抱えてきた対立・紛争要因が消えることを想像させるものであり、その後は新たに一から国際政治安定化の秩序——当時、新世界秩序(New World Order)と呼ばれた——を形成することが必要だ、との発想を生むものであった。

しかし、西欧列強の植民地支配下にあった中東、アジア、アフリカにとっては、独立後も、間接的植民地支配の継続、大国による支配・被支配の関係が、冷戦構造のもとでの対立軸に重ね合わされる形で、残存されたと映った。特に中東地域では、西欧列強の撤退後もそれによって布置された「諸国体制」が、冷戦下での西側の利益の確保との目的で、維持されていた。換言すれば、冷戦が終焉してもなお、第一次大戦の戦後処理の問題は不問に付されてきたのが、中東、アジア、アフリカ諸国だったといえる。

イラクのクウェートに対する軍事侵攻、占領(通称「湾岸危機」、一九九〇年八月二日―一九九一年二月二八日)は、まさに冷戦後の「新世界秩序」の必要性が論じられ始めたときに起きた、最初の紛争事例であった。基本的には、イラクとクウェートの間での石油採掘や同地域の石油政策を巡る対立が、湾岸危機の原因であったが、それが両国が抱える英植民地政策による遺恨やそれ以前のオスマン帝国による統治の歴史が軍事行動の正当化に利用されたこと、さらにはイスラエルによるパレスチナ支配という現状と重ね合わされたことによって、二国家間の領土対立は国際秩序を巡る紛争へと発展したのである。

植民地支配体制の遺恨を掘り起こす

そもそもイラクのクウェート侵攻の直接的な原因は、その二年前まで続いていたイラン・イラク戦争(一九八〇―八八年)によって、イラクが経済的に苦境に陥り、その克服のために石油価格の引き上げによる早急な石油収入の増加を図ったのに対して、クウェートやアラブ首長国連邦(UAE)が価格引き下げ政策をとったことにあった。さらには同戦争中にイラクがクウェートから得た支援が、返却すべき借款だったのか寄付だったのかで両国の間で見解の違いが顕在化し、また戦争中にイラク南部の油田と隣接するクウェートが過度に石油採掘を行ったことを、イラク側が「盗掘」としてこれを非難するなど、イラン・イラク戦争中の急ごしらえの両国間協力関係が戦後崩れたことが、軍事侵攻の背景にある。

クウェートへの軍事侵攻直後から、激しい国際的批判にさらされたイラクは、その行動を正当化するために、クウェートの首長政を覆す「革命」が発生、その革命政権の要請に応じてイラクが派兵した、といった主張を展開した。さらには、クウェートがオスマン帝国支配時代、バスラ州の一部に組み込まれていたという史実を強調し、バスラ州がオスマン帝国解体後はイギリスの戦後政策に基づいてイラク国家の一部を構成することになったにもかかわらず、そこにクウェートが含まれなかったのは、当時のイギリスの対インド植民地支配政策の一環としてここを保護領としたからであり、脱植民地化を目指すならばイラクと「合流」してしかるべきである、と主張した(酒井 二〇〇二)。

ここに、イラクの政権与党であったバアス党の党是たる反植民地主義、アラブ・ナショナリズムの論理が持ちだされ、イラクのクウェート侵攻は二国家間の領土紛争、石油政策を巡る対立から一転して、中東地域が建国以来抱えてきた植民地支配の遺制への挑戦、という色彩を帯びたのである。こうした正当化に対して、アラブ世界はイラク支持派(リビア、ヨルダン、パレスチナ)とクウェート擁護派(サウディなど湾岸君主制諸国に加えてエジプト、シリアなど)に分断され、結果的にアラブ世界における「アラブの統一・連帯」の枠組みが機能しないことが露呈した。

だが、フサイン政権が掲げた反植民地主義、アラブ・ナショナリズムのロジックが一定の大衆的支持を喚起したことは、注目に値する。中東においては、その領域国家の生成が植民地起源をもち、民族分断状況を生んだことから、そもそも国家領域に基づく国民アイデンティティーが確立されにくく、汎アラブ意識やイスラームなど国家を超えたアイデンティティーや、部族や宗教、宗派などの準国家アイデンティティーが国民アイデンティティーを凌駕している、と指摘されてきた(Hinnebusch 2019)。そこには、欧米型の主権国家中心の国際秩序に対抗して、超国家アイデンティティーを強調したオルタナティブを掲げる非欧米諸国の、「抵抗」のありかたを見ることができる。

パレスチナ問題が体現する欧米主導の国際秩序の矛盾

ところで、湾岸危機・湾岸戦争を契機に浮き彫りにされた植民地支配の遺制は、イラクに代表されるアラブ・ナショナリズムと、その攻撃対象となった英植民地支配の産物としての湾岸アラブ諸国、という対立軸だけではなかった。より深刻な問題として光があてられたのが、イスラエルによるパレスチナ占領という、英植民地支配が残した矛盾の最大の遺物である。

パレスチナにおいては、一九八七年末からインティファーダと呼ばれる対イスラエル抵抗運動が始まっていたが、当時PLOに唯一活動資源を提供していたのがイラクのフサイン政権だったということもあって、湾岸危機・湾岸戦争においては、パレスチナ人社会はイラク側を支持した。

その支持を決定的にしたのが、フサイン政権が展開した「リンケージ」論である。すなわち、イラクにクウェートからの撤退を要求する国際社会に対して、イスラエルがパレスチナ占領地から撤退すればイラクも撤退に応じる、と主張して、パレスチナ、ひいてはアラブ社会全体の反イスラエル感情を喚起、大衆的な支持を得ることに成功した。エジプト・イスラエル単独和平(一九七九年)以降、中東域内政治の主題から後退した感のあったパレスチナ問題が、湾岸危機を契機に再度注目を浴びたことは、冷戦後の新世界秩序においても植民地支配時代の遺恨が紛争の根源にあることを明確に示すものであった。

その結果、湾岸戦争でクウェートがイラクから解放された後、ブッシュ(父)米政権はマドリード会議を開催して、初めてイスラエル政府とパレスチナ代表が同席する和平交渉を開始した(一九九一年一〇月)。ここではパレスチナ代表からPLOが排除されていたことから、二年後にPLOとイスラエル政府との間での交渉が実現し、オスロ合意(一九九三年)が成立した。

オスロ合意が前提としたのが、イスラエル・パレスチナの二民族二国家案であり、パレスチナに自治区を設定することであった。しかし、そこで設定されたパレスチナ自治区の範囲は、交渉の過程で大幅に縮小され、占領地に設立されたユダヤ人入植地のほとんどが、残されるばかりか年々拡大された結果、イスラエル軍は占領地に残り、パレスチナ居住区は「分離壁」で孤絶させられた。二〇〇〇年に最終地位交渉が行われたものの決裂し、アルアクサー・インティファーダと呼ばれる武力抵抗運動が発生、それに対するイスラエル側の軍事的鎮圧行動が恒常的に続くこととなった。

二一世紀に入って以降も、イスラエルによる西岸、ガザへのユダヤ人入植活動は継続され、アメリカを含む国際社会がこれを黙認する中、西岸、ガザ住民とイスラエル警察との間での衝突が続いている。国連人道問題調整事務所(OCHA)の統計によれば、二〇〇八年以降二〇二三年五月までに六二九七人のパレスチナ人が西岸、ガザで死亡したが、この数字は同じ時期のイスラエル人死者数の二〇倍以上である。

湾岸戦争後に米政権が主導してパレスチナ・イスラエル間の中東和平交渉を開始したのは、湾岸危機・湾岸戦争で露呈されたパレスチナおよびアラブ社会に根強く残る、パレスチナでの未完の占領問題に対して国際社会が無関心であるという不満に対して、アメリカ主導の国際社会がある程度答える必要性を感じたからだった。だが、オスロ合意に基づくプロセスがとん挫して以降は、それに代わる実効性のある中東和平案は提示されず、実態としてのイスラエルの一国家支配が定着した。トランプ米政権期には二国家案を放棄する姿勢がより強まり、二〇二〇年にUAE、バハレーンなどの湾岸君主制諸国が、主として経済的要因を理由にイスラエルとの和平合意に至るなど、アラブ諸国による支援、連帯は形骸化の方向をたどっている。

とはいえ、オスロ合意体制として企図された二国家案が望ましい解決案だったかといえば、必ずしもそうではない。オスロ体制とは、安全保障面ばかりでなく、パレスチナ自治政府への国際援助はすべてイスラエルを経由してしか自治政府に届かないという、パレスチナ政治経済の根幹をイスラエルが掌握するシステムであった。そこで目指された二国家案とは、イスラエルの優位性を前提に、パレスチナ自治政府がイスラエルによるパレスチナ支配を代行するものとして期待されたものに過ぎない。

このパレスチナ問題に代表されるように、中東地域の第一次世界大戦後の植民地支配体制は維持されたまま、冷戦後のリベラルな国際秩序に置き換えられていったのである。

三、「冷戦のゴミ」としてのアルカーイダ、ゴミ回収のための「対テロ戦争」

「冷戦の二つのゴミ箱」

ところで、忘れてはならない点は、冷戦末期の八〇年代、アメリカはイラクのフサイン政権を対中東外交政策上利用していたのに、冷戦後には逆にこれを危険視して湾岸戦争において全面衝突するに至った、ということである。イラン革命によって親米シャー政権が倒れ、反米化したイランに対して、これを脅威として制御するために、アメリカは一九八〇年代、イラクのフサイン政権を反イラン勢力の前衛として支援してきた。レーガン政権期の米安全保障委員会中東担当官であったジオフリー・ケンプがフサイン政権を称して、「サッダーム・フサインはくそったれの息子だ、だが私たちのくそったれの息子だ」と発言したのは、アメリカの当時の対イラク観をよく表している(酒井 二〇〇二)。湾岸危機とは、アメリカにとっての「くそったれの息子」が肥大化し、リベラルな国際秩序に対する脅威となりうることを示した事件であり、湾岸戦争は、その肥大化し手に負えなくなった「くそったれの息子」を制御しようとした試みであったのである。

同様のことは、アフガニスタンでも起きていた。一九七九年、共産党によるアフガニスタン政権運営が混乱したことからソ連軍が軍事侵攻、アフガニスタンのカールマル政権を支えるソ連軍に対して、アフガニスタン国内では反ソ抵抗・反共運動が発生した。ソ連のアジア・中東地域への南下を危惧したアメリカは、抵抗運動の主体であったムジャーヒディーン(イスラーム戦士)勢力を支援し、サウディアラビアおよびパキスタンの協力を得てムジャーヒディーンの育成、強化を図った。

特にサウディアラビアは、その「イスラームの盟主」としての反共政策から、アフガニスタンのみならずアフリカ諸国に対しても、その資金と宗教的影響力を活用して、反共勢力を支援してきた(ブロンソン 二〇〇七)。サウディアラビアの積極的関与により、多くのイスラーム教徒が扇動され、アラブ地域からアフガニスタンへと赴いたが、こうしたイスラーム戦士たちが「アフガン・アラブ」と呼ばれて対ソ・ゲリラ活動の主軸を支え、その後アルカーイダに発展したのである。いわば、対イラン革命政権に対してイラクのフサイン政権を利用してきたように、アメリカは、アフガニスタンでアフガン・アラブなど反共イスラーム主義勢力を、ソ連に対して利用したのである。

このことを称して、国際政治学者のフレッド・ハリディーは「冷戦の二つのゴミ箱」と述べている(Halliday 2002: 36)。ソ連が残した「ゴミ」は核兵器関連の材料・情報・技術で、ソ連崩壊後、非欧米諸国に非合法の核開発技術が垂れ流された。アメリカが残した「ゴミ」は、ソ連への攻撃を代行しうる、あるいはソ連の力を削ぐために使い勝手の良い現地の武装勢力であった。それが、一九七九年のソ連のアフガニスタン侵攻時に反ソ抵抗運動のために起用したイスラーム教徒の義勇兵であり、アンゴラのUNITA(アンゴラ全面独立民族同盟)など反共政策に利用してきたアフリカの軍閥であった。彼らは、アメリカの支援を得て肥大化し、国内で暴力に依存した統治を繰り広げたのである。

こうして、冷戦期に大国から垂れ流されたゴミが冷戦後も回収されず、むしろ冷戦後のポスト紛争国で蓄積され沈殿して肥大化し、結局その「後始末」に欧米諸国は振り回されることになるのである。その顕著な例が、九・一一事件であった。

九・一一と「対テロ戦争」の新しさ

二〇〇一年九月一一日、ハイジャックされた四機の飛行機が、ニューヨークのワールドトレードセンタービル二棟とワシントンの国防総省ビルを自爆攻撃したことは、世界を震撼させた(一機は墜落)。完全に崩壊した前者二棟の被害者や航空機の搭乗客など、死者は三〇〇〇人近くに上った。米政府はハイジャック犯一九人がアルカーイダに関与するものとして、アルカーイダ、およびそれを統括するウサーマ・ビン・ラーディンを首謀犯と断定、彼らがアフガニスタンにいるとして、その身柄引き渡しをアフガニスタンのターリバーン政権に求めた。しかしターリバーン政権がこれに応じなかったことから、一〇月七日に米英軍を主軸として「不朽の自由作戦」を展開、アフガニスタン北部を拠点とする反ターリバーン勢力の北部同盟とともに政権を追い詰め、一一月末までにはターリバーンはほぼ全土でその支配を失った。一二月一日にはポスト・ターリバーン政権を選ぶボン会議が開催され、ターリバーン政権以前に外務次官を務めた経験のあるハミード・カルザイが大統領に就任、以降米軍を中心とする外国軍駐留のもとで戦後復興が進められた。

アフガニスタン戦争は、これまでの戦争概念を大きく変質させた戦争であった。九・一一で、本土の政治経済的中枢に壊滅的打撃を受けたブッシュ(子)米政権は、即座にテロに対する報復を主張、アルカーイダ自身はむろんのこと、「テロリストを匿う者は敵対国家とみなす」との論理で(ブッシュ米大統領の議会演説二〇〇一年九月二〇日)、軍事力によるターリバーン政権の転覆を目的とした戦争を開始した。これは、アルカーイダという「非国家主体との戦争」という意味で、メアリー・カルドーの言う「新しい戦争」のひとつの特徴に他ならない。また、九・一一を経験したことで、ブッシュ政権は予防的攻撃に力点を置き、アメリカを攻撃する可能性がある潜在的能力を持つアクターの力をそぐ必要があると考えた。すでに現存する脅威ではなく、攻撃潜在能力を持つ敵に対する先制攻撃の必要性を強調する(Department of Defense 2001)点もまた、従来と異なる「新しい戦争」の様相と言えよう。

とりわけ米政権が脅威視したのが、テロリストによる大量破壊兵器の保有可能性であった。そのことから、アフガニスタンでのターリバーン政権打倒のあとは、かつて湾岸戦争の停戦決議で保有を禁じられながら完全廃棄には疑問が持たれてきたイラクでの大量破壊兵器開発の可能性に注目が集まり、フサイン政権が大量破壊兵器を隠匿しているとの前提で、米軍はイラクに軍事攻撃を行った(二〇〇三年三月二〇日)。ブッシュ政権には、この予防的攻撃志向に、軍事力を以てしても民主主義を世界に輸出することがアメリカの使命である、と考えるネオコン(新保守主義)志向が加わって、中東に民主的国家を樹立すべしとの発想が、九・一一後のアメリカの対中東政策の主軸となった。

その結果、アフガニスタン戦争に続いてイラク戦争、さらにはイエメンなどにも射程を広げて、米政権は「対テロ戦争」を二〇年にわたり展開し続けることになる。しかし、ブッシュ政権がイラクの保有を強弁した大量破壊兵器に関しては、米軍は戦後のイラクでそれを発見することができなかった。それどころか、戦後、米軍の止式撤退の一年前にあたる二〇一〇年までの間に命を落とした米兵は四四三一人にのぼり、費やされた資金は三兆ドルにものぼった。アフガニスタンでも、二〇二一年に米軍が撤退するまでの二〇年間で約二五〇〇人の米兵が死亡、二兆三〇〇〇億ドル程度が費やされた。いずれも現地住民の死者は米軍駐留中増加し、アフガニスタンでは二〇年間で四万六〇〇〇人、イラクでは二〇〇六—〇七年の内戦期には月平均二〇〇〇—三〇〇〇人の死者が出た。

アメリカは、イラク、アフガニスタンでの人的、資金的コストの大きさに直面して、対テロ戦争の継続に消極的となり、イラク戦争反対派だったバラク・オバマが二〇〇八年米大統領選挙に勝利して、「世界の警察官であることをやめる」と姿勢を転換させた。しかし、それは戦闘行為を終えるということではなく、正規軍に代えた民間軍事会社への委託、あるいはドローンの多用によって、自国軍の被害を抑えることに力点が置かれた。その一方で、中東・イスラーム地域での米軍の存在と、それによってもたらされた現地社会の破壊と混乱は、中東地域のみならず、広く世界のイスラーム社会での反米意識を刺激することとなった。その結果、反米テロ活動は各地で活発化し、アルカーイダの活動に加えて、二〇一四年には「イスラーム国」と自称する勢力が、イラクとシリアの領土の三分の一程度を支配下に入れ、シリア内戦を複雑化させた。

アメリカの退潮と域内「冷戦」の発生

九・一一事件に始まったアメリカによる「対テロ戦争」という新しい戦争は、イラクでもアフガニスタンでもアメリカにとって望ましい政権を確立することができず、アフガニスタンでは二〇二一年、米軍撤退直前にターリバーン政権の復活を招く結果となった。このようなアメリカの中東からの退潮、影響力の低下は、中東地域の諸政権にとって対米依存を見直さざるを得ない環境を生んだ。冷戦期以降一貫して、米ソ大国間の対立関係を利用し、特にアメリカとの協力ないし対立関係を利用して域内での自国のプレゼンスを強調してきた中東の諸政権は、「対テロ戦争」以降利用可能なグローバル大国間の対立構造を失い、イラク戦争によって生じた域内のパワーバランスの変化にいかに自力で対処するか、アメリカに寄らずしていかに自らの域内利益を確保するか、対応を迫られたのである。

そこで顕在化したのが、ペルシア湾をはさんで東西に位置するイランとサウディアラビアの間で展開された「新しい中東冷戦」(Gause III 2014)である。それはしばしば、イラン人口の多くがシーア派、サウディのそれがスンナ派であることから、両宗派間の宗派対立として認識されがちであるが、対立の根幹には体制上、対外政策上の違いがある。

特に対立が緊迫化したのは、二〇一一年の「アラブの春」を契機に発生したシリア内戦やリビア内戦、また二〇一五年のフーシー派による政権奪取の結果始まったイエメン内戦などにおいて、イラン、サウディアラビア、トルコなどの域内大国が関与する代理戦争ともいうべき紛争が展開されたことである。二〇一五年にはイラン、サウディ間が断交、二〇一九年にはペルシア湾内で石油施設やタンカーが何者かによって被害を受けるなど、冷戦の熱戦化が危惧された。

イラン・サウディ間の緊張関係は、二〇二三年三月に中国の仲介によって、一定の関係改善が見られた。また同年五月には、アサド政権下のシリアがアラブ首脳会議に代表を派遣し、シリア内戦を巡るアラブ諸国間の対立にも一応の終止符が打たれた。そこには、アメリカの退潮とそれを埋めるための域内の覇権抗争、アメリカに代替する大国としての中国、ロシアに対する中東諸国の期待といった方向性が継続している。ウクライナ侵攻を契機としてロシアに科されている制裁の結果、生じた原油価格の高騰に対処するため、アメリカはサウディなど産油国に石油増産を要請したが、サウディはこれを拒否、他の親米産油国も欧米の対ロシア政策に必ずしも追随しない姿勢を示して、アメリカとの間に不協和音が生じた。

以上のように、「リベラルな国際秩序」の陰りが、特にグローバル・サウスにおいて顕著なことが、中東地域における展開をみればよくわかるだろう。

四、オルタナティブとしての「イスラーム国家」への試み

非西欧型国家建設論理としての「イスラーム」

欧米主導で構築されてきた国際秩序に対して、非欧米世界は単に依存、利用するだけの脇役だったわけではない。特にイスラーム世界においては、西欧諸国の国家間関係をモデルとした国民国家システムがグローバルに普及して現代国際政治の土台となる以前は、イスラーム法に基づく独自の法国家制度を有していた。近年の国際関係論の議論の

なかには、西欧型国民国家・主権国家システムは普遍的なものではなく、西欧地域限定の、地域特殊性を反映したものでしかない、と主張する議論もある(Chakrabarty 2000)。

イスラーム国家システムは、第一次世界大戦後にオスマン帝国が解体され、トルコ共和国がカリフ制の廃止を宣言したことで、サウディアラビアなど一部を除くほとんどのイスラーム諸国において、潰えた。その結果、中東ではほとんどの国が世俗化、西欧型近代化に舵を取り、特にアラブ諸国ではアラブ・ナショナリズムがその政治思想潮流の中核をなした。しかし、その結果成立したナショナリスト政権の多くが権威主義化し、国民の政治的経済的権利や尊厳の確保、国内社会の平和と安寧、経済社会的平等の確立などの点で、十分な成果を上げることができなかったことから、政権が掲げる世俗、西欧型近代化路線に代えて、イスラームに基づく国家建設を求めるイスラーム主義運動が登場した。イスラーム主義自体は、一九二〇年代末から組織化された運動として生まれたが、欧米型国際秩序の中東地域への浸透、同地域での世俗的国民国家建設の進行に抗する形で、政治思想としてのイスラーム主義が具体的な国家建設論理を提供し政党活動を展開するようになるのは、一九六〇年代以降である。その代表的事例が、七九年のイラン革命であった。

オルタナティブを提供するイスラーム主義

イラン革命の背景や経緯については、本講座第二三巻(森本あんり論文)で詳細に触れられるが、その現代的意義は、共和制という西欧近代のもとで確立された政体を取りつつ、統治の根幹に「イスラーム法学者による統治」というイスラーム主義思想をおいた点である。これによって、イスラーム法に基づく国家制度を維持しつつ、共和制、代議制といった西欧近代型国際秩序にとって不可欠とされる政治制度を導入することは矛盾しない、ということが示された。イスラーム主義に基づく国家建設が欧米大国主導の国際秩序へのオルタナティブになりうる、というイラン革命の例は、植民地支配の遺制に対する抵抗論理としても機能した。それがアメリカの間接支配体制ともいえるシャー政権を打倒したからである。そのため、同様にイスラエルによる占領という植民地支配体制の継続を経験するパレスチナやレバノンなどにおいて、冷戦終結時期と前後してイスラーム主義政党の台頭が見られた。一九八二年、イスラエルのレバノン軍事侵攻の直後に設立されたレバノンのヒズブッラーや、一九八七年、インティファーダと並行して成立したパレスチナのハマースがその例である。

これらのイスラーム主義政党の伸長の背景には、占領地パレスチナやレバノンといった紛争下で、国家が十分な分配機能を果たさず、代わりにこうしたイスラーム主義政党が徴税(喜捨)、福利厚生サービスの提供、社会秩序維持といった疑似国家能力を発揮できたことがある。アフガニスタンのターリバーンもまた、ソ連撤退後のアフガニスタンの内戦下で発生した難民に向けた宗教運動として、九〇年代前半に影響力を広げたのであり、同じく秩序崩壊した社会への代替規範を提供したものだったといえる。さらに、紛争地域ではないが、エジプトなどのポスト社会主義国家でも、特に地方社会での国家機能の低下を補って、ムスリム同胞団などのイスラーム主義組織が社会浸透を果たした。

その結果、九〇年代以降中東諸国で民主化が進展し、自由な選挙が導入されると、多くの場合、イスラーム主義政党が多数の議席を獲得した。内戦後のレバノンで、ヒズブッラーは一九九二年に初めて選挙に参加し、一割にあたる一二議席を獲得、以降常に一〇議席前後を確保して、首相人事をはじめとして政権運営に強い影響力を誇った。またオスロ合意で自治政府樹立を実現したパレスチナでは、二〇〇六年の第二回パレスチナ立法評議会選挙でハマースが過半数の七四議席を獲得した。アルジェリアで九〇年代に凄惨な内戦が発生した背景には、一九九一年、建国以来初めて実施された複数政党制のもとでの議会選挙で、イスラーム救国戦線(FIS)が過半数を確保する勢いで票を獲得したことがある。それを危惧した国軍が選挙を中止、全権を掌握した結果、FISと政府の間で一〇年にわたる内戦が繰り広げられたのである。

イスラーム主義政権の権威主義化とそれへの反発

イスラーム主義の社会的影響力を最も顕著に示したのは、いわゆる「アラブの春」後のアラブ諸国における選挙結果であった。二〇一〇―一一年に発生したアラブ諸国での大規模な民衆による路上抗議活動の結果、政権転覆に至ったのは、チュニジア、エジプト、リビア、イエメンであったが、そのいずれにおいても、政権転覆後に導入された選挙で穏健なイスラーム主義政党が躍進した。特にチュニジアではナフダ党、エジプトでは自由公正党というムスリム同胞団系の政党が第一党となり、政権を取った。政権交代には至らなかった国でも、たとえば、路上抗議運動の昂揚を受けて議会選挙を前倒しして実施したモロッコでは、同じく穏健なイスラーム主義政党である公正発展党が勝利し、二〇一一年から一〇年間与党の地位についた。また、これらのアラブ諸国でのイスラーム主義政党の与党化に先立ち、トルコでは公正発展党（AKP）が二〇〇二年以降政権を掌握、レジェップ・T・エルドアンが大統領、首相を歴任して、二〇年以上にわたる長期政権を維持している。

しかし、こうしたイスラーム主義政党の伸長に対しては、国民の間で激しい反発も生まれた。エジプトでは、ムハンマド・ムルスィー大統領を筆頭に、議会で過半数の議員を輩出した自由公正党に対し、政権成立から一年後の二〇一三年には軍によるクーデタが発生、一転してムスリム同胞団は厳しい弾圧を受けた。チュニジアでも、ナフダ党が二〇二一年以降弾圧対象となり、二〇二三年には党首のムハンマド・ガンヌーシが逮捕された。トルコでは、権力集中を強めるエルドアン政権に対して、二〇一三年に市民による反政府運動が発生（ゲジ公園抗議運動）、その後のクーデタ未遂事件（二〇一六年）などもあり、政府は反政府系知識人や軍人、穏健なイスラーム社会運動であるギュレン運動などの政府に対する批判勢力への弾圧を強化した。

さらにイランでは、二〇〇九年に「緑運動」と呼ばれる市民抗議運動が発生した後、二〇一八年、二〇二二年と、しばしば反政府活動が昂揚した。とりわけ二〇二二年のヒジャーブ着用を巡る抗議運動では、女性がデモ行進のさなかにヒジャーブを脱ぎ捨て髪を切るといったパフォーマンスが見られ、イスラーム体制に対する直截な批判を表すものとなった。二〇一九年前後にイラクやレバノン、スーダン、アルジェリアなどで活発化した路上抗議運動でもまた、比較的世俗性の強い活動が展開された。

このように、冷戦末期以降、西欧型近代国家システムのオルタナティブとして社会的浸透を強めてきたイスラーム主義は、政党化し選挙を通じて一部政治権力を掌握するに至ったものの、それもまた権威主義化の道をたどり、オルタナティブとしての魅力は風化しつつある。

排外的、暴力的イスラーム主義

穏健なイスラーム主義政党が「リベラルな国際秩序」に代わる道を提示することができなかったのに対して、不寛容で排外的な暴力的イスラーム主義は、しばしば欧米主導の国際秩序を脅かしてきた。九・一一事件とその背景にあるアルカーイダはその一例であるが、より直截な形でそれに挑戦したのが、「イスラーム国」である。イラク戦争によって政権中枢から排除された旧体制派や旧軍関係者がイラクを追われ、シリアなどに逃れて反イラク政府活動を続けてきたが、それらにシリアや周辺地域の反米イスラーム主義勢力が加わって、「イラクとシャーム(大シリア)のイスラーム国」をシリアで形成、二〇一四年には「イスラーム国」と名を変えて、イラクのモースルを制圧する行動に出た。

「イスラーム国」がそれまでの暴力的イスラーム主義と異なっていたのは、「カリフ制」を再興することを目標とし、実際に「カリフ国樹立」を宣言したことである。かつてイスラーム国家建設論理の核にあった、しかし近代西欧化の過程で廃棄された「カリフ制」を現代に再現させたことは、それまで一部のイスラーム主義思想家の頭の中にだけ存在していた反西欧的オルタナティブを、無謀な方法であるとはいえ、実現することが可能だということを示した。

さらに「イスラーム国」の登場で注目された点は、それが拠点としたイラクやシリア出身のイスラーム主義者のみならず、世界中、特に西欧諸国やロシア、中国などの若年層のムスリムを引き付けたことである。二〇一五年までにイギリス、フランスなどの移民二世、三世のムスリムが、七〇〇〇―一七〇〇〇人程度シリアに渡航して「イスラーム国」に合流した他(Bakowski and Puccio 2016)、ロシア、中国などムスリム少数民族による自治・独立運動が政府によって抑圧されている国からも、多くのムスリムが「イスラーム国」に戦士として加わった。これらの事実は、非イスラーム世界でムスリムがマイノリティとしていかに差別的な扱いを受けているか、特に欧米諸国での移民社会がいかに欧米的「秩序」、規範から排除されているか、そしてその鬱屈を解消するための幻想を「イスラーム国」のような暴力的手段をとる集団が提供し、その不満の受け皿になりうるかを示している。

イラクとシリアの「イスラーム国」は、二〇一八年にはほぼその拠点を失い、以降目立った活動を行っていない。しかし二〇二一年に米軍が撤退したアフガニスタンでは、「イスラーム国」による破壊行動がしばしばみられ、南西アジアやアフリカでは未だに一定の活動を行っているものとみられる。いずれにしても、欧米社会で辺境に追いやられた者、それが提供する秩序観、規範に異を唱える者たちが存在する限り、こうした極端なオルタナティブを提示する暴力的勢力が活動する余地は消えない、ということができる。

おわりに

近代以降、国際秩序は、西欧でのウェストファリア体制の成立をはじめとして、欧米諸国間で構築、合意された秩序概念のもとに組み立てられてきた。西欧列強のアジア、アフリカ植民地支配と第一次世界大戦を契機として、その欧米型国際秩序は非欧米諸国にも拡散、伝播し、それ以前に非欧米世界が保持してきた独自の世界観・国家建設理念は、前近代的なもの、近代国際秩序を逸脱するものとして、否定されてきた。

しかし、非欧米的国際秩序概念から欧米型国際秩序概念へのシフトは、必ずしも自然かつスムーズに行われたわけではない。特に植民地支配や冷戦期の覇権抗争への組み込みという、大国との権力関係における圧倒的な劣位のもとで、非欧米世界の多くは、その移行過程で多くの未解決の課題を抱えた。しかも、その未解決の課題は、欧米型国際秩序が変化、発展するなかで放置されるか、あるいはむしろ新秩序のもとで固定化され、その遺恨は一層沈殿し、新たな解釈を加えられて暴発するケースも発生した。冷戦後の三〇年間、特に中東地域を舞台に発生した多くの暴力的出来事は、こうした歴代の国際秩序の諸矛盾が増幅した結果、起きたものといえる。

こうした欧米中心的視座の問題は、学界でも研究者の間で、その偏向性が指摘され始めている。世界は欧米中心に組み立てられた国家間関係で理解できる、と考える伝統的な国際関係論（IR）に対して、近年、その欧米中心主義を反省して文化的多元性を持った国際関係論を主張するアミタフ・アチャリアのグローバルIR論や（Acharya 2014）、秦亚青らIR中国学派など（Qin 2016）が、オルタナティブIRを提示している。一方で、国際関係を見る軸を欧米から中国、インドへと移そうという議論は、アメリカの退潮と非欧米・アジア諸国の大国化という、大国中心主義的視座の変形、あるいは「IRのナショナル化」でしかない、という批判もある（Hurrell 2016）。さらには、非欧米諸国における脱植民地化IRを提唱する議論も生まれている（Review of International Studies 2023）。

非国家主体の重要性や主体中心主義的視座に変えて関係性に光を当てるべき、といった、グローバル世界を見るうえでの新たな視座の必要性についての認識は、国際関係論や地域研究に留まらず、人文社会科学分野のなかで広がりつつある（酒井 二〇二〇、Go and Lawson 2017）。ロシアのウクライナ侵攻や台湾有事といった大国国家主体のパワーゲームに目を奪われ、軍備強化、国家安全保障の重要性ばかりが取りあげられがちな現代の国際情勢であるが、冷戦後の「リベラルな国際秩序」の欧米主導性の持つ問題性とそれへの不満が、国際政治の緊張化の底流にあることを忘れてはならない。

参考文献

池嵜航一（二〇一九）「リベラルな国際秩序論の再検討——G・ジョン・アイケンベリーの議論を手がかりに」『北大法学論集』七〇（一）(https://eprints.lib.hokudai.ac.jp/dspace/bitstream/2115/74540/1/lawreview_70_1_03_Ikezaki.pdf)。

宇山智彦編（二〇一三）『ユーラシア近代帝国と現代世界』ミネルヴァ書房。

木畑洋一（二〇一四）『二〇世紀の歴史』岩波新書。

酒井啓子（二〇〇二）『イラクとアメリカ』岩波新書。

酒井啓子編（二〇二〇）『グローバル関係学とは何か』〈グローバル関係学1〉、岩波書店。

サッチャー、マーガレット（一九九三）『サッチャー回顧録』下巻、石塚雅彦訳、日本経済新聞社。

納家政嗣（二〇一八）「歴史の中のリベラルな国際秩序」『アステイオン』八八号。

藤原帰一（二〇二二）「壊れる世界（第一回）　覇権と国際秩序の間」『世界』九六一号。

ブッシュ米大統領の議会演説（二〇〇一年九月二〇日）(https://georgewbush-whitehouse.archives.gov/news/releases/2001/09/20010920-8.html)。

ブロンソン、レイチェル（二〇〇七）『王様と大統領——サウジと米国、白熱の攻防』佐藤隆雄訳、毎日新聞社。

Acharya, Amitav (2014), "Global International Relations and Regional Worlds: a New Agenda for International Studies", *International Studies Quarterly*, 58 (4).

Bąkowski, Piotr and Laura Puccio (2016), "Briefing", *Foreign fighters—Member State responses and EU action*, EPRS|European Parliamentary Research Service.

Chakrabarty, Dipesh (2000), *Provincializing Europe: Postcolonial Thought and Historical Difference*, Princeton, Princeton University Press.

Department of Defense (2001), "Quadrennial Defense Review Report", September 30. (https://www.comw.org/qdr/qdr2001.pdf)

Freeman, Dena (2017), "The Global South at the UN: Using International Politics to Re-Vision the Global", *The Global South*, 11 (2).

Gause III, Gregory (2014), "Beyond Sectarianism: the New Middle East Cold War", *Brookings Doha Center Analysis Paper*, Number 11, July.

Go, Julian, and George Lawson (2017), *Global Historical Sociology*, Cambridge, Cambridge University Press.

Halliday, Fred (2002), *Two Hours That Shook the World*, London, al-Saqi.

Hinnebusch, Raymond (2019), "The Politics of Identity in Middle East International Relations", Louise Fawcett (ed.), *International Relations of the Middle East* (5th ed.), Oxford, Oxford University Press.

Hurrell, Andrew (2016), "Beyond Critique: How to Study Global IR?", *International Studies Review*, 18.

Qin, Yaqing (2016), "A Relational Theory of World Politics", *International Studies Review*, 18.

Review of International Studies (2023), "Forum Article", *Review of International Studies*, 49 (3).

Robinson, Romald (1972), "Non-European Foundations of European Imperialism: sketch for a theory of collaboration", Roger Owen and Bob Sutcliffe (eds.), *Studies on the Theory of Imperialism*, London, Longman.

コラム　*Column*

EUが直面する危機

池本大輔

悲惨な世界大戦を二度も経験したヨーロッパに不戦共同体を築くことが、EUの原点であった。東西冷戦終結後、単一市場の完成と通貨統合の実現によって、EUは世界でもっとも経済のグローバル化が進んだ地域となり、EU市民権の創設、欧州議会の権限強化、共通外交安全保障政策の発展をつうじて、政治統合も進んだ。冷戦期には東側の一員だった中東欧諸国の参加で加盟国数が倍増し、国際社会における存在感を高めたEUは、民主主義・法の支配・自由貿易の諸価値に立脚するリベラル国際秩序を、アメリカと共に推進した。

二〇年にわたる急速な発展の後、二〇一〇年頃を境に状況は一転する。最近のEUはユーロ危機、難民危機、ポピュリズムの台頭とイギリスの離脱(ブレグジット)、コロナ感染症の流行、露・ウクライナ戦争と、一連の危機に直面している。

アメリカ発のグローバル金融危機がヨーロッパに波及し不動産バブルが崩壊すると、ギリシャをはじめとする南欧諸国とアイルランドは深刻な財政危機に直面した。ユーロ圏内部の南北格差が危機を深刻化させ、一時はユーロの存続さえ危ぶまれた。南欧諸国が構造改革を条件に財政支援を受け、欧州中央銀行が大規模金融緩和に踏み切ったことで、危機はようやく収束した。

二〇一〇年末から始まった反政府運動(「アラブの春」)を政府が力で弾圧したことで、シリアは内戦に突入し、米ロ両国や近隣諸国の介入もあって状況は泥沼化した。二〇一五年にはシリア難民の一部がトルコや地中海経由でEUに押し寄せ、国際的な関心を集めた。難民危機は、EU諸国にリベラルな難民政策や人の自由移動の再考を迫る出来事となった。

統合にもともと熱心でなかったイギリスでは、グローバル金融危機のあと、中東欧諸国からの移民の流入に対する不満から、右派ポピュリズム勢力のイギリス独立党がEU離脱を掲げて支持を拡大した。二〇一六年の国民投票で離脱支持派が勝利し、イギリスは二〇二〇年にEUから離脱した。ポピュリズムの台頭は同国だけの現象ではなく、フランスでは国民連合を率いるマリーヌ・ルペンが二度にわたって大統領選挙の決選投票に進出し、ドイツでも「ドイツのための選択肢」が有権者から一定の支持を得ている。ハンガリーやポーランドのような一部の中東欧諸国は、右派ポピュリズム政権の誕生により、「非自由主義的な民主政治」に移行しつつある。

ウクライナで二〇一四年にマイダン革命が起き、親露派大統領が逃亡したあと、ロシアはウクライナ領クリミアを軍事力によって一方的に自国領に編入した。ウクライナ南東部の

EUの旗でもある欧州旗を手にした反ブレグジット派と，ブレグジット支持派の市民．2019年1月28日，ロンドン中心部の国会議事堂付近(AFP＝時事)

ドンバス地方では、ロシアが支援する分離派勢力と政府軍との衝突により内戦が勃発した。内戦は一旦小康状態となったが、二〇二二年にロシアはウクライナ全土に対する侵攻を開始した。EUは他の先進国と共にロシアに経済制裁を科す一方、ウクライナを加盟候補国に認定し、軍事的に支援しているが、戦争終結の見通しは立っていない。

なぜEUは連続的な危機に見舞われているのか。欧米諸国が推進するリベラル国際秩序は、近年内外からの挑戦に直面している。アメリカは第二次世界大戦後、国際秩序を維持する役割を担ってきたが、その経済力はリーマン・ショック以降陰りをみせ、国内では内向き志向が強まっている。ロシアや中国といった権威主義国家が既存の国際秩序に対して挑戦的な姿勢をとる中、EUはアメリカの影響力後退がもたらした穴を埋めることが出来ていない。グローバル化の進展が先進国の中で経済的な格差を拡大させ、コスモポリタンな社会的リベラルとナショナリストの社会的保守へと社会を二分させたことが、ポピュリズムの台頭を生み、EUを内から揺さぶっている。

EUが歴史に前例のない壮大な実験であることも、危機の一因である。EUは単なる国際組織ではないが、連邦国家でもない。独自の警察や軍隊を持たず予算規模も小さいなど、国家と比べれば直接管理する物理的リソースは乏しい。EUの強みは実効性の高いルールを策定できることだが、各国のルールはそれぞれの歴史や文化を反映したものであり、EU全体で均一化するのは簡単でない。EUがルールの均一化の代わりに、加盟国にそれぞれのルールを相互に承認させ、他の加盟国のEU市民も自国民と同等に扱うよう促すことで、統合は大きく進展した。EUのおかげで、国境を越えた自由な経済活動が可能になり、市民は他の加盟国でも政治的権利や社会保障へのアクセスを失う心配なく、自国にいるのと同様に学び・働く権利を手に入れた。ヨーロッパの人々の生活の地平は大きく広がったが、EUのもたらす便益が高学歴者や若い世代に偏っているため、軋轢も生まれたのである。

革命とネーション意識の覚醒によって、世界で初めてヨーロッパに国民国家が誕生し、世界全体に広まったが、そのプロセスはしばしば暴力的で、紆余曲折の多いものだった。参加国の合意に基づいて統合を進めるという前例のないプロジェクトであるEUが、試行錯誤を重ね、前進と危機とを繰り返すのは、不思議なことではない。

民主主義とポピュリズム
――「二〇世紀型政治」の衰退

水島治郎

はじめに――ポピュリズムのグローバルな広がり

台頭するポピュリズム

二一世紀に入り、特に二〇一〇年代以降、先進諸国を中心に反既成政治、反移民・反難民、反イスラム、反グローバリゼーション、反EU(ヨーロッパ連合)など、既存の政治の枠組みを揺るがすポピュリズム系の政治勢力が台頭し、各国政治、そして国際秩序に強い影響を及ぼすに至っている。それまで左右の穏健な二大政党を軸に安定的に運営されてきた戦後政治のあり方が、重大な問い直しを迫られており、イギリスのEU離脱は、そのような変化が具体的に国際秩序に変動をもたらした顕著な例といえる。

そこで本稿では、特に近年顕著になってきたポピュリズムという現象に注目し、これまで自明とされてきたデモクラシーのあり方が「新たなる危機」の前に立たされていることを示すとともに、この変容を「二〇世紀型政治の退場」という観点から検討する。すなわちそれは、二〇世紀を通して追求され、世紀後半にはある程度実現したかに見えた従来型の代表制デモクラシーや国際協調体制が、グローバリゼーションや情報革命といったさまざまな変化にさらされるなかで、それまで築いてきたはずの信認を失ってきたことを意味する。第二四巻の枠組みで言えば、「長い二〇世紀」が冷戦の終焉とともに終わりを告げて以降、各国政治や国際秩序が大きく変動していることの表れでもある。しかし他方、既存の代表制デモクラシーを批判し、「参加」を求める新たな動きが多様な形で展開されているものの、いまだ確かな形をとるには至っていない。本稿では以上を踏まえつつ、ポピュリズムの近年の展開、概念整理、既成政治衰退の背景、ソーシャルメディアとの親和性、歴史的展開、新型コロナウィルスの影響という順で議論を進める。対象となる地域は、主としてポピュリズムの伸長が著しい西欧諸国であるが、南北アメリカや日本についても可能な限り言及し、ポピュリズムという現象がグローバルに展開されていることを示したい。

国際的な注目

ポピュリズムが国際的に特に注目されるようになったのは、二〇一〇年代半ば以降のことである。二〇一六年六月、イギリスでEU離脱(ブレグジット Brexit)の是非を問う国民投票が実施され、僅差ながら離脱派が勝利したことは、ヨーロッパ統合の拡大と深化を着々と進めてきたはずのEUに強い打撃を与え、国際的にも大きな驚きを与えた。また同年秋のアメリカ大統領選挙では、反移民・反既成政治をはじめ急進的主張を掲げた共和党候補者ドナルド・トランプが大方の予想を裏切って勝利を収め、アメリカの国内外に大きな動揺を引き起こした。アメリカとイギリスは、国内にあっては民主主義が高度に発達し、国際社会にあってはリベラルな国際秩序の担い手として、戦後世界の先導的な役割を果たしてきた二国だったが、その両国で既存の政治のあり方を大きく揺るがす変動が起きたことは、単なる政権交代のレベルを超えた、構造的な変化が起きたのではないかとの感を抱かせた。そのさい、既成政治を正面から批判し、デモクラシーの基盤を揺るがせる動き、あるいはそれを主導する勢力について、ポピュリズム/ポピュリストとして認識されたことで、「ポピュリズム」は一気に人口に膾炙するに至ったのである。

しかも二〇一〇年代以降の動きは、英米にとどまらない。フランスでは右派ポピュリストのマリーヌ・ルペンが、大統領選挙の決選投票に二〇一七年と二二年の二回にわたり進出を果たし、ドイツでは連邦議会選挙に参加した右派ポピュリスト政党「ドイツのための選択肢」が連邦議会に議席を獲得した。イタリアでは右派ポピュリスト政党「同盟」と、中道左派ポピュリスト政党「五つ星運動」が、短命に終わったもののポピュリスト連立政権を樹立した。

この傾向は、ヨーロッパの小国でも顕著である。外国人・移民への寛容で国際的に知られ、マイノリティへの許容度の高かったはずのオランダ、スウェーデン、デンマークでも、反移民、反イスラムを前面に出す右派ポピュリスト政党が伸長している。特にオランダやデンマークでは、政権の一角を占めたり、移民・難民政策の厳格化を促すなど、両国に特徴的だった「寛容政策」は大きく変容を遂げている。

とはいえこのようなポピュリズムの拡大を、国際的な「排外主義の高まり」とのみ理解するのも早計だろう。なぜなら、近年顕著に伸長しているポピュリズムは、右派のみならず左派も含むからである。概して左派ポピュリズムは、社会的格差の是正を訴え、グローバリズムや緊縮財政を批判し、「自国の人民」をグローバル・エリートから守ることを主張する。フランスの急進左派「不服従のフランス」、ギリシャのシィリザ、スペインのポデモスなど、特に南ヨーロッパ諸国で顕著であり、大統領選挙で健闘したり、政権に参加するなど、影響力を強めている。

このようなポピュリズムの展開は、米欧以外の世界各国でも看取できる。特にアメリカ大陸は多い。ベネズエラやボリビアなどでは左派ポピュリスト系の政権が成立している。メキシコでも左派ポピュリストに近いアンドレス・マヌエル・ロペス・オブラドール、ブラジルでは右派ポピュリストのジャイール・ボルソナーロが大統領に当選している。この二人はいずれも、既成政党や既存の組織に頼らず、有権者の支持を直接集めて大統領に当選することに成功した。

しばしばヨーロッパ諸国との共通点が指摘される日本だが、ポピュリズムについてはどうだろうか。自民党の長期政権は安定的であるようにみえ、既存の政治を真っ向から批判するポピュリズムの動きは弱いように思える。外国人人口が総人口の二%程度に過ぎず、難民認定が厳しく抑制されている日本では、反移民・反難民を旗印に掲げる右派ポピュリズムが伸びる可能性は当面低く、他方、グローバル企業や富裕層への反感が広がっているとはいえないことから、左派ポピュリズムが幅広く支持を集めることも難しい。

とはいえ日本でも、特に二〇一〇年代以降、無党派層の多い大都市圏(東京都、名古屋市、大阪府など)において、首長(都知事、府知事、市長)や地方議会(都議会、府議会、市議会)の双方でポピュリスト系の首長・地方政党が優位に立っている。いわば「地域からのポピュリズム」である(中北 二〇二〇)。二〇二〇年以降のコロナ危機では、既成政党と距離を置くこれらポピュリスト系の知事らが積極的にメディアで発信を行った。他方、既成政党の弱体化は徐々に進んでおり、特に民主党系の野党勢力は離合集散を繰り返している。グローバリゼーションの影響を他の先進国と比して相対的に免れている日本においては、急進的な主張を前面に掲げる右派ポピュリズムや左派ポピュリズムよりも、既成政党批判や「改革」を訴える中道的なポピュリズムに支持獲得の可能性があるのかもしれない。

一、ポピュリズムとは何か

ポピュリズムと民主主義

まず、ポピュリズムとは何なのか、概念を定義してみよう。日本では「大衆迎合主義」と訳すことが、特にメディアにおいてしばしば見られたが、国際的に用いられてきたポピュリズムという概念には、「迎合する、おもねる」という意味が含まれているとはいいがたい。

そこでここでは、ポピュリズムを「急進的改革を主張する勢力が、既存のエリート層や権力構造、支配的な価値観を批判し、「人民」に訴えてその主張の実現を目指す運動」と定義したい（水島 二〇一六）。ポピュリズムは何よりも「人民」を正当化根拠とする主張であり、ポピュリスト政党や政治家たちは、自らを「真の人民の代表」と位置づけ、その「人民」の立場から既存のエリート層を批判し、政治権力を「人民に返す」ことを訴える（もちろんこのことは、ポピュリストたちが本当に人民を代表し、人民の利益を第一に行動しているということを意味するものではない）。そもそもポピュリズム（populism）という語は、ラテン語の人民（populus）に由来する。この由来を汲んで日本語に訳すならば、「人民主義」、あるいは「人民第一主義」となろうか。

この「人民」を中心に据えるポピュリズムに特徴的なのは、その二分法的な社会認識である（ミュデ、カルトワッセル（二〇一八）も参照）。すなわち、社会を構成するのは一握りのエリートや特権層と、圧倒的大多数の人民（国民）の二つのカテゴリーの人々であり、その両者は分断状況にある。そして前者の「悪しき」エリート層が権力と癒着し、利権を独占する一方、「善良な」人民は権力の蚊帳の外におかれる。このように二分された社会を前提としたうえでポピュリズムは、エリートの寡頭的支配を打破し、人民の意思を直接政治に反映させることを説く。

では、このポピュリズムと民主主義の関係をどう考えたらよいのか（本巻「展望」も参照）。しばしばポピュリズムは、外国人や移民に対する排外的姿勢、野党や反対派に対する抑圧が目立つことなどから、権威主義やファシズムにつながる危険性が指摘される。その見方からすれば、ポピュリズムの出現は民主主義を掘り崩すプロセスの第一歩であり、民主主義を守るためにポピュリズムと対決することが不可欠となる。

他方、ポピュリズムの「民主性」に注目する議論もある。ポピュリズムが重視する人民主権や多数決制は、それ自体は民主主義の根幹をなすものであり、実際に国民投票や国民発案、首長の直接選挙の導入などを主張するポピュリスト勢力は多い。政治学者の島田幸典が述べるように、市民の要求を実現する回路をポピュリスト政党が真剣に求めていると見なされることで、ポピュリスト政党の主張が妥当性・正当性を獲得している面もある。ポピュリズムに

「民主的」と見える部分があることも事実である（島田 二〇一二）。

それではポピュリズムは「民主的」でありながら「反民主的」な政治なのだろうか。この問題を理解するために、次のように考えてみたい。

まず民主主義とポピュリズムの関係についてみれば、両者は「多数者支配」を前提におく点で重要な共通点がある。ポピュリズムは自らを「民衆の真の代表」、「エリートによってないがしろにされた多数の人々の代弁者」と位置づけるが、これは「人民の意思の実現」や「統治者と被治者の一致」を重視する民主主義理解とつながる。

しかし他方、民主主義の重要な構成要素である「法の支配」、すなわち権力抑制や三権分立、個人的自由の尊重といった立憲主義的な価値については、ポピュリズムは否定的である。立憲的な制度、権力の分立はエリート層の支配を守るための方策とされ、法や慣習などに縛られずに「民衆の意思」を実現することが重視される。その反面、多数派に属さない少数派、弱者の権利は軽視される。ポピュリズムは「反多元主義」なのである（ミュラー 二〇一七）。そのため、ポピュリズムは「民主主義的」であるとしても、「自由民主主義」とは両立しづらい存在である。

それではポピュリズムと権威主義・ファシズムの関係はどうか。両者に共通するのは、政治を「闘争」と位置づけ、敵と味方を峻別する発想が強いこと、そしてひとたび権力の座に就くと、野党や反対派を敵対視する権威的統治に移行する点である。ポピュリズムは既成のエリート層を「民衆の敵」とみなして批判し、様々な手段を用いて追い詰めようとするが、権威主義やファシズムもまた、民衆の名を借りて既存の体制や一部のエリート層を批判し、迫害する。

他方、「多数者の意思」を重視するポピュリズムは、選挙や投票を通じた自らの正当化をたえず必要としていることから、民主的回路を完全に遮断することは難しい。これに対し権威主義やファシズムは、選挙による政権交代の可能性自体に否定的である。批判者には弾圧が加えられ、暴力行使は容認される。以上のことから、ポピュリズムと権威主義・ファシズムを単純に同一視することもできないだろう（ポピュリズムとファシズムの関係について、「ポスト・ファシズム」という独自の視点から分析した研究として、トラヴェルソ(二〇二一)を参照)。

右と左のポピュリズム

このように複数の顔を持つポピュリズムは、右派であることも、左派であることもある。では右派と左派のポピュリズムの相違は何か。両者を「ポピュリズム」の名で括ることはできるのか。合わせ鏡のように二一世紀の世界で支持を広げた背景に、通底するものがあるのか。以下、比較対照しながら検討したい(水島 二〇二二)。

まず、右派と左派のポピュリズムはいずれも、すでに述べたように、その正当性の根拠を「人民」におく点が共通する。腐敗したエリートの独占する既成政治を打破し、「われら人民」が権力を回復することを訴え、自らを「エリート」に立ち向かう人民」の代表に立つ存在と位置づける手法は、右派と左派で大きく異なるものではない。

しかし両者は、その主張内容において対極的である。右派ポピュリスト政党を特徴づける最大の特徴が外国人や移民・難民に対する批判であり、「排除」がメルクマールであるのに対し、左派ポピュリズムは移民・難民に批判を向けるのではなく、社会的格差の存在、一部のエリート層への富の集中を批判し、再分配を訴える。

この左右のポピュリズムは、その標的とする「エリート層」の内実も異なっている。いずれのポピュリズムも、既得権益や既成政党を批判し、エリート層が閉鎖的なネットワークを作って利権を独占していると批判する。しかし右派ポピュリズムによる批判のターゲットとなるエリートとは、移民・難民の受け入れを重視し、多文化主義を推進するエリート層、グローバリゼーションやヨーロッパ統合を重視して国内の労働者をないがしろにする政治指導者など、いわゆる「リベラル・エリート」であって、そこには文化人や大学研究者、メディアが加えられることも多い。これに対し左派ポピュリズムが批判するエリートとは、富を蓄えるエリート、とりわけグローバリゼーションのメリットを積極的に享受して富を稼ぐ富裕層であり、また彼らと結託してその利益擁護に走る既成の政治家たちである。グローバリゼーションを唯々諾々として受け入れ、自国の庶民層の生活を犠牲にして富の増大を図る「グローバル・エリート」は、まさに民衆を裏切る存在として批判の対象とされる。

ではなぜ左右のポピュリズムは、このように主張や批判すべきエリートの内実をめぐり、大きな違いを示すのか。これを解く鍵は、両者の「人民」をめぐる理解の違いにある。

右派ポピュリズムでいう「人民」とは、何よりもまず「自国民」、とりわけ「自民族」であり、外国人やマイノリティは基本的に入らない。自国に長年にわたり暮らしてきた、民族的・文化的に主流派をなす人々が、「真の人民」となる。外国人や移民、主流派民族に属さない人々は、「人民」に属するものとは観念されず、排除されるか、あるいは「人民」のフルメンバーでない二級市民としての待遇を受ける。移民などの外部者は、「アイデンティティとネーションの繁栄への脅威」(ムフ 二〇一九：三九頁)とみなされるのである。

他方、左派ポピュリズムにおいては、「人民」の意味するところは大きく異なる。資本主義社会、とりわけグローバリゼーションの進んだ発達した資本主義社会において、抑圧された人々から成る多数派が「人民」となる。その場合、「人民」の多様性は当初から当然視されており、移民や外国人もまた「人民」の構成要素となる。ムフが「権力をとる人民の多数派を創出する」(同：七三頁)ことの重要性を説いているように、左派ポピュリズムにとって重要なのは、出身や立場の違いを超え、エリート支配に立ち向かう連合体の創出である。これによって進歩的なヘゲモニーを打ち立てることができ、富の公正な分配が可能となることだろう、というのである。

とはいえ、このように多くの点で左右のポピュリズムが対照的な主張を展開しているにもかかわらず、両者には、重要な共通点も存在する。フランス政治研究者のマルリエールは、左派ポピュリズムにおける「愛国主義」の存在を指摘し、フランスやスペインの左派ポピュリスト政党において「祖国」なる概念が積極的に用いられ、人々を結びつける理念として機能していることを示している(Marlière 2019)。右派ポピュリズムにおける自民族中心主義、排外的ナショナリズムと色合いは異なるものの、グローバリゼーションに批判的で、EUなどの国際機構に慎重な立場を示し、「ナショナル」な枠組みを肯定する点で、左派ポピュリズムは右派ポピュリズムと近い部分がある。左右のポピュリズムからみれば、自由貿易や規制緩和、ヨーロッパ統合の進展、グローバリゼーションなどの近年の展開の多くは、グローバル・エリートを優先して「自国の人民」をないがしろにするものとしてとらえられ、批判される。一見対極にある左右のポピュリズムは、実は共通の土俵の上に立っているとみることもできよう。

二、ポピュリズムの歴史的展開

南北アメリカにおける展開

次にポピュリズムの歴史的展開を簡単に振り返ってみよう。

近年のポピュリズムは、主としてヨーロッパのそれが注目されているものの、政治現象としてポピュリズムが最初に本格的に出現したのは、一九世紀末のアメリカ合衆国だった。一八九二年に創設された人民党(People's Party)は、別名が「ポピュリスト党」(Populist Party)であり、人民党員はポピュリストと呼ばれた。これ以後、「人民」を根拠にエリート支配に挑む政党や政治家たちが、「ポピュリスト」と呼ばれるようになる。

人民党が批判の対象としたのは、当時のアメリカにおける格差の拡大、そして政治経済エリートたちの寡占体制だった(Kazin 1998)。南北戦争後のアメリカでは工業化が急速に進む中、鉄道業、鉄鋼業、石油工業などで巨大企業が出現し、市場で独占的な地位を築いていたが、民主・共和両党は積極的な対応を怠り、金権政治も横行していた。この状況下で、苦しい生活を強いられる農民と労働者の不満をすくい上げ、二大政党を批判して一躍注目を集めたのが人民党である。人民党は、二大政党が庶民の声に耳を傾けず、権力闘争に明け暮れていると断じ、「普通の人々」(the plain people) に政府を返すべきと説き、農民の負担軽減や労働立法を訴えた。支持を一気に集め、台風の目となった人民党は、一八九二年の大統領選挙に参加し、中西部などの農業州で支持を集めるなど善戦した。

ただ人民党の躍進は、一時的なものにとどまった。民主党による取り込み戦略の成功もあり、人民党はそれ以後混迷し、二〇世紀初頭に解党した。しかし合衆国の理念に立ち還って「普通の人々」が政治の主体たることをうたい上げた人民党は継続的なインパクトを与え、近年はポピュリズムの起源としてあらためて注目が集まっている。

次にポピュリズムが脚光を浴びたのは、戦間期から二〇世紀半ばにかけてのラテンアメリカである（恒川 二〇〇八）。長くスペインやポルトガルによる植民地支配が続いたラテンアメリカでは、本国経済に資することを目的にプランテーション農業や鉱山の開発が進められ、典型的な植民地経済が成立していた。一九世紀前半に各植民地は独立を果たしたものの、多くの国で大都市所有者と鉱山主からなる一握りの白人支配層が政治的・経済的実権を掌握し、イギリスなどの外国資本を導入しつつ経済開発を図っていった。一九世紀後半以降、人口の増大や都市の発展が進み、社会が流動化していったにもかかわらず、この寡頭支配層は権力を独占し、国民の圧倒的多数を占める中間層、農民層、労働者層には疎外感が広がっていった。最終的に一九三〇年代の世界恐慌により、寡頭支配層の頼みの綱の農鉱産品の輸出が困難となったことで、その支配は大きく動揺する。

そのような状況で頭角を現し、各国で政権を握っていったのがポピュリスト勢力である。アルゼンチンのペロン、ブラジルのヴァルガス、メキシコのカルデナス、ペルーのベラスコなどのポピュリスト政治家たちは、旧来の支配体制を批判し、民衆の動員に成功して多様な階層の支持を受け、権力の座に到達した。彼らはラジオ、戦後にはテレビといった新しいコミュニケーション手段を積極的に活用し、民衆に直接語り掛けるスタイルで支持を集める。こうして中間層や労働者層、農民層からなる「階級間連合」が成立し、寡頭支配層や外国資本に対抗していった。

政権に就いたポピュリスト勢力は、雇用確保と賃上げの推進、選挙権拡大などを通じた政治参加の促進、国内産業の育成を重視した輸入代替工業化政策への転換、外国資本に支配された基幹産業の国有化、独自の文化政策の採用など、従来の支配層とは異なる政策を進めていく。

この時期のラテンアメリカのポピュリズムを代表する存在が、アルゼンチンのファン・ペロンだった。軍人出身のペロンは、労働福祉行政に尽力して、特に労働者層の支持を受け、一九四六年に大統領に当選する。ペロン政権下で労働者保護が大幅に拡充されたほか、鉄道や電力、石炭・石油などの有力産業は次々国有化され、国内工業の保護・育成が進められた。大衆に食料品や生活物資が広く行き渡る消費社会が出現したのも、この頃である。国民各層の熱烈な支持を受けたペロンのポピュリズムはペロニズムとよばれ、大衆的人気を博した大統領夫人のエバ・ペロンの活躍とあわせ、ラテンアメリカのポピュリズムの一つの頂点を形づくるものとなった(Elena 2011)。

しかし、次第にポピュリズムによる政策転換の限界があらわになる。ペロンの進めた外資の排除や農業部門への圧迫は資本の不足、農業生産の落ち込みを引き起こし、国内経済の停滞を招いた。支持層は分裂し、ペロンは反対派を抑圧する強権的な支配に移行する。一九五五年、ペロンはクーデターによって大統領の座を追われた。他のラテンアメリカ諸国でも事情は共通しており、ポピュリズム全盛の時代が長く続くことはなかった。

西欧における展開

このように二〇世紀の中葉まで、基本的にポピュリズムは南北アメリカが中心的な舞台であり、しかもその多くは大企業や外国資本による寡占支配、富の偏在を批判して労働者や農民層に支持される、左派系のポピュリズムだった。

しかし二〇世紀末以降、特に二一世紀に入ると、西欧地域におけるポピュリズムの台頭が顕著となる。しかもとりわけ注目されたのが、右派系の排外的ポピュリズムが各国で伸長し、既存の民主体制への批判者として立ち現れたことだった。

この西欧地域におけるポピュリズムは、おおまかにいえば、以下の三つのパターンに分類することができる。

第一のパターンは、極右など権威主義的政治運動に起源がある、ないし関連を持つポピュリズムである。典型はフランスの国民戦線(後に国民連合に改称)である(国民戦線については畑山(二〇〇七)が詳しい)。一九七二年、極右系の団体が糾合して設立された国民戦線には、王党派、反共産主義、植民地主義などさまざまな勢力が混在していた。当初弱小政党に過ぎなかった国民戦線だが、一九八〇年代に入ると各種選挙で一割以上の得票を継続的にえて、左右の既成政党に次ぐ第三の勢力としての座を確保していく。極右色を薄めてフランス共和制の原理を受け入れる一方、ターゲットを移民・外国人にシフトし、排外的な政策に重点を移したことが大きい。「移民ではなく自国民に福祉を」と説くその主張(福祉排外主義)は、グローバリゼーションやヨーロッパ統合が進展し、製造業の国外移転が進む中、「じぶんたちがないがしろにされている」と感じる民衆階層に支持を見出した。極右には抵抗感があるものの、移民に反感を持つ人々の排外意識に、政治的表出のルートを提供したともいえる。

国民戦線に新たな展開がみられたのが二〇一〇年代である。同党の指導者は長きにわたり、極右学生運動出身のジャン=マリー・ルペンが務めてきたが、反ユダヤ主義的発言がしばしば飛び出す彼のもとでは、極右色の払拭は困難だった。しか彼の娘のマリーヌ・ルペンが党首に就くと、党の「現代化」をめざす彼女の下で穏健化が図られ、党名は国民連合に改称され、支持層の拡大が進められる。二〇二二年の大統領選挙の決選投票では、現職大統領エマニュエル・マクロンと対決したマリーヌ・ルペンは敗北したものの、得票率は四割を超えた。

同様のパターンを、オーストリアの自由党にもみることができる。元ナチ党員らによって設立された政党に起源をもつ自由党は、当初はドイツ・ナショナリズムと反共産主義を基調とする極右政党だったが、弁舌巧みなハイダーが一九八六年に党首に就くと、彼のもとで手厳しく既成政党を批判し、反移民・反難民を訴える右派ポピュリスト政党へと変容し、支持を拡大する。以後自由党は、一九九九年選挙で第二党となって政権入りするなど、オーストリア政治の有力アクターとして政治的影響力を発揮し、しばしば物議をかもしている。

第二のパターンは、「リベラル」な起源をもつポピュリスト政党である。「リベラル」と反移民・反難民を柱とする排外主義とは一見相いれないように思われるが、西欧のいくつかの国では、「リベラル」な立場から反イスラムを訴え、イスラム系の移民や難民の排除を説くポピュリズムが有力である。オランダやデンマーク、スウェーデンのような西欧のなかでも先進的な国々、福祉国家が発達し男女平等が浸透している国々では、極右的な主張は指示を広げにくい反面、「西洋近代の啓蒙的価値」を掲げる「リベラル」な主張であれば、一定の支持を得る可能性がある。すなわちこれらの国々のポピュリズム勢力は、政教分離や男女平等、個人的自由を重視する観点から、「近代的価値を受け入れない」イスラムを批判し、イスラム系移民の排除を正当化する。彼らの主張では、イスラムは女性に対するスカーフ強制をはじめとして女性を抑圧する宗教であり、政教分離を認めない「前近代的」宗教とされる。このような「リベラル」な論拠で排外主義を正当化するポピュリズムは、極右と縁のない市民層からも支持を得て選挙で票を上積みし、政権に閣外協力するなど影響力を行使し、移民・難民政策の厳格化などの政策変更をもたらしている。

まずデンマークでは、一九七〇年代、既成政党を批判しつつ減税を訴えるリベラル系の進歩党が設立され、議席を獲得していたが、同党、および同党の事実上の後継政党であるデンマーク国民党は、一九九〇年代、移民・難民批判を積極的に取り上げて注目を浴び、支持を拡大した。特にイスラムの「女性差別」を批判し、「言論の自由」を盾にイスラム批判を展開している。

次にオランダでは、二〇〇二年、コラムニストのピム・フォルタインがフォルタイン党を結成して総選挙に参加し、第二党の座を占めたのが右派ポピュリズムの本格的参入の開始となった。二〇〇六年以降は、ヘールト・ウィルデルス率いる自由党が、反イスラムを前面に掲げて継続的に議席を獲得しており、西洋近代の勝ち取ってきた「自由」を守るためにこそ「自由を脅かすイスラム」と戦うべきと主張している(オランダ自由党については、Vossen (2016) が詳しい)。

なお「リベラル」な主張に基づきイスラム批判、移民排除を正当化する政党としては、イタリアの「同盟」(元・北部同盟)も挙げられる。

第三のパターンは、反EU型のポピュリスト政党である。極右や「リベラル」といったイデオロギーをもつ政党と異なり、「反EU」「反ブリュッセル」という政治的主張を軸に支持を広げた政党としてイギリス独立党(後のブレグジット党)がある。

イギリスは大陸諸国に遅れてEEC加盟を実現したものの、マーガレット・サッチャー首相をはじめEU(EC)懐疑が保守党内に根強く存在しており、EUの統合の「深化」に距離を置いてきた。一九九三年にEU脱退を掲げて結成されたイギリス独立党は、当初は泡沫政党扱いされていたものの、他の小党と合併し、ナイジェル・ファラージというアピール力のある指導者を得たことで勢力の拡大に成功する。農村部の保守的有権者に加え、伝統的に労働党の地盤としてきたイングランドの旧工業地域からも支持を集めたのである。この地域では炭鉱業、繊維産業や鉄鋼業など、かつてのイギリスを支えた基幹産業が閉鎖・撤退したまま地域社会の衰退が進んでおり、ファラージらは住民たちにヨーロッパ統合やグローバリゼーションへの反感を喚起して支持の拡大を図った。

二〇一六年六月、保守党政権はEU離脱の是非を問う国民投票に踏み切った。直接のきっかけは、EU国民投票でEU残留を確定させることで、EUをめぐる対立状況を一挙に解決しようとしたことだった。その背景には、イギリス独立党の主張が保守党支持層の一部に浸透し(今井 二〇二〇:七〇頁)、保守党内のEU懐疑派を勢いづかせ、政権運営を困難としていたことがあった。そして国民投票の結果は政権の思惑を完全に外れた。僅差とはいえ離脱賛成が五二%、残留賛成が四八%で離脱派が勝利したのである。以後数年にわたりイギリスとEUは、離脱問題をめぐる混乱が続く。最終的にボリス・ジョンソン首相率いる保守党政権のもと、二〇一九年一二月の総選挙で保守党が大勝してEU離脱の方向が決着し、二〇二〇年一月、EU初の加盟国の脱退が実現した。反EU型ポピュリズムがEUの有力国イギリスを脱退へと促し、国際秩序に衝撃を与えた大きな事件でもあった。

三、ポピュリズム台頭の背景——二〇世紀型政治の退場

左右対立構造の変容

それでは次に、なぜ二一世紀に入り、各国で既成政党が弱体化し、左右を問わずポピュリスト政党が台頭してきているのか。「二〇世紀型政治の退場」という観点から、この疑問に答えてみたい。

そもそも二〇世紀、特に後半の先進諸国の政治は、基本的に穏健な左右の二大勢力によって担われてきた。ヨーロッパ各国をみれば、キリスト教民主主義政党や保守党などからなる中道保守政党と、社会党、社会民主党や労働党からなる中道左派政党の二大勢力が、選挙では他勢力を圧倒し、首相や大統領のほとんどを輩出してきた。戦後ドイツでは一貫してキリスト教民主同盟／社会同盟と社会民主党の二大政党が首相を出し、イギリスでは保守党と労働党の二大政党が首相の座を独占している。

この中道保守・中道左派の二大勢力は、市場志向／福祉国家志向といった政策の力点は異なりつつも、国際協調主義、西側同盟の維持、ナチズムの人種迫害の歴史を踏まえた少数派の人権の擁護、代表制民主主義に対する信頼などの基本的な価値を共有していた。いわば二大勢力がともに加わる「戦後合意」の上に、戦後の政治が展開してきたのである。

しかしこの二大勢力は二一世紀に入り、弱体化の一途をたどっている。二〇一七年のフランス大統領選挙では、戦後初めて、共和党と社会党の二大政党が、いずれも決選投票に候補者を送ることができなかった。同年のドイツ連邦

議会選挙では、キリスト教民主同盟／社会同盟と社会民主党のいずれもが、戦後最低レベルの得票率を記録した。ヨーロッパ各国政治の総決算ともいうべき欧州議会選挙では、二〇一九年、四〇年の歴史のなかで初めてキリスト教民主主義グループと社会民主主義グループが、あわせて総議席の過半数を切る事態となった。穏健な中道勢力たる二大政党が、手を携えて安定的な戦後政治を率いてきた時代は、過去のものとなりつつある。

ではなぜ戦後政治を担ってきた二大勢力をはじめとする既成政党が衰退し、代わってポピュリスト政党などの新興勢力が政治の表舞台に進出しているのか。

第一に指摘すべきは、二〇世紀末における冷戦構造の終焉、そしてそれに伴う左右対立の変容である。旧東欧諸国における民主化、そしてソ連邦の崩壊により、ヨーロッパ諸国における従来の左右対立のあり方は、大きく揺らぐことになる。西側諸国の左派政党の場合、ソ連型社会主義に追随する政党はもはやほとんどいなかったとはいえ、ソ連・東欧圏の社会主義が短期間のうちに崩壊していったことは、自党の掲げてきた社会主義・共産主義といったイデオロギーの自明性を揺るがせた。「自由民主主義の勝利」が喧伝される中で、左派政党の多くはアイデンティティ・クライシスを迎えることとなったのである。

しかしこのような事情は、実は保守政党の側でも同様だった。西ヨーロッパの保守政党においては、明確な保守主義イデオロギーを核として成立したというよりは、「反共産主義」、具体的には共産党をはじめとする左派政党に政権を奪取されないことを主たる目的とし、多様な保守・中道勢力を糾合してまとまりを保ってきた政党もあった。そのため冷戦の崩壊により左派政党が動揺し、従来の社会主義・共産主義の枠を超えた模索が始まると、保守政党の側も「反共産主義」を旗印にまとまり続けることは困難となる。その典型がイタリアであり、一貫して第一党として戦後政治を担ってきた保守政党たるキリスト教民主党が、一九九〇年代前半、反共という中心的な結節点を喪失し、しかも自らの腐敗・汚職が白日の下にさらされたことで、一気に解党に至るという劇的な展開が生じている（なお日本においても同時期の一九九〇年代前半、それまで一貫して政権を握ってきた保守政党・自由民主党が分裂し、初めて下野するという政治変動が生じているが、これも同様の文脈から理解できよう）。

このように、左右のそれぞれを代表する左派政党、保守政党のいずれもが求心力を失い、かつてない危機を迎える中、新興のポピュリスト政党は、従来の左右対立軸とは異なる主張、すなわち反グローバリゼーションや反移民、反EUといった新たなイシューを持ち出すことで、政治空間を新たに開いていったといえる。

第二は、グローバリゼーション、特にヨーロッパ諸国においてはEU統合の進展である。二〇世紀末から顕著となったグローバリゼーション、情報化の進展は、それ以前から着実に進行していた脱工業化と相まって、各国の経済社会構造を大きく変容させた。大都市にはグローバル化した産業、特に金融業や情報産業が集中し、富が集まる一方、各国経済の屋台骨だった工業部門は衰退し、国外に移転していく。西欧諸国やアメリカでは、製造業の拠点が中東欧やメキシコに移転し、国内の工業地帯では工場の閉鎖が相次いだ。このような国内産業の空洞化現象は、先進諸国の炭鉱地帯で二〇世紀後半からすでに生じていた現象でもあった。こうしてグローバリゼーションの「勝者」と「敗者」が顕在化し、「グローバリゼーションの敗者」「近代化の敗者」とされる人々の中において、グローバリゼーションを一方的に進めるエリート層への反発が強まっていく。グローバリゼーションに批判的なポピュリスト政治家や政党は、まさにこのような「敗者」の声を代弁する存在と自らを提示し、支持を集めていった。上記のような経済構造の転換が、地域レベルの衰退として特に可視化された例として、アメリカでは中西部のラストベルト、イングランドの中北部、フランスの北東部などが挙げられる。そしてこれらの地域は、それぞれトランプの大統領当選、イギリスのEU離脱を問う国民投票における離脱賛成派の勝利、そしてフランス大統領選挙におけるマリーヌ・ルペンの支持拡大に一役買った地域でもあった。

ではこのように新たなる「敗者」「弱者」の出現という状況の中で、既成政党はどう対応しているのか。総じていえば、既成政党は有効な対応手段を欠いていると言わざるを得ない。そもそも先に述べたように、冷戦の終結以降は既存の対立軸が弱体化しており、左右ともに、既成政党の「中道化」が進行している。

まず本来「弱者」の擁護者として幅広い支持を得てきた社会民主主義政党は、一九九〇年代以降、グローバリゼーションをおおむね受容し、自由貿易の促進、緊縮財政への協力、労働規制の緩和など、従来の左派と様相を異にする政策を進めるようになった。フランス政治研究者の中山洋平はフランス社会党について、「ヨーロッパ市場統合やグローバル化の中で、平等や公正を重視する左派的な政策路線が実施できなくなって」いると指摘する(中山 二〇二〇:二三八頁)。また、イギリスの労働党の旗手、トニー・ブレア首相の下で進められた社会民主主義「第三の道」は、労働党における旧来の社会主義色を払拭し、中間層やビジネス界に受け入れ可能な市場志向の新路線を歩むものだった。この社会民主主義「第三の道」は、国際的にもてはやされ、実際に都市部に住むリベラルな有権者を引き付けることに成功したものの、労働者階級に属する人々にとって労働党はもはや「投票しがいのある自らの代表とはみなし得なく」なってしまう(今井 二〇二〇:六七頁)。イギリスにおける投票行動をみても、高学歴層ほど労働党に投票する傾向が顕著であり、「労働者階級」を労働党が代表しているとは言いづらい状況が出現している。

では保守政党はどうか。実は保守政党においても、従来の「保守的」イデオロギーと距離を置く、「中道化」が顕著である。女性が家事・育児に専念し、男性が「稼得者」として家族を支えるという男性優位的な伝統的家族観は、男女平等の進展、脱工業社会の到来によるライフスタイルの変化によって過去のものとなり、保守政党でさえも、女性の社会進出の促進、保育施設の拡充に努めるようになった。そして同性婚の制度化も、しばしば保守政権の下で実現している。こうして、強固な「反共主義」も、伝統的な家族観も事実上放棄したとみえる保守政党は、左派政党と同様の中道化を遂げる。二一世紀に入り、ドイツ他各国で左右の有力政党による大連立政権がしばしばみられるのは、以上のような両者の接近が背景にある。

しかもこれらの変化と並行し、従来の左右対立と異なる対立軸、争点が顕在化していることも大きい。ヨーロッパ統合やグローバリゼーションの是非、移民の受け入れといった争点は、既存の対立軸の上に位置づけることが困難な争点だが、既成政党のほとんどは、ヨーロッパ統合やグローバリゼーションを受容し、移民を受け入れる立場に立つ。その結果、上記の争点に否定的な立場をとる有権者は、既成政党に受け皿を見出すことができず、選挙では棄権するか、あるいはこれらの問題に先鋭的に「否」を明言する新興のポピュリスト政党に投票することになるだろう。

大都市と地方の格差

近年先進各国で顕在化している地域間格差、地域間の分断をめぐる問題も、既成政党にとって厄介な問題となっている。先述のようにアメリカのラストベルトやイングランド中北部を典型として、衰退する工業地域・旧産炭地域の人々が既成政治に背を向け、トランプ氏やブレグジット賛成に票を投じる傾向がみられたが、その背後で進行しているのが、大都市と地方のあいだの格差の増大である。

著名な都市社会学者のリチャード・フロリダは、グローバリゼーションの進む大都市と、繁栄から取り残されたそれ以外の地域の格差が広がっているとして、両者の間に進行する分断状況に警鐘を鳴らしている(Florida 2017)。彼が示すように、大都市には情報産業・文化産業などの先端的な産業が集中し、多様で魅力的な人材が集まり、富が集積し、活気を呈している。特にニューヨークやサンフランシスコ、ボストン、ロンドンなどの大都市圏は、スタートアップ企業も多く出現し、新興の富裕層が多く住み、文化的にも豊かな空間が成立している。しかしその反面、これらの大都市では不動産価格の大幅な上昇が生じ、高家賃を支払うことのできる富裕層が集まる一方、これまで都市社会の中核をなしてきた製造業労働者、サービス労働者は家賃の高騰により、市内に住み続けることが困難となって、都市周縁部においやられてしまう。

フロリダはかつて、『クリエイティブ・クラスの台頭』(*The Rise of the Creative Class*)を刊行して一躍脚光を浴びた人物だったが、同書では彼は、未来に向けた都市の可能性を切れ味鋭く提示していた。彼は「三つのT」(テクノロジー(Technology)、才能ある人々(Talent)、寛容性(Tolerance))というコンセプトを提示し、この「三つのT」を備えた都市が、二一世紀の知識基盤型経済のけん引役となること、そしてその主役がクリエイティブ・クラス(創造階級)、すなわち知的労働者、IT技術者、アーティストらであると論じていた。「クリエイティブ・クラス」は一種の流行語と化した感もあった。しかし二〇一七年に刊行した『新たなる都市の危機』(*The New Urban Crisis*)で彼は、その楽観的な都市論を大きく修正し、能力ある高収入のクリエイティブ・クラスが大都市に集中すればするほど、所得格差による地理的な分断が深刻化するというディレンマを正面から描いている(Florida 2017)。

二〇一〇年代末、フランスで燎原の火のように広がった社会運動、「黄色いベスト」もまた、このような繁栄する大都市と地方との格差問題が背景にある。参加者が黄色いベストを着用していたことから「黄色いベスト」運動と呼ばれたこの運動は、燃料税の引き上げ問題などをめぐって政府に反発する動きがパリほか各都市で展開されたものだが、特定の団体が主導した運動ではなく、参加者には右派ポピュリスト支持者もいれば、左派ポピュリスト支持者もおり、そのいずれとも無関係な者もいた。この運動の背後には、大都市と地方の格差の拡大、とりわけ公共サービスの削減で打撃を受けた地方社会の困難があった。公共料金の大幅値上げ、公共交通機関の縮小・廃止などの諸措置は、地方に住む人々の日々の生活に大きな負担をかけ、中央政府への批判を招いた。中山洋平は、その意味で「黄色いベスト」運動は、「地方都市の郊外の住人たちによる叛乱だった」と述べている(中山 二〇二〇：二四七頁)。

中間団体の弱体化

第三は、既成政党を支えてきた政治社会構造の変容、具体的には中間団体の弱体化である。二〇世紀の先進諸国では、有力な既成政党は保守系、左派系を問わず、傘下に有力な系列団体を擁するのが普通であり、その団体ネットワークが政党を支える構造ができあがっていた。保守政党では農民団体、経営者団体、地縁団体、宗教団体などが有力支持団体であり、左派政党では労働組合を中核とし、福祉団体、協同組合、社会運動団体などのネットワークを保持していた。有権者の多くは、これらの団体に属し、その団体が支持する政党に投票し、場合によっては自ら党員として活動した。イギリスで労働党の結成を後押しし、長年にわたって組織的に支えてきたのはＴＵＣ（イギリス労働組合会議）であり、日本社会党の組織基盤の中核には総評（日本労働組合総評議会）があった。そして政治家はこれらの団体との関係の保持を重視し、「教会や労組に至るまで、地域の組織と密接な関係を築き上げ」（モンク 二〇一九：六三頁）、その理念と伝統を共有していた。

しかし二一世紀に入り、既成政党を取り巻く風景は大きく変容した。かつて存在感を発揮した中間団体の多くは、組織率の低下、メンバーの高齢化、活動の沈滞に悩まされており、もはや既成政党を強力にバックアップできる状態ではない。「教会と労組」は、人々の社会生活のかなめにはない。宗教やイデオロギーの持つ求心力の低下、ライフスタイルの変化、情報化による人間関係の多元化が進む中、特定の団体に所属して継続的に活動するあり方は、過去のものとなった。そしてこれら団体の弱体化が、それまで団体に依存してきた政党に打撃を与えたことはいうまでもない。もはや団体の構成員が、ひとまとまりとなって系列の政党に継続的に支持を与え続けることは期待できない。特定の支持政党を持たない「無党派層」の増加はつとに指摘されるところだが、政党を支える団体に着目した場合、無党派層の増加の背景には、このような組織に属さない人々、いわば「無組織層」の増加があったといえるだろう。

こうして無組織層が増大した結果、既成政党が団体を通じて人々を把握することは困難となっている。

無組織層の状況を日本についてみてみると、『明るい選挙推進協会』の調査では、自治会や青年団、農業団体、商工業団体、労働組合など何らかの団体に加入していない有権者の比率は、一九八九年には一六・九％に過ぎなかったが、三〇年近くたった二〇一八年には四四・三％にまで増加した（明るい選挙推進協会 一九九〇、二〇一八）。他方この間、自治会・町内会への加入率は六七・八％から二四・八％へと激減している。日本では、特に地方において、自治会や青年団、地元の農業団体や商工業団体は保守系無所属議員や自民党議員の有力支持基盤であったし、労働組合は選挙では旧社会党や旧民社党、共産党を明示的に支持し、組合ぐるみで選挙運動に参加することもあった。しかし今やそのルートが先細りしている。

無組織層に属する人々においては、地縁や血縁、勤め先の会社や所属する労働組合を通じて特定の政党を支持するルートが事実上消滅し、既成政党や既成団体への「臣従」は期待できない。選挙で団体から投票先の指示を受けることはなく、メディアやネットの情報をもとに投票先を選択するか、あるいは棄権することが基本的なパターンとなる。

有権者の配置がこのように大きく様変わりするなかで、団体の推薦・支援を受けて当選してきた政治家の側も、選挙戦略のあり方を再考せざるを得ない。特に既存の政治に挑戦しようとする新興勢力においては、無党派・無組織の有権者に訴えて支持を調達するうえで、既成政党や既成団体への批判は有効な戦略となる。既存の政党・団体への帰属意識を持たない有権者にとって、従来の政党・団体が取り仕切る「旧来の政治」を正面から批判し、「既得権益の打破」を訴える新興勢力は、既存の政治の悪弊を一掃する革新者とみえることもある。特にこの「既成政治批判」をお家芸とするポピュリストは、自らを「普通の人々」の声を代弁する存在、既得権益の保持に汲々とするエリートたちの権力独占を打破する挑戦者として提示し、無党派層・無組織層の支持を得ることが可能となる。

この無党派層・無組織層が多いのが、大都市圏である。地縁・血縁が弱体化し、団体の束縛を受けることの少ない大都市圏では、都市住民の意向が反映されにくい「旧来の政治」への批判が受容されやすい。日本の三大都市圏で地方レベルのポピュリズムが優位に立つ背景には、自民党中心の既成政治への批判が都市部で有効に働き、組織や政党に縁の薄い住民にアピールした結果ということができる。

メディアの変容――ソーシャルメディアの台頭

ところで中間団体と同様に「二〇世紀型政治」の屋台骨を担ってきた存在として、主流派メディアを挙げることができる。新聞や雑誌、テレビ、ラジオを主力とする主流派メディアは、中間団体とともに人々に「政治的社会化」の場を用意し、政治的な認識の枠組みを提供し、政治と個人をつなぐ重要な役割を果たしてきた。既成政党の側も、ときとして記事や番組のなかで批判を受けつつ、基本的に主流派メディアの存在を前提として政党活動を展開し、広く有権者にアプローチし、支持を調達してきた。

しかし現在、主流派メディアの退潮は顕著であり、ポピュリズムの拡大もその文脈を抜きにして理解することはできない。その背景にあるのはいうまでもなく、情報技術の発展、とりわけソーシャルメディアの隆盛である。近年伸長しているポピュリスト勢力の多くは、新聞・テレビなどの従来型メディアを批判する一方、SNSなどのソーシャルメディアを積極的に活用し、有権者に直接コミュニケーションをとり、支持を集める手法をとっている。

典型はイタリアの五つ星運動やオランダの自由党である。五つ星運動は創始者のインターネットブログが人気となって政党設立に至り、以後もネット上の党活動が中心となっている。自由党は公式の党員が党首ヘールト・ウィルデルス一人であるにもかかわらず、急進的なEU批判、イスラム批判をツイッター(二〇二三年にXに名称変更)上で展開して支持を集めてきた。インターネット、特にソーシャルメディアの出現がなければ、この両党が支持を広げ、(閣外協力を含め)政権参加に至ることは極めて困難だったと言えよう。

ではなぜポピュリズムにとってソーシャルメディアは有用なのか、以下で検討してみよう。なおここでいうソーシャルメディアとは、ブログ、動画投稿サイト、ツイッターやフェイスブックなどのSNSをはじめ、個人が情報を手軽に発信し、情報を共有・拡散できるインターネット上のサービスを指す。

第一に指摘すべきは、ソーシャルメディアが主流派メディアに対抗して情報を発信し、主流派メディア自体を批判する場となっていることが、ポピュリズムにとって絶好の機会を提供していることである。ソーシャルメディアではしばしば主流派メディアについて、「情報を恣意的に歪めている」「報道が偏っている」として批判がなされることがあり、主流派メディアへの不信を高めている。メディア研究に詳しい逢坂巌は、ソーシャルメディアによって「マスメディアの権力性」が問われるようになったと指摘する(逢坂 二〇一四：三三一頁)。

ポピュリズム系の政党や政治家は、概して主流派メディアが取り上げることは少なく、あっても見下げた扱いを受けることが多い(Mazzoleni 2008: 60-61)。そもそも移民・難民やイスラムなどを厳しく批判するポピュリストの主張が、主流派メディアにそのまま掲載されることは少ない。しかし、特に右派ポピュリストにとっては、ソーシャルメディアは彼らの主張を直接大衆に伝達し、支持を広げる重要な手段となる。彼らからすると、主流派メディアは自らの既存の価値観によって報道内容を選別し、「人々の本音」を報じないエリートの牙城であるが、ソーシャルメディアは「自由な言論」を保障する場となる(Šori and Ivanova 2018: 58)。そして彼らの主張はリツイートなどを通じて人々に拡散、主流派メディア以上に広く行き渡り、支持拡大に貢献する。

第二は、概して組織的基盤が脆弱なポピュリスト勢力にとって、ソーシャルメディアはその主張を有権者に届け、支持を拡大するうえで有効な手段となっていることである。先に述べたように既成政党は自前の党組織や系列団体を保持し、二〇世紀においては各種中間団体の組織的支援を得ることで優位を保ってきたが、中間団体が弱体化し、無党派層・無組織層が最大グループとなるに及び、政党や政治家が有権者とコミュニケーションをとるうえで、インターネット、とりわけソーシャルメディアの果たす役割は大きい。短時間で情報が拡散するソーシャルメディアは、ポピュリストの挑発的な発言やメッセージを広く伝達することが可能であり、ポピュリストの側はそれをあらかじめ見込んで、意図的に急進的で「タブーを破る」発言をしばしば発信する。

もちろん、現代では既成政党もほぼすべて、各種のSNSを利用し、情報発信を行っている。しかしトップダウン式で党の方針が決まることの多いポピュリスト政党と異なり、組織的な意思決定方式が制度化されている既成政党の場合、耳目を集める発言やメッセージをソーシャルメディアでいきなり発信することは困難であり、話題になりにくい傾向がある。党組織や団体に依存しないポピュリスト政党は、その「身軽さ」を逆手に取った発信戦略が、ソーシャルメディアを通じて効果をあげているといえるだろう。

特に近年、ポピュリストにより多用されているのがツイッターである。ツイッターは、刻々と変化する政治情勢に対応し、すみやかに指導者や政党のスタンスを表明する手段として有効である。ただ文字数制限があることから、「言い切り」型の批判を行うことの多い(野党の)ポピュリストにとっては使いやすいものの、既成政党側の「説明」の場としては必ずしも有効とは言えない。

このようなソーシャルメディアの活用状況を踏まえ、メディア研究者のエンゲセルらは、「ソーシャルメディアはポピュリストたちのコミュニケーション戦略に見事に適合」していると論じている(Engesser et al. 2017: 1123)

スピルオーバー現象

ただ、このようにポピュリストがソーシャルメディアを活用し、主流派メディアを避ける傾向が顕著とはいえ、ソーシャルメディアと主流派メディアを単純に対立的に捉えることはできない。今もなお世論形成にさいし、主流派メディアの役割は大きい。ネット上の発信のみで党勢を拡大し、選挙に勝利するポピュリスト政党は例外に属する。ではポピュリスト政党の拡大はどのように生じるのか。実はここで重要なのが、インターネットから主流派メディアへ情報が伝播する「スピルオーバー」現象である。現代の主流派メディアはインターネット上の情報の流通にたえず注意を払い、ソーシャルメディアで注目を集める話題を収集し、記事化していく。そのさい、「炎上」も含め、ポピュリストの発言や行動がネット上で毀誉褒貶の対象となった場合、批判的な論調でとりあげられることが多いものの、主流派メディアの記事の対象となりやすい。これがスピルオーバーであり、このように主流派メディアが取り上げたことが、さらなる情報の拡散を生み、ソーシャルメディア上の話題となる。その意味でインターネット上のメディアと主流派メディアはお互いに孤立している存在ではなく、一種補完的な関係なのである。

しかも今、新聞や雑誌、テレビも含め、主流派メディアのほとんどは自前のサイトを持ち、情報を発信している。しかしこれらのニュースサイトは、他のニュースサイトと競合する中で、本体の新聞やテレビ本体と異なり、速報性や話題性が重視され、インパクトある見出しが用いられ、ソーシャルメディアの与える影響も大きい。ポピュリストの動きや発言が、主流派メディアのニュースサイトで扱われることは珍しいことではない。ポピュリズムとメディアの関係を分析したショリとイヴァノーヴァは、右派ポピュリストたちが「スピルオーバーのもつ潜在力から、最も多くの利を得ているように見える」と評している(Šori and Ivanova 2018: 55)。

おわりに――パンデミックのもとで　ナショナル・ポリティクスの再浮上

最後に、二〇二〇年初めから世界に広がった新型コロナウィルスが、どのような影響をポピュリズムに及ぼしたのか、簡単にみてみよう。

「普通の人々」の情動の喚起を得意とするポピュリスト指導者たちの場合、新型コロナウィルスの感染拡大に際し、概して専門家の科学的知見を軽視し、経済社会活動を制約することに消極的な傾向が強かった。彼らはしばしば新型コロナウィルスの深刻さに対する理解を欠き、国家が人々の日常行動に介入することに否定的だった。そもそもポピュリスト指導者の場合、人々に対面で直接訴えかけることで、既存の政党組織や団体をバイパスし、支持の調達に成功してきた経緯があった。そのため、直接人々とコミュニケーションできる場を制約することに抵抗感が強かったと思われる。トランプ大統領やブラジルのボルソナーロ大統領は、新型コロナの影響を軽視する発言を繰り返し、批判を浴びた。トランプ政権のコロナ対応が後手に回ったことが、アメリカ各地における感染者数の爆発的増加、そして同国における世界最高レベルの死者数の背景にあるとの批判は強い。二〇二一年秋、トランプは大統領選挙で民主党候補者のジョー・バイデンに敗北したが、その敗因の一つにコロナ対応の失敗があったとも指摘されている。ヨーロッパ各国でも、都市封鎖(ロックダウン)やワクチン接種の事実上の義務づけが実施された際、ポピュリスト勢力は概して批判的だった。ドイツでは「ドイツのための選択肢」が反ロックダウン、反ワクチン運動に近い立場をとった。その意味で新型コロナ問題は、「非科学的」なポピュリスト勢力の存在を「あぶりだす」役割を果たしたといえる。

他方、コロナ対応をめぐり、各国は自国の安全を優先する「自国第一主義」に走り、EUでも加盟国が(EUの枠組みよりも早い段階で)国境の閉鎖や外国人の入国規制などを実施した。しかし国境を越える人の往来を厳格に管理し、外国人の入国や移住を制限したことは、結果としてみれば、外国人や移民の流入を制限し、「自国民」を守ることを説く右派ポピュリズムの主張が意図せずして一時的に「実現」したということでもあった。コロナ危機は、国民国家を「再浮上」させた面もあったのである(EU各国やイギリスの対応については植田(二〇二二)が詳しい)。

そしてコロナ対応をめぐり、EU各国が鋭く対立する場面もあった。感染が深刻で財政的な負担に苦しんだ国はイタリア、スペインなど「南」のヨーロッパ諸国に目だって多かったが、これらの諸国を支援する目的で提案された二〇二〇年の「復興基金」は、財政負担を恐れる「北」の国々によって批判され、EU内でむきだしの南北対立が生じる場面もあった。オランダ、デンマーク、スウェーデンなど「北」の国々では、EUに懐疑的で「南」の国々の財政規律の緩さに批判的なポピュリスト政党が伸びており、政権としても安易に「南」への財政移転に妥協するわけにはいかないという事情があった。最終的にこの復興基金は、「南」への資金供与の一定部分を資金貸与にすることで「北」が納得して決着した。この事例のような「ナショナル・ポリティクス」が浮上する局面では、ポピュリズムの影響が直接間接に、EU内の力学に影響を及ぼす場面が少なくない。新型コロナウィルスは各国間に潜在的に存在する「国益の対立」を、浮かび上がらせる結果をもたらしたと言える。

「人民」の支持に依拠するポピュリズムの浮沈は激しく、各国で持続的な政治勢力として定着するのかどうかは予断を許さない。しかし他方、既成政党の衰退は進み、そして中間団体の弱体化は覆うべくもなく、「二〇世紀型政治の退場」は明らかとなっている。そのようなマクロな変容が、より多くの人々の参加を可能とする「包摂」に向かうのか、それとも「分断」を助長するのか、まさに私たちは岐路に立っているといえよう。

＊本稿のテーマに関連する内容については、筆者(水島)はすでに多数の論考で考察を行っており(水島 二〇一六、二〇二〇、二〇二一、中山・水島 二〇二〇ほか)、本稿の叙述もそれらと重なる部分がある。

参考文献

明るい選挙推進協会(一九九〇)『第十五回参議院議員通常選挙の実態——原資料』明るい選挙推進協会。

明るい選挙推進協会(二〇一八)『第四八回衆議院議員総選挙 全国意識調査 調査結果の概要』(http://www.akaruisenkyo.or.jp/060project/066search/) 最終閲覧日二〇二二年五月四日。

今井貴子(二〇二〇)「遅れてきたポピュリズムの衝撃——政党政治のポピュリズム抑制機能とその瓦解?」水島治郎編『ポピュリズムという挑戦』岩波書店。

植田隆子編(二〇二一)『新型コロナ危機と欧州——EU・加盟一〇カ国と英国の対応』文眞堂。

遠藤乾(二〇一六)『欧州複合危機』中公新書。

逢坂巌(二〇一四)『日本政治とメディア——テレビの登場からネット時代まで』中公新書。

島田幸典(二〇一一)「ナショナル・ポピュリズムとリベラル・デモクラシー——比較分析と理論研究のための視角」河原祐馬ほか

編『移民と政治——ナショナル・ポピュリズムの国際比較』昭和堂。

恒川惠市（二〇〇八）『比較政治——中南米』放送大学教育振興会。

トラヴェルソ、エンツォ（二〇二一）『ポピュリズムとファシズム——二一世紀の全体主義のゆくえ』湯川順夫訳、作品社。

中北浩爾（二〇二〇）「地域からのポピュリズム——橋下維新、小池ファーストと日本政治」水島治郎編『ポピュリズムという挑戦』岩波書店。

中山洋平（二〇二〇）「革命と焦土——二〇一七年フランス大統領・下院選挙の衝撃」水島治郎編『ポピュリズムという挑戦』岩波書店。

中山洋平・水島治郎（二〇二〇）『ヨーロッパ政治史』放送大学教育振興会。

畑山敏夫（二〇〇七）『現代フランスの新しい右翼』法律文化社。

水島治郎（二〇一六）『ポピュリズムとは何か』中公新書。

水島治郎（二〇二〇）「中間団体の衰退とメディアの変容——「中抜き」時代のポピュリズム」水島治郎編『ポピュリズムという挑戦』岩波書店。

水島治郎（二〇二一）「「不公正社会」への逆襲なのか——ポピュリズムの政治社会的文脈」水島治郎・米村千代・小林正弥編『公正社会のビジョン——学際的アプローチによる理論・思想・現状分析』明石書店。

ミュデ、カス、クリストバル・ロビラ・カルトワッセル（二〇一八）『ポピュリズム——デモクラシーの友と敵』永井大輔・髙山裕二訳、白水社。

ミュラー、ヤン＝ヴェルナー（二〇一七）『ポピュリズムとは何か』板橋拓己訳、岩波書店。

ムフ、シャンタル（二〇一九）『左派ポピュリズムのために』山本圭・塩田潤訳、明石書店。

モンク、ヤシャ（二〇一九）『民主主義を救え!』吉田徹訳、岩波書店。

Elena, Eduardo (2011), *Dignifying Argentina: Peronism, Citizenship, and Mass Consumption*, Pitsburgh, University of Pitsburgh Press.

Engesser, Sven, Nicole Ernst, Frank Esser & Florin Büchel (2017), "Populism and Social Media: How Politicians Spread a Fragmented Ideology", *Information, Communication & Society*, Volume 20, Issue 8.

Florida, Richard (2017), *The New Urban Crisis: How Our Cities Are Increasing Inequality, Deepening Segregation, and Failing the Middle Class—and*

What We Can Do About It, New York, Basic Books.

Kazin, Michael (1998), *The Populist Persuasion: An American History*, Ithaca, Cornell University Press.

Marlière, Philippe (2019), "Jean-Luc Mélenchon and France Insoumise: the Manufacturing of Populism", Giorgos Katsambekis and Alexandros Kioupkiolis (eds.), *The Populist Radical Left in Europe*, London and New York, Routledge.

Mazzoleni, Gianpietro (2008), "Populism and the Media", Daniele Albertazzi and Duncan McDonnell (eds.), *Twenty-first Century Populism: The Spectre of Western European Democracy*, Basingstoke, Palgrave Macmillan.

Šori, Iztok, Vanya Ivanova (2018), "Right-wing Populist Convergences and Spillovers in Hybrid Media Systems", Mojca Pajnik and Birgit Sauer (eds.), *Populism and the Web: Communicative Practices of Parties and Movements in Europe*, London & New York, Routledge.

Vossen, Koen (2016), *The Power of Populism: Geert Wilders and the Party for Freedom in the Netherlands,* London & New York, Routledge.

コラム｜*Column*

プーチンの歴史観

立石洋子

二〇〇〇年にロシア連邦大統領に就任したウラジーミル・プーチンは歴史にたびたび言及してきたが、これらの発言がプーチンの歴史の理解をどの程度反映しているのかを実証することは難しい。政治家が公的な場で歴史に言及する場合、その多くは国益の保護や特定の政策の正当化を目的としており、発言の時点での国内外の情勢や支持を獲得したい政策、聴衆に合わせて、同じ史実についての発言でも内容や表現方法、重点などが変化するからである。そのためプーチンの発言の変化が比較的小さい史実のなかから、その主張の一部を紹介したい。

まずソ連誕生の契機となった一九一七年の革命について、プーチンは大統領就任前から否定的な見解を表しており、十月革命は第一次世界大戦での敗戦を招いた「国家への裏切り行為」だった、ボリシェヴィキは独ソ戦に勝利したことでようやく「国家への償い」を果たしたと述べている。それと同時に、ソ連の歴史を全面的に否定することは避けているが、これはエリツィン政権後期の方針でもある。エリツィンは急激な市場経済の導入を正当化するために、ソ連の歴史を全面的に否定する歴史観を広めようとした。しかし、改革が招いた生活水準の低下や格差の拡大は平均寿命の低下や犯罪の増加を招き、生活が安定していたソ連時代への郷愁を広めた。このなかでソ連時代と現在を比較して政府の政策を批判する共産党などが有権者の支持を集めると、エリツィンは支持の減少を食い止めるためにソ連を否定する発言を控え、社会に和解を訴えるようになっていった。

ソ連を肯定的に評価する声は現在も多く、とくに政府の経済政策への批判が高まる時期と、ソ連に対する評価が高まる時期が一致していることが各種の世論調査で明らかになっている。このなかでプーチンも革命を否定するだけでなく肯定的側面にも言及し、革命によって新たな国家を実現する試みは変革への強力な推進力を世界中に与え、生活水準の向上や労働市場の改革、教育の発展、少数民族や女性の権利の保障などにつながったとも述べている。そのうえで、革命という歴史の教訓が必要とされるのはまず和解のためであり、社会、政治、市民の合意を強化するためだと強調している。

社会の和解を重視する姿勢は、ソ連時代の政治的抑圧の評価にもみられる。二〇一七年に抑圧の犠牲者の追悼碑がモスクワに建設された際、プーチンはその除幕式で、抑圧を正当化することはできない、忘却を許すことなく抑圧の歴史を記憶し、批判し続けることが必要だと発言したが、それとともに、抑圧の悲劇を記憶することが社会を再び危険な対立に追いやることになってはならないとも訴えた。このようにプーチンが和解を繰り返し訴える背景には、ロシアの社会に存在するソ連の歴史の評価をめぐる激しい対立がある。

スターリン体制による抑圧の犠牲者の追悼碑．2017年にモスクワのブトヴォに建てられたこの追悼碑には，同地で処刑されたすべての犠牲者の氏名と生年月日が刻まれている（RG. RU）

また後期のエリツィン政権と同様にプーチン政権も独ソ戦の歴史を重視しているが、二〇〇〇年代半ば以降にはポーランドやバルト諸国、ウクライナなどを中心として、第二次世界大戦勃発の責任はドイツとソ連にあるという主張が提起されるようになった。これについてプーチンは、一九八九年にソ連の議会が独ソ不可侵条約の秘密議定書(一九三九年締結)を法的、道徳的に批判しており、ロシアもその評価を継承していると述べるとともに、独ソ戦でソ連は莫大な犠牲を出して祖国を防衛し、戦争の末期には他国もドイツの占領から解放したのだと強調している。

それに加えて、戦争勃発の要因は一つではなく、ソ連の政策も含む戦前のすべての出来事が致命的な連鎖を形成したとも述べており、その例として第一次大戦後にドイツに科された懲罰的な賠償、国際連盟の制度上の欠陥、ヨーロッパに集団安全保障体制を構築しようとした英仏ソと中東欧諸国の試みの失敗、多くの国がドイツとの不可侵条約締結を選択したこと、日本とソ連の軍事衝突、ミュンヘン協定などをあげている。また第二次大戦勃発の責任はドイツとソ連にあるというポーランド政府の主張に対して、チェコスロヴァキアの分割にポーランドが加わったことを批判することもある。

他方で、ソ連ではこの戦争で約二七〇〇万人が死亡しており、国家の歴史としてではなく、家族や地域の記憶として戦争体験を次世代に伝えるべきだという発想がロシアでは広く共有されている。また、ソ連時代の政治的抑圧についても同様の考え方があり、戦死者や抑圧の犠牲者の調査と記録、遺品の収集、追悼に取り組む非政府団体が各地で活動を続けている。またソ連時代は全体的に高く評価されているものの、革命と内戦、政治的抑圧、工業化と農業集団化、独ソ戦、ペレストロイカなど、個々の史実についてはさまざまな論争があり、画一的な自国史像が存在するわけではない。したがって、ロシアにおける集合的記憶の特徴を理解するには、政権による歴史の政治利用だけでなく、政権と社会の相互作用や、社会のなかに存在する歴史認識の対立にも注目する必要がある。

焦　点 | *Focus*

集点｜*Focus*

二一世紀の国連へ
——非公式帝国の展開と国際組織

半澤朝彦

はじめに

歴史的に見て、世界的な大帝国が崩壊したり何らかの危機を迎えたりすると、その代替ないし帝国再編の試みとして、国際組織が登場したり脚光を浴びたりすることがある。イギリス帝国が絶頂期を過ぎたタイミングで初の世界組織である国際連盟(以下、連盟)が立ち上がったのはその好例であろう。第二次世界大戦の灰燼の中から国際連合(以下、国連)が誕生したり、欧州冷戦の中から欧州連合(ＥＵ)や北大西洋条約機構(ＮＡＴＯ)が発展したりしたことも、同様の文脈から来ている。連盟以前にさかのぼれば、列強のアフリカ分割に対処したベルリン会議、ナポレオン戦争後のウィーン会議、三十年戦争後のウェストファリア会議といった国際秩序回復の試みがしばしば国際組織の先駆けとされる(最上 二〇一六、細谷 二〇一二、マゾワー 二〇一五a、篠田 二〇〇七)。

二一世紀の国連もまた、危機と不安定の時代にあって、実はむしろその役割を拡大させている。まず、「長い二一世紀」の起点というべき一九九〇年代は、冷戦終結、ソビエト帝国の崩壊を受けて「国連ルネッサンス」の時代となった。二〇〇〇年代に入ると、イラク戦争などアメリカの単独行動で国連はないがしろにされた印象もあるが、それだけでは一面的な見方だろう。多国籍企業やNGOなどが国連を中心とするグローバルな政策形成に参加するようになり、ミレニアム開発目標（MDGs）や持続可能な開発目標（SDGs）は進展した。平和維持活動（PKO）も積極的、包括的になっている。二〇〇六年には新しい機関として国連人権理事会が発足した。人権、平和構築、ジェンダー、難民、環境、保健衛生など多岐にわたり、国連の活動は広がりを見せている。

もちろん、この見立てには異論も出るだろう。とくにブレグジットやトランプ現象が耳目を集めた二〇一〇年代後半からは、リベラル国際主義や多国間主義は危機に瀕していると多くが警鐘を鳴らしている。ポピュリズムやナショナリズムが世界的に台頭し、単独行動主義、権威主義が幅を利かす昨今、国連なども う出る幕がない、と思う人も少なくないかもしれない。なにより、アメリカのイラク攻撃、中国のウイグル弾圧、イスラエルのパレスチナ迫害、ロシアのウクライナ侵略と考えると、「国連は役に立たない」というフラストレーションは無理もない。

しかし、忘れてはならない最低線がある。国連は、いまや現代世界に組み込まれた「所与の構造」なのである。連盟時代からカウントすれば、国際社会を可視化する「普遍的国際機構」の歴史は一〇〇年を超える。国連のような存在がわれわれの視界から消える、つまり廃止されたり解散したりする事態は考えにくい。仮に現在の国連が廃止されても、代わりに似たような組織が立ち上がるだけである。たしかに連盟の末期のように、国連を無視して複数の有志連合が割拠する事態もありえなくはないが、遅かれ早かれ最有力の有志連合が国連と似たような国際組織を作り、残りのアクターはそこにバンドワゴンするだろう。国際組織が世界からなくなることはない。

本稿では、次第に厚みを増す国際組織に関する歴史研究を参照しつつ、脱植民地化の時代から二一世紀初頭にかけての「帝国なき世界」を概観する。冒頭に述べたように、国連のような世界的な国際組織は、グローバルな帝国の興亡や流転の歴史と深く関係している。冷戦終結後に唯一の超大国となったアメリカは、二〇〇〇年代に入りイラク戦争などにより「アメリカ帝国」との批判も受けた。しかし、この「アメリカ帝国」は従属地の直接支配には依拠しない「軽い帝国」、すなわち「非公式帝国」でもある（イグナティエフ 二〇〇三、木畑 二〇一四）。アメリカは「帝国をもたない帝国」なのである。二〇一〇年代からは、オバマ、トランプ、バイデンの各政権でアメリカは以前より世界から退き、ときに孤立主義、単独行動を志向する。他方で、ウクライナでの戦争により米欧の結束は強まり、中国やインドも依然としてかつてのイギリスやアメリカのようなグローバルな覇権を有するに至っていない。このように明確な中心を欠く世界でも、国連は目に見えない非公式の帝国構造、大きな枠組みを提供しているのである。

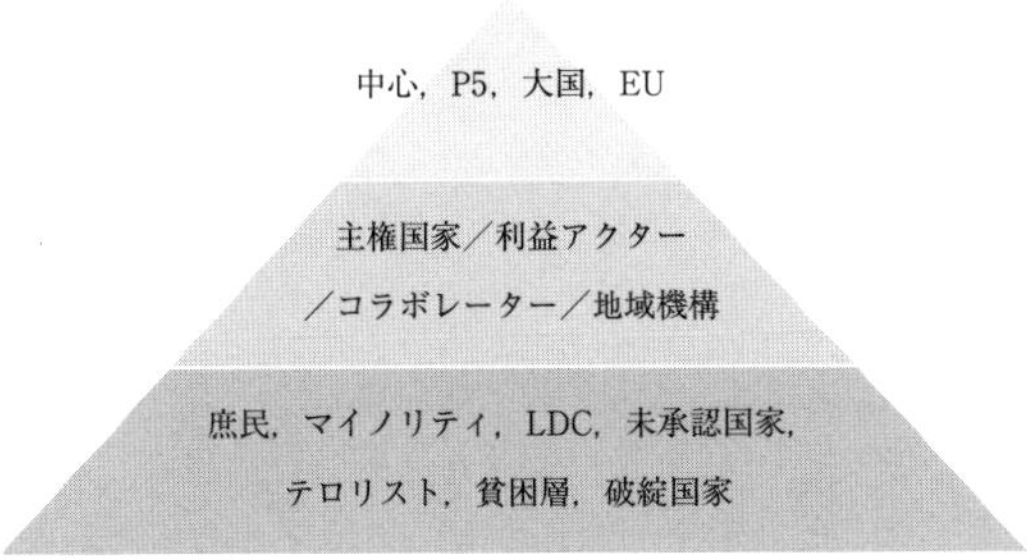

図1　グローバルな非公式帝国の構造

一、イギリス非公式帝国と連盟という「バスケット」

グローバルな非公式帝国の構造とは、いくつかの段、もっとも単純化して言えば三つの段を持つ縦型の棚かバスケットのようなものである［**図1**］。ピラミッド型の垂直構造ではあるので、明らかに上下関係、支配／被支配の関係がある。ただ、同じく三段構造で説明されるエマニュエル・ウォーラスタインの世界システム論のように、「半周縁」的な中間的な階層をここでは想定したい。つまり、支配／被支配の単純な二段構造ではなく、もっと柔軟で強力な構造体である。

もう少し言うと、バスケットの中間の段の（ナチスの「協力者」という意味でもあるのでベストの用語ではないが）「コラボレーター」が全体のカギを握るポジションにいる。帝国の「中心（勢力）」「支配（層）」は存在するが、彼らは中間にいるコラボレーターと協力、ないしは「結託」して、帝国構造の全体をより安価に維持する。もしコラボレーターがいなければ、中心が担うべき支配のコストは格段に跳ね上がり、結果として世界秩序の安定は損なわれるだろう。コラボレーターたち自身は、支配層に迎合して全体構造の中で有利な立場に立つ一方で、多数派である最下段の被支配層の利益を代弁する場合もある。その場合、中心のアクターに対して「数の力」を発揮して行動の自由を確保することも可能である。

一九世紀から二〇世紀の前半にかけて世界最大の帝国であったイギリス帝国は、こうした三段構造の帝国的ネットワークであったと見るのが、非公式帝国論である。たしかに、イギリス帝国にはインドやエジプトのような直轄植民地もあった。しかし、イギリスのグローバルな非公式支配は、そのような公式帝国をはるかに超えて、より広範囲に、そしてイギリスにより利益をもたらす形で広がっていた(平澤 二〇一一)。

たとえば、ラテンアメリカのほとんどは、一九世紀前半には宗主国のスペインやポルトガルから独立し主権国家となっていた。しかしその実態は、アルゼンチンに典型的なようにロンドンの金融支配を受け、現地の地主階級はコラボレーターとしてその国際的構造の中で特権的ポジションにあった。アジアにおいても、イギリスを筆頭とするヨーロッパ列強は、清朝、タイ(シャム)、日本などをそれなりの「文明国家」と認定しつつ、不平等条約を張り巡らせ、傭兵としてのグルカ兵や「英語を話す中国人」といわれる華僑たち、親英的な現地エリートなどをコラボレーターとして地域全体の支配体制に組み込んでいた(平澤 二〇〇六)。インドや極東に通じる戦略的に重要な「帝国ルート」である地中海から中東にかけても同様である。ギリシャやマルタといった地中海の中小国、オスマン帝国のスルタンや地方支配者、アラビア半島やペルシア湾の首長などは、必ずしも公式の直轄植民地とされなくとも、イギリスの海洋ルート支配と軍事財政支援などに依存していた部分が大きい。つまりイギリス非公式帝国とは、イギリスの比較優位を保証する世界体制であった(平澤 二〇一一)。

第一次世界大戦を契機に設立された連盟は、こうしてグローバルに拡大したイギリス非公式帝国を大きく包摂し、イギリス中心の重層的な世界秩序に制度的な形を与えるバスケットとなった。連盟のアイディアをとくに声高に唱えたのはアメリカのウィルソン大統領であったが、彼のようなアメリカ東部の知識人たちは、文化的、思想的に一九世紀以来のイギリス自由主義者の系譜に連なる。非公式帝国を志向したコブデンら自由貿易論者(当時は「反帝国主義者」と言われた)やホブソンのようなニューリベラリスト、白人自治領や英米世界の緊密化を唱える運動が連盟につながった(Bell 2020; 篠原 二〇一〇)。

植民地世界に関しては、イギリス帝国自治領の南アフリカのスマッツ首相がABCの三つに階層分けされた委任統治制度を考案した(マゾワー 二〇一五b)。「未開の植民地」を文明化するという「聖なる信託」(sacred trust)は、連盟の「理想主義」の一角をなし、この時代においてはソフトパワーであった。加盟国間の水平的な主権平等は実態としてはややあいまいであり、「連盟加盟国」といっても、そこに「一等国」「二等国」など事実上の序列があるのが当時の常識であった。実際、イギリス帝国内の自治領の地位にあったカナダやオーストラリア、さらには植民地インドも連盟の「加盟国」だったのである。

もちろん、国連と同様、連盟が掲げる主要なミッションは戦争防止であり、国家間の安全保障であった。しかしそこで意図されたのは、一九世紀のヨーロッパ協調をモデルとする会議外交の制度化である。列強の既得権や列強中心の秩序を維持するため、起こってしまった紛争を不必要に拡大させない協議フォーラムの常設化であった(細谷 二〇一二)。そこには、当然の前提として各国のパワーの差があった。連盟が発足すると、イギリスが優位に立つ形での英仏二国関係を主軸とした上で、それぞれ地中海と極東においてイギリス非公式帝国のコラボレーターであったイタリアと日本が連盟理事会の常任理事国に招かれた(1)。したがって、一九三〇年代にイギリスの国力に陰りが見え、非公式帝国のネットワークがほころび始めると、事実上の連盟を主催した英仏以外の主だった国は脱退することになる。日本の大陸侵略、イタリアのエチオピア侵略、ドイツ再軍備といった挑戦を受けて、イギリスを中心とする非公式帝国システムはついに機能不全に陥った。

とはいえ、グローバルな国際組織を通じての非公式帝国経営というアイディアが雲散霧消したわけではない。連盟がおおむね国際政治の蚊帳の外となった一九三〇年代後半でも、たとえば日本にとっても連盟は一定の考慮を払うべき外交上のファクターであり続けた(樋口 二〇二一、等松 二〇一一)。日本やドイツより中小の諸国にとっては、自国の存在を示す場としての連盟には一定のメリットがあった。非公式帝国の運営のために、中心国はコラボレーターたる地域大国や中小国に譲歩する必要もあったからである。英仏は、アメリカの不参加や日独伊の脱退に続いて、中東欧やラテンアメリカの中小国が連盟というバスケットから離脱しないよう、当時はまだ新しいスキームであった開発援助や技術協力でつなぎとめようとした。そして、再度の大戦の暗雲に覆われる中、チャーチル英首相はローズヴェルト米大統領と大西洋憲章を発し、前者はイギリス帝国の維持と英米関係強化のために、後者は戦後秩序の新たな大枠を示すために、再び連盟に類似した国際組織の設立を唱える。

二、国連と新しい非公式帝国

第二次世界大戦が終わり、イギリスは疲弊しつつも戦勝国となったが、米ソの超大国化は誰の目にも明らかであった。国連の創設は、米英ソの三大国とその他の諸国とのパワーや規範の分布を背景に理解しなければならない。[2] 国連は、新しいタイプの寡頭支配的な非公式帝国のバスケット構造として出発した。

連盟との比較で言えば、国連には安全保障理事会の優越、そしてそこにおける五大国の拒否権という新しい特徴がある。連盟にそうした制度がなかったのは、当時の国際関係では垂直的、帝国的構造があまりに自明だったためである。ブール戦争(南アフリカ戦争)や第一次世界大戦を経ていたとはいえ、連盟発足時のイギリス帝国のヘゲモニーは圧倒的であり、拒否権のような制度上のセーフガードはイギリスにとって不可欠ではなかった。実際、国連を構想するプロセスでも、一九四四年のダンバートン・オークス会議の頃までは、強制措置に関わる安保理議決についてさえ、イギリスやアメリカは「何人も自己の裁判官たりえない」という国内法で確立した原則を主張し、拒否権制度の設定には否定的であった。終始一貫して拒否権を要求したのは、将来もっとも強制措置の矛先が向きやすいと思われたソ連である(瀬岡 二〇一二：二五頁)。ただ、イギリスもまた、スターリンに「スエズ運河や香港の問題が持ち上がったらどうするのか」などと弱点を指摘され、一九四五年のヤルタ会談以降は拒否権に前向きとなる。そしてアメリカも、連盟加盟を阻んだ孤立主義に向かいがちな議会や国内世論に鑑みて、拒否権を国連創設の条件とするようになった(同：一九–九三頁)。

もう一つの国連の新しさは、主権平等原則が憲章の冒頭部分で明記され、より強調されるようになったことであろう。ただ、これを「連盟の不十分さを克服した国連」という単線的な「進歩史観」で捉えてよいかは疑問の余地がある。というのは、ある国家の「主権」を認め、その国を「対等」な国家とみなして「国際社会」への参加を認めることは、歴史的に見れば、非公式帝国を運営する典型的な手法であったからである。古くは一九世紀前半、ラテンアメリカ諸国がスペインやポルトガルから独立を果たした。しかし、ラ米諸国は旧宗主国のくびきから脱すると同時に、実質的な新たな主であるイギリス非公式帝国におけるコラボレーターとなった面がある。二〇世紀前半でも、連盟の加盟国や委任統治領のステータスには濃淡があり、イギリス非公式帝国の階層構造にかなり対応していたことは前述した。国連発足に際しても、その時点ではいつ独立国となるか不透明だったインドが「原加盟国」であったし、ソ連を構成する一六の共和国の扱いはかなり問題となった。国連創設の条件をめぐってソ連からの譲歩を引き出すために、ウクライナとベラルーシを「加盟国」と認めた顚末は、国連の主権原則の便宜性を示している。

第二次世界大戦後の世界において、ある領域を持つ政治単位を「独立国」「主権国家」として承認し、国連のメンバーシップを付与することの政治性はむしろ増大している。創設から一九五〇年代頃までの初期の国連では、ソ連が冷戦対立においては全体的には守勢に回る中、イギリスとアメリカを主軸とするグローバルな非公式帝国が国連システムを活用し、中小国の「主権」を巧みに操作した。一九四八年のイスラエルの「建国」は、明らかにアメリカや西側のコラボレーターを中東の要に据え付けるものであった。一九五一年のリビアの「独立」も、イギリスやアメリカの地中海、中東戦略の中から、かなり突然に近い形で国連において示された解である(Louis 1984)。日本の国連加盟を含め、一九五〇年代半ばに、いわゆる「パッケージ・ディール」で多くの米ソの「衛星国家」的な中小国が国連加盟を認められた。帝国論的に言えば、北側に属する米ソ両陣営が「共犯的に南北関係を隠蔽する」ために国連を利用したわけである(山下 二〇〇六:二一五頁)。

二〇世紀半ばから現在にかけてのグローバルな非公式帝国の展開は、軍事、運輸、通信等の劇的で急速な技術革新に裏付けられている。そもそも非公式帝国とは、「直接統治のコストを避け」「安上がりに支配する」ための方法であった。イギリス非公式帝国では、ハードパワーである海軍力や経済力に加え、文化や制度の優越性、情報力といったソフトパワーによって、グローバルな規模でイギリスやそのコラボレーターが比較優位を確保していた。それでも二〇世紀前半くらいまでは、天然資源へのアクセスに必要な鉄道や道路、港湾インフラなどを直接的に管理するため、戦争や反乱鎮圧、プランテーション労働力などにインドやアフリカ各地の人々を兵士や労働者として動員するために、直轄領土の植民地もある程度は必要であった。ところが、第二次世界大戦を境に、まず空軍力の重要性が増し、核戦略、宇宙やサイバー空間の利用、そしてドローンといった土地やマンパワーに頼らない技術に次々と更新されるにつれ、世界の非公式帝国化は拡大深化していった(Immerwahr 2020)。現代の帝国は、基地とシーレーン、つまり「点と線」の支配で十分なのである。

冷戦期においては、海空軍の基地確保が非公式帝国運営の優先課題の一つであった。そして、グローバルな基地網をめぐらす上で、国連の枠組みや諸制度は大いに活用された。アメリカの肝いりで国連憲章に詳細に規定された「戦略的信託統治制度」は、太平洋の旧日本領島嶼をアメリカが自由に軍事利用できるスキームであった。イギリス帝国については、一九五〇年代から一九六〇年代にかけてスエズ運河やアデンの確保には失敗したものの、キプロスの独立をイギリス主導で成功させ、半永久的に治外法権的な区域を設定してイギリスの軍事基地を常置するとともに、島内の紛争ラインには国連平和維持軍を展開させている。湾岸戦争やイラク・アフガニスタン戦争にかけてその存在が浮き彫りになったのは、中東や東アフリカに睨みを利かせるインド洋・ディエゴガルシア島の米軍基地である。島民への非人道的扱いもさることながら、国連に対して虚偽の説明を行いつつ、もともとモーリシャスの一部として統治されていたディエゴガルシア環礁を「英領インド洋地域」と称して自国領とし、米軍に現在でも貸与している。ディエゴガルシアを除く残りの部分は、一九六八年にモーリシャスとして独立が付与され、国連加盟した(半澤 二〇〇六、木畑 二〇一一:二三八—二四〇頁、Sands 2022)。

なお、とくに二一世紀の非公式帝国との関連で重要なのは、国連憲章には集団的自衛権や地域機構について、かなり積極的な規定がある点である。該当する第五一条や第五二条などを土壇場で憲章に挿入したアメリカやイギリスの念頭には、すでに存在したラテンアメリカの地域機構のほか、ヨーロッパに形成されるかもしれない新しい同盟や国際組織、アフリカやカリブなどの植民地や新興国を広域的にまとめようとする地域協力構想などがあった(加藤 二〇〇〇:九九—一〇〇頁)。戦後当初は、これらの条項はNATOやバグダッド条約機構、日米安保条約など、冷戦のツールの法的根拠となることが多かったが、次第にアラブ連盟やアフリカ統一機構(二〇〇二年にアフリカ連合に改組)ほか、非欧米世界の国際組織が成長し、国際政治に組み込まれる。やがて二一世紀に入ると、地域組織は国連と「パートナーシップ」を組み、いわばコラボレーターとして機能するのである(篠田 二〇二一、帶谷 二〇一九)。

一九六〇年代以降、歴史的な国連総会決議である「植民地独立付与宣言(XV1514)」を転換点として、植民地独立に関する国際規範は大きく変化した(半澤 二〇〇一)。キプロスやマルタの独立以降、カリブ海や太平洋のマイクロステート(極小国家)を含め、アジア・アフリカの旧植民地から数多くの新興国が生まれた。ただし、それをもって「主権国家システムが世界大に拡大した」と単に形式的に理解するだけでは実態を見誤る。それらの新しい「主権国家」は非公式帝国の中心に位置する強国やEUのような強大な国際組織、巨大な多国籍企業などと真に対等な立場にはない。非欧米世界においてそれなりにしっかりした統治を実現している大国、たとえばインドネシアやブラジル、ナイジェリアのような国は、三段構造の中層のコラボレーターとして、中心アクターに様々な面で迎合している。そうして有利な立場や条件を確保し、ピラミッドの最下段の貧困層、小国、後発開発途上国(LDC)、破綻国家、テロリストなどより上位の位置を占める。(3)

国連では一九七〇年代の一時期、G77(七七カ国グループ)が数の優勢を誇り、総会でNIEO(新国際経済秩序)を宣言したり、UNCTAD(国連貿易開発会議)でIMF-GATT体制を批判したりするなど、欧米先進国との対決がしばらく脚光を浴びた。しかし、このような「南北」の対立構図は、国家代表が集まる国連総会というアリーナによって演出された一時的な「蜃気楼」に近いものである。経済成長を続ける西欧や日本などが、とりわけ石油ショック以降産油国との対話を望むようになったこと、OPEC(石油輸出国機構)とそれ以外の途上国の対立が生じたこと、資本主義下で再配分を求める「国際的ケインズ主義」にはソ連が協力しないことなどにより、G77の結束は持続しなかった。また、「人権外交」を掲げたアメリカのカーター政権は、NIEOよりBHN(ベーシック・ヒューマン・ニーズ)を前面に出して巨額の資金をUNDP(国連開発計画)などに投入した(Garavini 2012; 山本 二〇二二、ロレンツィーニ 二〇二二)。一九八〇年代のレーガン政権ははっきりと国連本体をバイパスし、IMFなどによる「構造調整」でラテンアメリカなどに介入した。こうして、冷戦終結によるグローバリゼーションの本格化を待たず、新自由主義を利用した非公式帝国の再編はこの時期に始まっていた。

三、冷戦後の国連——多様なアクターとソフトパワー

おそらく、将来の歴史家の多くは「長い二一世紀」の起点を一九九〇年頃に置くだろう。グローバルな非公式帝国と国連という観点からも、冷戦終結で米ソ対立がいったん解消されたことには大きな意味がある。一九九一年の湾岸戦争では、安全保障理事会が承認したアメリカ主導の多国籍軍がクウェートをイラク軍から解放した。唯一の超大国となったアメリカは、再び国連を最大限に利用しようとする。第二次世界大戦終結にも増して、冷戦終結は非公式帝国の「申し子」としての国連を大きく刷新した(Moore 2022)。アメリカと国連の「蜜月状態」は一九八九年から一九九三年まで、父ブッシュ政権とクリントン政権の初期までの短い期間である。しかし、この時期の「国連ルネッサンス」は、二一世紀に向けての国連の成長に決定的な影響を与えた。

たとえば、PKOの飛躍的な拡大がある。冷戦期に始まった伝統的PKOの範囲を超えるミッションは、一九八〇年代末のナミビアでの選挙監視活動などを嚆矢とする。一九九〇年代に入ると、モザンビーク、カンボジア、ハイチ、旧ユーゴスラヴィアなどで暫定行政や国家建設の手助けまでを行うなど、一気に規模や役割が膨れ上がった。肥大化する課題と国連が実際に与えられた財政や人員、権限などが大きく乖離した結果、ソマリア、ルワンダでのPKOの「失敗」や「スレブレニッツァの虐殺」が起こる。これに幻滅したアメリカは、一九九〇年代後半には国連活動に及び腰となるが、その時期でもPKOはコソボ、コンゴ、東ティモール、中央アフリカ、シエラレオネほかで新たに展開した(Boutros-Ghali 1999)。PKO派遣要員数で見ると、一九九〇年代前半にはいったん七万人を超えていたものが一九九八年に二万人以下と底を打ったのち、世紀転換期には再び増加してイラク戦争中の二〇〇五年には一九九五年の水準を回復、それ以降は八万人前後で二〇一〇年代以降も推移している。

二〇〇〇年代初頭、アメリカのパワーの絶頂期に起こった同時多発テロ事件、アフガニスタン戦争、イラク戦争において、アメリカが国際的正統性の源泉として国連安保理決議による授権を欲した事実は重要である。湾岸戦争における「成功体験」は大きかった。結果的にイラク戦争ではアメリカが望むような決議は得られなかったが、同盟国イギリスのブレア首相、またアメリカ自身のパウエル国務長官も最後まで安保理で交渉を続けた(細谷 二〇〇九)。国連の存在により、強行されたイラク戦争に正統性が欠如していることはより明白となった(川端 二〇〇七、半澤 二〇〇四)。そして、事実上アメリカによってその地位を得たといってもよいアナン国連事務総長が、アメリカの「違法性」を明言するという皮肉な事態ともなった。この顚末は、非公式帝国の中央にいるアメリカだけでなく、攻撃に反対したフランスやドイツ、当時安保理の非常任理事国であった旧フランス植民地のアフリカ諸国、ローマ教皇の見解に影響を受けるメキシコのようなカトリック諸国、国際世論、グローバルメディアなど、多様なアクターが冷戦後の非公式帝国を形成していることを示したのである。

非公式帝国の「バスケット」としての国連の有用性は、帝国の危機や衰退といった局面で国際秩序の急激な不安定化を緩和する働きにもある。中心の力が及ばなくなったエリア、中心アクターにとって優先順位が低いイッシューにおいて、いわば帝国の「落穂ひろい」の役割を果たす。第二次世界大戦後のイギリスを始めとするヨーロッパ列強の脱植民地化のプロセスでは、パレスチナ、カシミール、キプロス、コンゴなどにおけるPKOにそうした役回りが与えられた(Persons 1995)。[4] ソビエト帝国の崩壊に先立つアフガニスタンからの撤退、そしてローデシア問題や南アフリカのアパルトヘイト問題での国連の役割もこの範疇に入るだろう(川端 二〇〇二、小川 二〇一二)。今世紀のアフガニスタン戦争やイラク戦争に関しても、アメリカ主導の「有志連合」の軍事行動で事態が泥沼化すると国連が呼び戻されるパターンは繰り返されている。イラク戦争の失敗や経済力の相対的低下でアメリカのパワーにも陰りが見える「帝国なき世界」では、アメリカが死活的と考えないエリアやイッシューは増加している。そうした部分では、国連が「落穂ひろい」を担いがちである。

ただし、現在の国連は、単に「帝国の後始末」をさせられている状況ではない。実は、二一世紀になって顕著な傾向は、国連という「バスケットの枠」の上段や中段に入り込むアクターがますます多様化し、数も増加の一途を辿っていることである。今やPKO以上の活動を行う包括的な国際平和活動をみても、EUやNATOといった大きな国際組織に加え、オーストラリア、日本、インドネシア、ナイジェリア、インドなど、コラボレーター的な地域大国が存在感を示し、アフリカ連合(AU)や西アフリカ諸国経済共同体(ECOWAS)といった国連と「パートナーシップ」を組む地域機構を通じて紛争に介入している(篠田 二〇二一)。さらに、NGO、民間軍事会社、多国籍企業などもそこに参入し、かつてない重層的な状況が見られる。アフガニスタン、東ティモール、スリランカ、西アフリカなどはそうした重層性が見られる例である。国連憲章が起草された際、地域機構は明記されたが、NGOなどの参加可能性については社会経済理事会に関連してわずかに言及があるのみであった。PKOにいたっては、憲章には書かれていない活動である。冷戦期から、そうした新しい活動エリアにおいては、アイルランドやノルウェー、スウェーデン、カナダといった中小国の活躍が見られた。「長い二一世紀」に入ると、国連という非公式帝国のバスケットにはそれをはるかに超える多様なアクターが参入している。繰り返し提起される「国連改革」は、そうした新しい状況に対応しようとする試みである(北岡 二〇〇七)。既存の国際機構と、新しい国際機構はより対等で相互補完的な関係となりつつあり、その中でいわゆる「グローバル・サウス」の影響力が増加しているという指摘もある(アチャリア 二〇二二:一一〇—一一三頁)。

もう一つ、二一世紀の国連で注目すべき点として、ソフトパワーへのさらなる傾倒がある。もともとウィルソン大統領が連盟を提唱した時から、国際組織とはすぐれてパブリック・リレーションズに関わるものであった(半澤 二〇二二:二三八頁)。公開外交の登場により、伝統的なリアリズム外交では捨象されていた国内世論、国際世論が国際政治に与える影響は倍加した。(5) 国連は、ハードパワーたる資金や装備、要員の提供は加盟国頼みである。冷戦期においても、国連はプロパガンダ合戦の場となるだけでなく、事務局やUNESCO(ユネスコ)など、それ自体が積極的にパブリック・ディプロマシーを行っていた(Alleyne 2003)。テレビメディアに加え、インターネットが時代を動かす二一世紀の世界において、ソフトパワーが重要性を減じる道理はない。CNNテレビや「戦争広告代理店」によるメディア戦争となった湾岸戦争、ソマリア内戦、ユーゴ内戦、「飢餓ポルノ」やライブエイドなどの巨人なチャリティーコンサートで世界世論を新しいアジェンダに動員するダイナミックで新しい国際政治は、外交官の世界に限らずこうしたフィールドで進行している(ポルマン 二〇〇三、高木 二〇〇三)。アメリカやドイツ、日本などの大国からの資金提供だけでは拡大する国連の諸活動を支えきれない。とくにアナン事務総長の時代から、国連は発信力のあるセレブやアーティスト、スターなどを国連親善大使などに起用したり、テッド・ターナーやビル・ゲイツのような著名企業家から資金を調達したりしている(アナン 二〇一六)。新自由主義を基調とするグローバル化した資本主義が世界の隅々まで拡大する中で、SDGsに見られるように「国連との協力関係をマーケティング・ツールとして利用することが企業の新たなトレンド」なのである(ガイアット 二〇〇二：一五一頁)。

現代世界にはナショナリズムへの回帰や保守化、反グローバリズムもあるが、リベラルな国際規範のソフトパワーは強力である。国際刑事裁判所、地雷禁止、核軍縮、気候変動、移民難民、人権、ジェンダー規範、マイノリティの権利、人種差別への反対、死刑廃止など、数多くの分野にわたる。国連が推進するリベラル国際主義は、繰り返しノーベル平和賞の対象にもなってきた。冷戦中にはハマーショルドやピアソン・カナダ外相、冷戦終結前後からは、UNHCR(国連難民高等弁務官事務所)、UNICEF(ユニセフ)、PKO、さらに、アナンや核軍縮を唱えたアメリカのオバマ大統領などである。ユネスコが主催した人種差別撤廃のための二〇〇一年のダーバン会議や二〇〇六年に国連人権委員会から格上げされた国連人権理事会では、アメリカを含む各国の規範や外交方針が衝突し、時に激論にもなる。しかし、アメリカ政府が国連に非協力的であった一九九〇年代後半においても、アメリカ世論は国連に対して基本的に好意的であった(ベニス 二〇〇五：一五五―一五六頁)。アメリカは国連で自国の意向を押し通そうとするが、国連大使にジョン・ボルトンのような重量級の政治家や、サマンサ・パワーのような知識人、黒人女性のリンダ・トマス＝グリーンフィールドを起用するなど、国連のソフトパワーを十分認識している。たとえば、「アメリカ第一」を唱えるトランプ大統領が気候変動に関するパリ協定を離脱した際も、リベラル・オピニオンは根強かった。アメリカ国内の企業や州政府、主要自治体など、気候変動問題の重要なステークホルダーがトランプに反して国際ルールを順守する姿勢を示した。それが欧州連合やG20諸国からも支持され、バイデン政権による協定復帰につながる(アチャリア 二〇二二：一五五頁)。そこにリベラルな国際秩序の「耐久性」や「強靭性」を見ることが可能だろう。かつて、イギリス非公式帝国がそのジェントルマン文化やウェストミンスター型の議会政治、英語や卓越した産業技術などをソフトパワーとしていたように、現代の非公式帝国もこうした国連のソフトパワーによって補強されている。

おわりに

国連は、イギリスからアメリカ、そして最近ではEU、G7、G20などを含む寡頭支配的な国際秩序の「バスケット構造」を提供してきた。連盟時代には、イギリスやフランスといったヨーロッパの大国やそのコラボレーターがこの構造の中心に座っていた。第二次世界大戦後のアメリカやソ連の超大国化、第三世界の脱植民地化、そして冷戦後のブリクス(BRICS)諸国の台頭、非国家アクターなどの伸長により、バスケットの各段に新たなアクターが入ってきたり、旧来のアクターと交代したりしている。もはや「イギリス」「アメリカ」といった特定の国家の名前を冠することができないような「グローバル非公式帝国」が現代国際関係における「構造的権力」となっている。

国連は、この目に見えないネットワーク型の階層構造に国際的正統性を与える。そして、国連総会や安全保障理事会、さまざまな関連機関などがその構造を制度化、可視化している。そこでは、おおむね欧米的な歴史に由来するリベラルな規範システムや、欧米文化を核とするようなソフトパワーが優勢な価値の体系を形成している。そのため、新規参入したアクターや現状変更勢力であっても、その体系がもつ全体的拘束力から自由になることは難しい。サボタージュをしたり、部分的に独自の理屈を主張したりすることはできても、全く異なる別の価値体系を掲げて全体を覆すことは事実上不可能に近い。

したがって、現状変更勢力にとって、国連はやっかいな存在である。二一世紀に入り、超大国に名乗りを上げる勢いもあった中国と、経済力に見合わない軍事力を振り回して露骨に侵略や非人道行為、国際法違反を重ねるロシアについては、その点で長期的な展望は乏しい。これらのチャレンジャーには、国際法を含むソフトパワー、およびグローバル・ネットワークが不足している。(6) ナショナリズムや「伝統」への回帰、保護主義やある程度の権威主義まではともかく、独裁、監視、言論弾圧による権力維持はなかなか長続きしない。仮に短期的、局面的な優位を得ても、第二次世界大戦時に英米のヘゲモニーに敗退した枢軸諸国の二の舞となるだろう。

中国に関しては、国連への財政貢献や国連機関のポスト獲得、PKOへの人的貢献など、国連というバスケット内で存在感を高めようとしている。国連の価値の中で、「主権」など共産党体制に都合のいいものは利用し、チベットやウィグル問題などでは守勢に回る。ロシアについては、二〇一四年のクリミア併合、二〇二二年からのウクライナ全面侵略で安保理では拒否権を乱発したものの、制裁で国力が削がれ、国連総会や人権理事会などで孤立し、国際機関での影響力は劇的に低下した。拒否権は世界戦争を回避する「安全弁」ともいえるが、非公式帝国というグローバルな柔構造が維持され続けるという意味での「安全弁」でもある(明石 二〇〇六：一一二―一一四頁)。

注

（1）東アジア全体の国際関係における日本の扱いをめぐるイギリス（・アメリカ）非公式帝国の戦略は、半澤（二〇〇六）。

（2）こうした理解に立つ古典的研究として、Louis（1977）。

（3）脱植民地化は、グローバルな非公式帝国を拡大させたといえる。そのプロセスでは、政治面で同盟網や地域組織、経済面ではOECDやIMFなどが重要である。

（4）「脱植民地化」も英米の非公式帝国主義の一部と見るのがLouis and Robinson（1994）。一九六〇年代のコンゴ国連軍は、実際には「アメリカの作戦」に近いものであった。三須（二〇一七）。

（5）高坂正堯『国際政治 改版』（二〇一七）は、リアリスト的な観点から国連や国際世論について一章を割いて詳述している。

（6）ロシアのウクライナ侵攻と国際法については、山田（二〇二二）。

参考文献

アイケンベリー、G・ジョン（二〇二一）『民主主義にとって安全な世界とは何か――国際主義と秩序の危機』猪口孝監訳、岩崎良行訳、西村書店（G. John Ikenberry, *A World Safe for Democracy: Liberal Internationalism and the Crises of Global Order*, New Haven, Yale University Press, 2020）。

明石康（二〇〇六）『国際連合――軌跡と展望』岩波新書。

アチャリア、アミタフ（二〇二二）『アメリカ世界秩序の終焉――マルチプレックス世界のはじまり』芦澤久仁子訳、ミネルヴァ書房（Amitav Acharya, *The End of American World Order*, 2nd edition, Cambridge, Polity Press, 2018）。

アナン、コフィ、ネイダー・ムザヴィザドゥ（二〇一六）『介入のとき――コフィ・アナン回顧録』上・下、白戸純訳、岩波書店（Kofi Annan and Nader Mousavizadeh, *Interventions: A Life in War and Peace*, New York, The Penguin Press, 2012）。

イグナティエフ、マイケル（二〇〇三）『軽い帝国――ボスニア、コソボ、アフガニスタンにおける国家建設』中山俊宏訳、風行社（Michael Ignatieff, *Empire Lite: Nation-Building in Bosnia, Kosovo and Afghanistan*, London, Vintage, 2003）。

小川浩之（二〇二二）「南アフリカへの制裁をめぐるグローバルな圧力――冷戦秩序のゆらぎとアパルトヘイトの終焉へ」益田実・齋藤嘉臣・三宅康之編著『デタントから新冷戦へ――グローバル化する世界と揺らぐ国際秩序』法律文化社。

帶谷俊輔(二〇一九)『国際連盟——国際機構の普遍化と地域性』東京大学出版会。

ガイアット、ニコラス(二〇〇二)『二一世紀もアメリカの世紀か？——グローバル化と国際社会』増田恵里子訳、明石書店(Nicholas Guyatt, *Another American Century*, London, Zed Books, 2000)。

加藤俊作(二〇〇〇)『国際連合成立史——国連はどのようにしてつくられたか』有信堂。

川端清隆(二〇〇二)『アフガニスタン——国連和平活動と地域紛争』みすず書房。

川端清隆(二〇〇七)『イラク危機はなぜ防げなかったのか——国連外交の六百日』岩波書店。

北岡伸一(二〇〇七)『国連の政治力学』中公新書。

木畑洋一(二〇一一)「覇権交代の陰で——ディエゴガルシアと英米関係」木畑洋一・後藤春美編著『帝国の長い影——二〇世紀国際秩序の変容』ミネルヴァ書房。

木畑洋一(二〇一四)『二〇世紀の歴史』岩波新書。

高坂正堯(二〇一七)『国際政治——恐怖と希望 改版』中公新書。

篠田英朗(二〇〇七)『国際社会の秩序』〈シリーズ国際関係論1〉、東京大学出版会。

篠田英朗(二〇〇二)『パートナーシップ平和活動——変動する国際社会と紛争解決』勁草書房。

篠原初枝(二〇一〇)『国際連盟——世界平和への夢と挫折』中公新書。

瀬岡直(二〇一二)『国際連合における拒否権の意義と限界』信山社。

高木徹(二〇〇三)『ドキュメント戦争広告代理店——情報操作とボスニア紛争』講談社文庫。

等松春夫(二〇一一)『日本帝国と委任統治——南洋群島をめぐる国際政治 一九一四—一九四七』名古屋大学出版会。

半澤朝彦(二〇〇一)「国連とイギリス帝国の消滅——一九六〇年—六三年」『国際政治』第一二六号。

半澤朝彦(二〇〇三)「国際政治における国連の「見えざる役割」——一九五六年スエズ危機の事例」『北大法学論集』第五四巻第二号。

半澤朝彦(二〇〇四)「アフガニスタン・イラク攻撃とスエズ戦争——国連と国際政治の力学」『創文』四六四号。

半澤朝彦(二〇〇五)「労働党外交は存在するのか」山口二郎・宮本太郎・小川有美編著『市民社会民主主義への挑戦』日本経済評論社。

半澤朝彦(二〇〇六)「アジア・太平洋戦争と「普遍的」国際機構」倉沢愛子ほか編『岩波講座アジア・太平洋戦争8 二〇世紀の中のアジア・太平洋戦争』岩波書店。

半澤朝彦(二〇一一)「液状化する帝国史研究——非公式帝国論の射程」木畑洋一・後藤春美編著『帝国の長い影——二〇世紀国際秩序の変容』ミネルヴァ書房。

半澤朝彦(二〇二二)『政治と音楽——国際関係を動かす〝ソフトパワー〟』晃洋書房。

樋口真魚(二〇二一)『国際連盟と日本外交——集団安全保障の「再発見」』東京大学出版会。

ベニス、フィリス(二〇〇五)『国連を支配するアメリカ』南雲和夫・中村雄二訳、文理閣(Phyllis Bennis, *Calling the Shots: How Washington Dominates Today's UN*, New York, Olive Branch Press, 2004)。

細谷雄一(二〇〇九)『倫理的な戦争——トニー・ブレアの栄光と挫折』慶應義塾大学出版会。

細谷雄一(二〇一二)『国際秩序』中公新書。

ポルマン、リンダ(二〇〇三)『だから、国連はなにもできない』富永和子訳、アーティストハウス(Linda Polman, *We Did Nothing*, London, Penguin, 2003)。

マゾワー、マーク(二〇一五a)『国際協調の先駆者たち——理想と現実の二〇〇年』依田卓巳訳、NTT出版(Mark Mazower, *Governing the World: The Rise and fall of an Idea, 1815 to the Present*, New York, Penguin, 2012)。

マゾワー、マーク(二〇一五b)『国連と帝国——世界秩序をめぐる攻防の二〇世紀』池田年穂訳、慶應義塾大学出版会(Mark Mazower, *No Enchanted Palace: The End of Empire and the Ideological Origins of the United Nations*, Princeton, Princeton University Press, 2009)。

三須拓也(二〇一七)『コンゴ動乱と国際連合の危機——米国と国連の協働介入史 一九六〇—一九六三年』ミネルヴァ書房。

最上敏樹(二〇一六)『国際機構論講義』岩波書店。

山下範久(二〇〇六)「帝国化する世界システム——「長い二〇世紀」とその帰結」同編『帝国論』講談社。

山田哲也(二〇二二)「国際法からみた一方的分離独立と「併合」——ウクライナ東部・南部4州の法的地位」『国際問題』第七一〇号。

山本健(二〇二二)「冷戦と南北問題——新自由主義的グローバル化の背景としての東・西・南関係」益田実・齋藤嘉臣・三宅康之編著『デタントから新冷戦へ——グローバル化する世界と揺らぐ国際秩序』法律文化社。

ロレンツィーニ、サラ（二〇二二）『グローバル開発史――もう一つの冷戦』三須拓也・山本健訳、名古屋大学出版会（Sara Lorenzini, *Global Development: A Cold War History*, Princeton, Princeton University Press, 2019）。

Alleyne, M. (2003), *Global Lies?: Propaganda, the UN and the World Order*, Basingstoke, Hampshire, Palgrave Macmillan.

Bell, Duncan (2020), *Dreamworlds of Race: Empire and the Utopian Destiny of Anglo-America*, Princeton, Princeton University Press.

Boutros-Ghali, Boutros (1999), *Unvanquished: A U. S.-U. N. Saga*, London, I. B. Tauris.

Foot, Rosemary (2020), *China, the UN, and Human Protection: Beliefs, Power, Image*, Oxford, Oxford University Press.

Garavini, Giuliano (2012), *After Empires: European Integration, Decolonization and the Challenge from the Global South, 1957-1986*, Oxford, Oxford University Press.

Gildea, Robert (2019), *Empires of the Mind: The Colonial Past and the Politics of the Present*, Cambridge, Cambridge University Press.

Immerwahr, Daniel (2020), *How to Hide an Empire: A History of the Greater United States*, New York, Picador.

Louis, William Roger (1977), *Imperialism at Bay: The United States and the Decolonization of the British Empire, 1941-1945*, Oxford, Oxford University Press.

Louis, William Roger (1984), *The British Empire in the Middle East, 1945-1951: Arab Nationalism, the United States and Postwar Imperialism*, Oxford, Oxford University Press.

Louis, William Roger and Ronald Robinson (1994), "The Imperialism of Decolonization", *Journal of Imperial and Commonwealth History*, Vol. 22-3.

Moore, John Allphin Jr. and Jerry Pubantz (2022), *American Presidents and the United Nations: Internationalism in the Balance*, New York, Routledge.

Parsons, Anthony (1995), *From Cold War to Hot Peace: UN Interventions 1947-1995*, New York, Penguin.

Sands, Philippe (2022), *The Last Colony: A Tale of Exile, Justice and Britain's Colonial Legacy*, London, Weidenfeld & Nicolson.

集点｜*Focus*

「アラブの春」の世界史的意義

栗田禎子

はじめに

二〇一一年に中東・アラブ地域に生じた革命状況、いわゆる「アラブの春」（チュニジア、エジプトで体制が崩壊、革命はバハレーン、リビア、シリア、イエメン等にも連鎖的に拡大）は、世界に大きな衝撃を与えた。長期にわたり続いた強権的独裁政権が、市民による非暴力・平和的な抗議運動、巨大デモによって打倒されるという展開は、中東という地域が自らの力で、いわば内側から民主化革命を達成してみせたまぎれもない事例であり――「アラブの春」という表現の含意や射程、妥当性は吟味する必要があるが(1)――国際的な注目を集めた。青年や女性が革命の中で中心的役割を果たしたこと、また巨大デモを可能にした条件としてのインターネットの重要性等も特に注目された。

反面、変革を求める民衆の運動がシリア等では「内戦」化による混乱・暴力の拡大という形で封じ込められる結果になったことから、「アラブの春」の失敗、「アラブの秋」（もしくは冬）の到来、という評価が見られることも事実である。旧体制打倒には成功したチュニジアやエジプトでも民主化が完全な成功を収めるに至らなかったことが指摘され、その背景としては、革命が民衆の圧倒的エネルギーに支えられる一方で、明確な指導部や具体的プログラムを欠いていた等の要因が挙げられることが多い(Bayat 2017; Haas and Lesch 2017 など)。

以下では、発生後十余年の現時点においてこのようにさまざまな評価・指摘が交錯する「アラブの春」に関し、その性格や背景、歴史的位置づけ等を検討すると共に、それが現代に生きる私たちに提起するもの、今後の展望を考える。革命が起きた中東という地域の社会、この地域が経てきた歴史的経験に目配りすると同時に、革命が中東のみならず現代世界全体にとって持った意味、いわば世界現代史上の位置づけという点にも注目したい(2)。

一、「新自由主義」的世界秩序への挑戦

二〇一一年に中東で生じた革命状況に関し、まず注目に値するのは、それが「冷戦」後の世界を席巻した「新自由主義」の支配に対し、世界各地の民衆が異議申し立ての声を上げて決起し、深刻な一撃を与える――いわば「風穴をあける」――ことに成功した、ほとんど最初の事例と言えることである。「アラブの春」が決して中東地域に限定されたローカルな事件ではなく、同じ二〇一一年にアメリカで開始された「オキュパイ・ウォール・ストリート」(ウォール街を占拠せよ)運動や、日本での東電福島第一原発事故を契機とする「脱原発」運動にもつながるものだったこと、実際にこれらの運動の担い手たちに大きな影響・インスピレーションを与えたことは既に指摘されているが(板垣 二〇一二、Bayat 2017; Alnasseri 2016)、これは「アラブの春」自体が「新自由主義」的支配の下で増大する社会・経済的矛盾に対する批判という性格を有していたからこそ生じた現象だった。

「アラブの春」はチュニジア・エジプト等、中東で長く続いた強権的政権を打倒した革命であるが、これらの政権がとっていた経済政策はといえば、米国をはじめとする先進資本主義諸国主導の新自由主義路線を受け入れ、IMF(国際通貨基金)・世界銀行等の国際金融機関の「構造調整」圧力に屈して民営化、公務員削減、食糧等への補助金の

撤廃、医療・福祉・教育等の分野への「市場原理」導入等の方針を打ち出すことで、失業や貧困、格差拡大等を引き起こすものだった。特に典型的だったのはエジプトのケースで、エジプトの体制――ムバーラク期の政策は基本的に前任者のサーダートの方向性を引き継ぐものだったため「サーダート＝ムバーラク体制」と呼んでもよいかもしれない――は、ナセル時代のエジプトで一九六〇年代に追求された社会主義的路線から第三次中東戦争における対イスラエル敗北(一九六七年)後の状況の中で方向転換し、既に一九七〇年代半ば以来、外資導入、公共部門の民営化、補助金削減等の経済的「門戸開放」(アラビア語では「インフィターフ」)政策へと舵を切ったことで知られ、いわば中東における「新自由主義」的転換の先駆けとも言える存在だった。

「新自由主義」をめぐって一般的には、サッチャー・レーガン政権期の欧米先進諸国で台頭した、「福祉国家」を敵視し、「市場原理」貫徹を掲げる潮流に代表されるもので、それが「冷戦」終結・社会主義圏消滅後、世界を席巻するようになった、というイメージが持たれており、さらに遡れば実はそのルーツは一九七三年のチリのアジェンデ政権打倒後の中南米に米国が導入を図った経済政策に求められることが知られているが、巨視的に見れば「新自由主義」は――アジェンデ政権打倒後の中南米よりさらに早く――第三次中東戦争でのナセル体制敗北後のエジプトで既に開始されていた、と見ることもできるだろう(Bayat 2017: 20-21; Gresh and Sereni 2019)。対イスラエル敗戦後の中東で社会主義路線からの転換に着手したサーダートは、「すべてのカードはアメリカの手にある」という情勢認識に基づいて行動していたとされ、ある意味でのちの「冷戦」終結後の世界で広がった米国「一極支配」時代の到来、という感覚を先取りする形で「新自由主義」への道を踏み出したと言うことができる(3)。そして、サーダート期以降のエジプト、あるいは(ブルギバ失脚後の)ベン・アリー体制下のチュニジアの政権の非民主的体質、強権的政治手法は、基本的に「新自由主義」がもたらす経済・社会矛盾に対する民衆の抗議を封じ込めるものとして機能していたのである。

二〇一一年に生じた革命状況、「アラブの春」は、中東で長く続いたこのような「新自由主義」の支配に対する異議申し立てであった。ムバーラク体制を倒したエジプトでの革命(現地では「一月二五日革命」と呼ばれる)のスローガンが「自由、社会的公正、尊厳」であり、「自由」(=独裁体制の打倒)と並んで、それと不可分の関係にあるものとして「社会的公正」(=経済的・社会的矛盾の克服)が打ち出されていたことは重要である。

二、「中東同時革命」の衝撃

二〇一一年の中東における展開が世界的に注目され、また衝撃を持って受けとめられた要因の一つは、それが一国内にとどまる政変ではなく、中東・アラブ地域全域における「同時革命」の様相を呈したことであろう。二〇一〇年末にチュニジアで青年の焼身自殺をきっかけに始まった運動は、ベン・アリー政権崩壊につながっただけでなく、瞬く間に地域全体に革命の連鎖とも言える状況を作り出した。

なぜこのような展開が生じたのかをめぐってはインターネットの普及等の要因が指摘されることもあるが、それ以上に重要なのは、中東・アラブ地域の諸国家が実は基本的に共通の社会・経済、政治的矛盾を共有していたということ、別の言い方をすれば、この地域には一国ごとの政治・社会分析だけでは捉えられない「アラブ諸国」体制(または「中東諸国体制」)とも言うべき構造、支配の枠組みが存在してきた、という事実だと考えられる。

振り返ればアラブ地域は一九世紀半ば以来、ヨーロッパ列強による侵略や植民地化にさらされてきた歴史を持ち(フランスのアルジェリア侵略やイギリスによるエジプト占領)、さらに第一次大戦の結果としてのオスマン帝国解体後は、それまでオスマン統治下に残っていたアラブ地域も英仏により分割され、事実上の植民地化(国際連盟「委任統治領」という形式に基づき)されるという経緯を辿った。現在の東アラブ地域における「アラブ諸国」の枠組みは実はこの時の恣意的分割(基本プランは日本も参加した一九二〇年のサンレモ会議で決定)の過程で創出されたもの――仏委任統治領

「シリア」「レバノン」、英委任統治領「パレスチナ」(のちに入植者国家イスラエルが成立)「ヨルダン」「イラク」——であり、それゆえ当初から植民地支配の産物としての性格を刻印されていると言えるが(国境の人為性、経済・社会構造等)、欧米列強による中東進出・支配の過程で基本的に植民地主義的環境の中で形成されたという点では、同様の性格は(既に一九世紀に植民地支配下に置かれた北アフリカの)アルジェリア、チュニジア、エジプト等の諸国、あるいはサウディアラビア(一九二〇―三〇年代に国家形成を遂げ、形式上は欧米の植民地だったことはないが、建国過程や経済構造には英米の利害が深く関与)等の湾岸アラブ諸国の場合も実は共有されていた。さらには、(アラブ圏ではない)イランにおける現代史の展開(パフラヴィー朝の成立)や、(オスマン帝国滅亡後、共和国として生まれ変わることになった)トルコにおける国家建設もいずれも第一次大戦後の中東を取り巻く国際政治の「磁場」の中で進行したのであり、その意味では「アラブ諸国」にとどまらず「中東諸国」全体についても、その枠組みが持つ歴史的性格や矛盾を俯瞰的に捉える視点が必要となる。(4)

「アラブ諸国体制」という視点が有益なのは、たとえば第二次大戦後の中東現代史や、その中心的問題とも言えるパレスチナ問題に関し、一般的には「アラブ＝イスラエル対立」という描かれ方がされることが多いのだが、この視点を導入することにより、英委任統治とシオニズム(「ユダヤ人国家」建設運動)の結託の下でパレスチナで急速に建設が進んだ入植者国家(のちのイスラエル)と、それを取り巻く「アラブ諸国」の枠組みとは、巨視的に見れば共に戦間期の中東の置かれた植民地主義的環境の中で創出されたものであり、イスラエルと「アラブ諸国」支配層の間には実は暗黙の共犯・分業関係がある(＝入植者国家イスラエルは現地住民パレスチナ人を抑圧し、「アラブ諸国」支配層はそれぞれの国の民衆を管理・統制する)という構図が明らかになることであろう。欧米による植民地主義的支配を中東内部で支える役割を果たす「アラブ諸国」支配層と民衆の間には厳しい矛盾が存在し、ある意味でパレスチナの「解放」自体、それを取り巻くアラブ諸国の体制の抜本的変革を経なければ実現し得ない、という構造があって、この構造がアラブ諸国の民衆によって認識された際に「革命」が起きる（たとえば一九四八年のパレスチナ戦争敗戦経験を経ての一九五〇年代のエジプト、イラク等における一連の革命）という現象は、これまでも中東において観察されてきた。(5)

このように見てくると、二〇一一年に世界に衝撃を与えた「中東同時革命」は、二〇世紀中東に成立した諸国がいずれも共通の政治・経済・社会的矛盾を抱えており、それゆえ一ヵ所で起きた変革は必然的に連鎖・共振の動きを生み出していくという構造に起因するもの――逆に言うと「同時革命」の発生自体が「アラブ諸国体制」（あるいは「中東諸国体制」）とも言うべき構造の存在を実証することになった――と捉えることができる。(6)

三、「対中東戦争」への抗議から生まれた革命

二〇一一年に生じた事態の意味を考えるにはそれまでの中東がどのような状況に置かれていたかを確認する必要があるが、その際見逃してはならないのは、「戦争」の問題――一九九〇年代以降のこの地域はイラク、アフガニスタン等、まさに中東を標的とする一連の戦争の舞台となってきたという事実――である。

カイロのタハリール広場で二〇一一年一月から二月にかけて展開され、結果的にムバーラク体制を打倒することになった巨大デモ（「一〇〇万人デモ」）は「アラブの春」を象徴する光景となったが、このデモの原型となったのは、二〇〇三年のイラク戦争開戦直前に同広場で行なわれた米国のイラク攻撃反対の抗議集会だった。エジプトは一九八一年のサーダート暗殺以来「非常事態」宣言下にあり、デモは基本的に禁止されていたが、中東の一国イラクに対する米国の一方的武力行使への民衆の批判が高まる中で、ムバーラク体制も反戦デモを容認せざるを得なくなったのである。また、この二〇〇三年のデモの「伏線」にあたるものをさらに遡れば、二〇〇〇年秋にエジプトでパレスチナの第二次インティファーダ（民衆蜂起）との連帯のために結成された市民組織「パレスチナ支援人民委員会」が、イスラエル

による弾圧を糾弾して行なった抗議行動(二〇〇〇―〇一年)が挙げられる(栗田 二〇〇四、栗田 二〇一四:一〇九頁)。

一九九〇年代以降の中東は、「冷戦」終結に伴う国際環境の激変に伴い、米国をはじめとする先進資本主義諸国による大規模軍事介入、戦争の標的となり(湾岸戦争を皮切りに、「対テロ戦争」を名目とするアフガン戦争、さらにイラク戦争)、同時にこれと並行する形で中東域内における先進諸国の同盟者的存在であるイスラエルによるパレスチナ人への抑圧・攻撃も(米国主導の「対テロ戦争」と歩調を合わせる形で)激化する、という状況に置かれてきた。冷戦後における「新自由主義」の席捲、資本の原理による地球統一(グローバリゼーション)のもとでの格差の拡大や貧困・失業といった現象は既に見たように世界中で経験されたものだが、中東の場合はこれに加えて、資源面・地政学的に重要なこの地域を掌握することをめざして先進諸国が直接軍事介入を仕掛けてくるという局面、「アメリカの戦争」の時代を迎えることになったのである。イラク等を標的とする軍事介入は同時に、中東地域全体に対し先進資本主義諸国が政治的圧力を強め、それにより各国の政権に(民営化や外資導入、補助金削減等の)「新自由主義」的経済路線への転換を強いる効果を持った点も重要である。「冷戦」後の中東は、政治的・経済的・軍事全分野で先進諸国による圧力が強まる、ある意味で「再植民地化」的状況にあり、米国主導の一連の対中東戦争はその最も露骨な表れであった。

重要なのは、このような米国主導の戦争に対し、中東・アラブ諸国の諸体制は――表面的には憂慮を表明し、武力攻撃に反対するポーズを示しながらも(アラブ連盟、イスラーム諸国会議機構での声明など)――現実にはアメリカの戦争を黙認し、これを支える役割さえ果たしていたということである(米国のイラク攻撃は、米艦船のスエズ運河通行に対するエジプト・ムバーラク政権の許可なしには遂行し得なかった)。それゆえ、イラク戦争時に中東諸地域で発生した反戦デモ(エジプト、また米第五艦隊の基地を擁するバハレーンにおいても)は、アメリカに向けられたものであると同時に、国内では強権的手法で民衆を抑圧する一方で対外的には従属的であり、先進諸国の対中東戦争に協力している中東諸国の支配層に対して向けられたものでもあった。二〇一一年に生じた革命状況の素地は、こうした運動を通じて準備されてきたと言うことができる。

このように「アラブの春」は中東内部の民主化革命であると同時に実は欧米による中東への介入に対する異議申し立てという面を持ち、また逆にチュニジア・エジプト等での革命はこれに欧米が介入することができなかったからこそ成功した、という点に特徴がある。冷戦後、特に二一世紀に入ってからの先進諸国による中東地域への介入は(二〇〇一年の「九・一一」事件を利用する形で)「テロとのたたかい」を掲げて行なわれてきた経緯があり、『テロ」に対しては欧米はどのように反応(あるいは利用)するかを熟知していたと言えるが、中東内部から起きる民主化革命――しかもエジプト・チュニジアのような親欧米的政権に対する革命――という予想外の事態に対しては先進諸国は準備ができていなかった。チュニジアやエジプトでは体制打倒をめざす市民の運動が完全に非暴力的・平和的な形で展開されたことも、外部の干渉を防ぐ決定的要因となった。

中東で生じた突然の革命状況に先進諸国が虚を突かれ、介入の方途を見失う、という状況に変化が生じ、先進諸国側にとって一種の「突破口」が生まれたのはリビアの事例で、リビアではカダフィー政権による暴力的弾圧が、欧米が住民「保護」の名目で軍事介入を決定し、NATO(北大西洋条約機構)による空爆(二〇一一年三―一〇月)に踏み切って、中東情勢に再び関与する糸口を摑むことを可能にした(リビアへの軍事介入は、隣国エジプトでの革命の進展に対する間接的圧力としての効果も持った)。さらにシリアでも、当初は民主化運動として始まったものが、域内諸政権(湾岸アラブ諸国やトルコなど)による「イスラーム主義」武装勢力への支援によってアサド政権と反体制武装勢力間の「内戦」に転化させられたことが、結果的に先進諸国が再び中東への介入を強める余地を作り出すことになる。二〇一一年の革命は中東に対する一連の戦争への異議申し立てとして生じたものだが、革命を頓挫させ、中東の民衆のエネルギーを封じ込めようとする力が働く過程で、情勢を「軍事化」し、新たな「戦争」を作り出そうとする試みが、先進資本主義諸国も再度深く関与する形で進行してきたことに注意する必要がある。

四、革命はいつ始まったのか？

「アラブの春」の起点は一般には二〇一〇年末にチュニジアで起きた焼身自殺事件(路上で青果の行商をしていた青年が警察の高圧的取締りに抗議)、エジプトの場合なら(やはり若者の拷問死をめぐる)「ハーリド・サイード事件」(二〇一〇年)、あるいは(デルタ地方で起きた労働運動との連帯を掲げた)「四月六日運動」(二〇〇八年)等に求められることが多いが[7]、上述のように伏線としてのイラク戦争反対運動まで遡れば、革命の素地はかなり以前から準備されつつあったと言うことができる。米国主導の一連の対中東戦争に対する民衆の抗議の高まりは、「冷戦」後の中東で進行し始めた「再植民地化」状況、先進諸国に対する政治・経済、軍事的従属の深化に危機感を抱き、主権の回復を求める動きだったと捉えることができるが、「主権の回復」(それは「尊厳」の回復とも表現される[8])という側面に注目するならば、「アラブの春」のルーツはさらに遡って、植民地主義からの解放をめざして展開してきた中東近現代史上のさまざまな民衆運動の中にも見出すことができる。

エジプトのマルクス主義知識人マフムード・アミーン・アル・アーリム(二〇〇九年死去)は一九九〇年代末に発表したアラブ地域の現状を分析した論考の中で、帝国主義に対するたたかいが高揚した一九世紀後半、第二次大戦後に地域全域で民族解放闘争・革命が進展した一九四〇－五〇年代を振り返った上で、現在アラブ地域はそれに続く「第三の波」、文化的・政治的な覚醒の前夜にあるという認識を示した(Al-'Ālim 1998)。「冷戦」終結後の中東が新自由主義の席捲と米国主導の戦争の下で危機的状況にあることを指摘しつつ、その危機の只中で新たな革命の素地が準備されつつあるとし、ある意味で「アラブの春」を予見した論考と言えるが、先行の「第二の波」として一九四〇－五〇年代の経験が位置づけられ、その代表例としてエジプト「七月革命」(一九五二年)およびナセル体制下での社会変革の模索の重要性が改めて強調されている点が注意を引く。――実際に二〇一一年の革命の過程でも、植民地主義からの解放、主権の回復をめざした「七月革命」との連続性の感覚は参加者の間で広く共有されていた[9]。

二〇一一年革命の過程では、「七月革命」からさらに遡って、第一次大戦直後のエジプトで英植民地支配(保護国体制)からの独立を求めて展開された「一九一九年革命」を彷彿とさせる光景も出現した。全国的な大衆運動として展開した一九一九年革命の際には、(それぞれイスラームとキリスト教を象徴する)「新月と十字架」を組み合わせた意匠がデモの際に用いられ(エジプトには古い歴史を持つキリスト教徒コミュニティー(コプト)が存在し、人口の約一割を占めるとされる)、国民が宗教・宗派の別を超えて英植民地主義とたたかう決意が表明されたが、二〇一一年にもデモや街頭ペインティングの場で「新月と十字架」がしばしば用いられ、独裁政権打倒と民主化のためには宗派を超えて連帯する姿勢が強調されたのである。

二〇一一年革命およびその後の展開の過程ではさらに、一九世紀後半、一八八〇年代に起きたオラービー革命(列強への経済的・政治的従属の深化に抗議すると共に国政の民主化を求めた立憲主義的革命だったが、英の軍事介入・占領により挫折。「エジプト現代史の起点」を成す事件)の記憶を喚起させるような光景や現象――「権力と富の結婚(癒着)」に抗議するシュプレヒコール、オラービーの言葉の引用、さらには(後述の)大規模署名運動など――も観察された(栗田 二〇一四:一八八―一九三、二四五―二四九頁)。

このように「アラブの春」は、実は過去一〇〇年以上中東で展開されてきた、植民地支配からの解放や抜本的社会変革・民主化を求めるたたかい・運動の蓄積の上に成り立っている。植民地主義からの解放、主権の回復を求めるたたかいは一旦はその役割を終えたかに見えたが、「冷戦」終結後、一九九〇年代以降の中東で「再植民地化」とも言える状況が進展する中で、再びその記憶が意味を持ち、現代を生きる民衆の運動にインスピレーションを与える状況が生まれつつあると言えるかもしれない。「アラブの春」がチュニジアで始まったこと、またその後の展開においてもチュニジアでは民主的・市民的勢力が強靭さを発揮していることは印象的であるが、これも一九世紀のアラブ地域で最初に立憲主義運動が始まったのはチュニジアであり(一八六一年のチュニス憲法)、チュニジアやエジプトが中東における民主化闘争の最前線となってきた歴史を考えると理解できるのではないか。

五、分断・混乱を引き起こす動き――「イスラーム主義」勢力をどう捉えるか

二〇一一年の中東革命に関して注意を引くのは、革命の特に初期の展開においてはいわゆる「イスラーム主義」勢力がほとんど役割を果たしていないことである。チュニジアでもエジプトでも、デモに参加して全国的運動の波を作り出し、独裁政権に決定的打撃を与えたのは、青年を中心とする一般市民、あるいは労働組合、女性団体などであって、「イスラーム主義」勢力(エジプトのムスリム同胞団やチュニジアの「ナフダ」)はむしろ「様子見」の姿勢をとった。革命状況を前に「イスラーム主義」組織の特に指導部は明らかに躊躇・逡巡し、複雑な反応を示したのである(Bayat 2017: 147; 栗田 二〇一四:一三三頁)。

二〇一一年以前の中東関連の報道・分析において、民衆運動と言えば専ら「イスラーム主義」勢力に関心が集中しがちであり、ムスリム同胞団等が貧しい庶民のための福祉活動に取り組む組織として描かれていたことからすると以上のような展開は意外な印象を与えるかもしれない。しかし「イスラーム主義」は現代史の文脈では二〇世紀の中東で発展し始めた民主的あるいは社会主義的潮流に対抗するためのイデオロギーとしての性格を当初より帯び(「ムスリム同胞団」は「一九一九年革命」後のエジプトで一九二八年に結成)、一九五〇―六〇年代にはナセル体制に代表される中東の「革新陣営」を域内の「保守陣営」(サウディ等)が宗教の名において攻撃、包囲・不安定化する際の具となった。さらに「新自由主義」時代の開幕(あるいはその前史と言えるエジプトでの「開放政策」への転換)以降は、「イスラーム主

義」勢力は深刻化する経済的・社会的矛盾に抗議する労働者や農民の運動を封じ込める役割を果たしてきた。ムスリム同胞団がサーダート体制の積極的支援のもとに急速に勢力を拡大したとされることが示すように、「新自由主義」下の中東においては独裁政権と「イスラーム主義」勢力との支え合い、「共犯」関係という構造が生まれていたのである。

他方、いったん体制が打倒されたのちは、革命を担った市民たちが抜本的社会変革・民主化の徹底を優先し、必ずしも早期の選挙は求めていなかった(十分な移行期間を設け、選挙以前にむしろその前提となる国家の性格自体に関する議論を深めるべきとする立場)のに対し、欧米を中心とする「国際社会」の側は専ら選挙の早期実施を重視、選挙の実施をもって「民主化」の指標とする姿勢を示し、こうした国際的圧力もあいまって早期の選挙実施へのレールが敷かれた。結果として選挙を実施してみると、(政治的自由が極度に制限されていた旧体制下での活動は困難を伴ったため)多くの政治勢力は準備ができておらず、資金・組織面で勝る「イスラーム主義」勢力が勝利を収める——そして革命を収束させる存在としての同勢力による政権掌握を欧米も実は歓迎する——という現象が生じることになる。

これに対しエジプトでは、ムルスィー大統領率いるムスリム同胞団政権の下で労働運動の弾圧、女性の権利や表現の自由を制限する新憲法制定、国家機構の人事面等での「同胞団化」が進み、コプトへの襲撃や「宗派対立」を煽るような傾向が強まったことに対する国民の危機感が高まり、二〇一二年末から政党・市民団体等から成る「救国戦線」による抗議活動が活発化した。二〇一三年五月以降は大統領退陣を求める大規模署名運動(大統領選でのムルスィーの得票を上回る二三〇〇万人が署名)、六月末には千数百万が参加したとされる巨大デモが起き、結果的に二〇一三年七月ムルスィー政権が崩壊するという劇的な展開が生じた。ムルスィーが退陣を拒む中で事態打開のためとして大統領解任に動き、権力を掌握したのは国軍だったため、この事件は欧米メディアでは「軍事クーデタ」として描き出されたが、エジプト現地では「六月三〇日革命」と呼ばれ、二〇一一年の革命を担った市民、青年や女性、労働組合等の多くがこれを支持したのは興味深い現象である。[10] またチュニジアではやはり選挙で成立した「イスラーム主義」勢力ナフダ政権下で野党政治家暗殺等の事態が相次いだため、市民の批判が強まり、労働総同盟・人権団体等から成る「カルテット」が「国民対話」を求める強力な働きかけを行なった結果、ナフダ政権が譲歩するという展開が生じたが(鷹木 二〇一六：一九九―二五四頁)、これが(軍の力を借りることなく)実現した背景には、直前のエジプトにおける同胞団政権崩壊という事態がチュニジアのイスラーム主義政権にとっての「教訓」となったという面も無視できない。[11]

このように二〇一一年革命後の中東の政治状況の文脈では、「イスラーム主義」は基本的に反革命の要因として機能してきたが、その最も深刻な事例と言えるのはシリアの状況であろう。既に触れたように「アラブの春」は当初はシリアでも市民による非暴力の民主化要求運動として始まったが(Kilo 2013)、湾岸アラブ諸国・トルコ等が「イスラーム主義」勢力に対して武器・資金援助を行ない、米国やEU諸国も軍事訓練等の支援を行なった結果、「イスラーム主義」武装勢力対アサド政権という「内戦」に転化するという展開を辿った(青山 二〇一二、Baczko, Dorronsoro and Quesnay 2018)。戦争状態の発生によって市民が政治の場から排除され、革命が完全に頓挫したという点で、「内戦」はアサド政権延命に寄与する効果も持ったと言える。

「イスラーム主義」勢力対アサド政権というシリア内戦の構図は、さらにはスンナ派対アラウィー派という「宗派対立」の構図、そして後者の背後にイランの思惑が蠢く「スンナ＝シーア対立」(「シーア派ベルトの脅威」)の問題として描き出され、喧伝されるようになるが、同様の「宗派対立」への誘導・歪曲の動きは、バハレーンでの革命状況に対し、サウディをはじめとするGCC(「湾岸協力会議」)諸国が共同で軍事介入、鎮圧(二〇一一年三月)した際にも既に観察された。バハレーンの民主化運動に、周辺のアラブ君主制諸国から成るGCCは、「シーア派系住民による暴動」とするレッテルを貼ることで鎮圧を正当化したのである(同様の構図は、のちにイエメンに対するサウディ等の介入の際にも繰り返されることになる)。――中東における「宗派主義」(アラビア語では「ターイフィーヤ」)は、古くは一九世紀半ばの「東方問題」の時代から、中東内部の分断・対立を煽ることで介入の道を探る列強によって利用・操作されてきたことが指摘されるが[12](板垣 一九八二)、とりわけ二〇一一年の「アラブの春」発生後の状況下において「宗派主義」が反革命の具として果たしてきた役割は鮮明だと言える。既に見たように革命に際しては――エジプトで掲げられた「新月と十字架」の意匠が象徴するように――独裁政権打倒のためには宗教の別を超えて一丸となって闘う決意が示され、これこそが革命成功の鍵だったと言えるが、宗教・宗派に基づく分断・対立を煽る「宗派主義」はまさにこの民衆の団結を破壊し、革命のエネルギーを封じ込める機能を果たしたと考えられるのである。

このように二〇一一年以後の中東ではいわゆる「イスラーム主義」勢力の動き、そして「宗派対立」煽動の傾向が――特にシリア内戦のプロセスを通じて互いに連動しつつ――分断と混乱を引き起こし、革命の広がりを断ち切るネガティヴな要因として機能していくことになるが、その最も極端な事例としていわゆる「イスラーム国」(IS)の問題を位置づけることができる。ISあるいはその前身である「イラクとシリア(シャーム)におけるイスラーム国」[13](ISIS)の性格をめぐってはさまざまな分析がなされているが、同組織は巨視的に見れば、米国によるイラク戦争および占領(国民を「スンナ派」「シーア派」「クルド」等に分断する「宗派主義」的政策に立脚)が生み出した「鬼子」的存在の組織が、二〇一一年以降の「内戦」下でさまざまな「イスラーム主義」武装勢力が林立するシリアにも地歩を占めるに至り、いわばイラク戦争の矛盾とシリア情勢「内戦」化の矛盾を合体する形で成立したものと言える。ISISの活動は二〇一三年夏以降急激に活発化し、一四年には「イスラーム国」建国が宣言されるに至るが、これらは一三年七月のエジプトでの同胞団政権崩壊が中東地域の「イスラーム主義」勢力(およびそれを支援する域内あるいは国際的諸勢力)に新たな戦術への転換を迫る過程で生じた現象と捉えることもできる。

ISIS、ISの出現とその支配地域での蛮行・人権侵害は世界の耳目を集め、二〇一五年にはパリでの「シャルリ・エブド事件」等、「イスラーム主義」的背景を持つテロがヨーロッパの心臓部にも持ち込まれるという事態が生じるようになった。二〇一一年以来、EU諸国は民主化支援の名目でシリアへの介入を強め、「イスラーム主義」武装勢力に対する支援を行なってシリア情勢の「内戦」化に寄与してきたが、これは皮肉にもシリアとヨーロッパの間を武装戦闘員が絶えず往き来しているような状態(シリア支援のための「義勇兵」のリクルートは西欧諸国でも行なわれた)、「シリア」と「ヨーロッパ」の情勢がほとんど「地続き」になってしまうような状況を作り出すに至ったのである。——パリでのテロは「フランスにとっての九・一一事件」だったとも評され、客観的に見ればISの出現や大量のシリア難民流入問題を含め二〇一三—一五年の一連の事態は、「危機の震源地はシリア」だとして、フランスをはじめとするヨーロッパ諸国が中東への本格的軍事介入に乗り出す伏線となる可能性があったと考えられる。しかし欧米によるシリアへの直接的軍事介入は、二〇一五年秋のロシアによる軍事介入開始(アサド政権側を支援)に機先を制される形となり、実現することはなかった。

六、世界と中東の民衆運動のゆくえ

これまで見てきたようにいわゆる「アラブの春」は、冷戦後の世界を席巻する「新自由主義」と米国主導の戦争に対し、その矛盾を最も集中的に経験することになった中東の民衆が異議申し立ての声を上げた事件と言えるが、「新自由主義」と戦争に抗する運動はそれ以外の諸地域でも観察された。二〇〇三年のイラク戦争に際しては開戦前から中東のみならずほとんど全世界の諸国で戦争反対デモが展開された(日本を含む)が、「戦闘終結宣言」後もイラクでの戦闘が続き、占領長期化や米軍による捕虜虐待等の問題が明らかになる中で、米国民自身の間で厭戦感情、戦争批判の意識が高まっていったことは注目に値する。二〇〇八年末の大統領選での共和党の敗北とオバマ政権の成立は、基本的には米国民のこのような厭戦感情——湾岸戦争、そして二〇〇一年「九・一一」事件以来、中東への軍事介入を繰り返してきた自国の対外政策への疑問――を背景としたものだったと言える。戦争への疑問は、戦争を引き起こす現代世界の経済・政治構造を問い直すことにつながり、二〇一一年秋には冒頭で触れたように「オキュパイ・ウォール・ストリート」運動が――タハリール広場での巨大デモに直接のインスピレーションを受ける形で――取り組まれ、「新自由主義」の下での格差拡大、失業・貧困等の社会矛盾を正面から批判するに至った。――「冷戦」後の世界で約二〇年間にわたり蓄積されてきた経済・社会・政治的諸矛盾に民衆が異議申し立てを始め、かつてない規模の抗議行動を通じて社会的公正の実現をめざすという現象は、二〇一一年三月の東電福島原発事故以降の日本における「脱原発」デモ(その経験は二〇一三年の「秘密保護法」反対運動、さらには二〇一五年の「安保法制」反対運動へと継承されていく)、あるいは韓国での「キャンドル・デモ」等の際にも観察された。

だが「新自由主義」と戦争に翻弄されてきた民衆によるこのような抵抗、異議申し立ての動きの広がりと、それを支える団結・連帯意識――一握りの資本家への富の集中を批判し、「われわれが九九パーセントだ」とする「オキュパイ」運動の標語はその端的な表れと言える――とは、まさにそれに対抗するために意図的に分断・混乱を作り出そうとする動きを引き起こすことになる。米国「ラストベルト」の労働者に訴えかけるなど一見グローバリゼーションがもたらす社会矛盾に敏感なポーズを示し、ポピュリスト的姿勢を示す一方で、露骨に人種主義的主張を打ち出すトランプ政権の登場は、「オキュパイ」運動(あるいはそれを背景に生じた「サンダース旋風」)に対する対抗――米国内における民主的潮流の発展を妨害・封じ込めるための「反革命」――として理解することができる。ヨーロッパ諸国の政治にも同時期に「ポピュリズム」的傾向が指摘されるようになり、また(シリアをはじめとする中東からの移民問題ともあいまって)「反移民」の排外主義的潮流が強まり、これが一つの引き金となる形で英国のEU離脱(BREXIT)決定という展開も生じたが、これらの現象も同じ文脈で捉えることができるだろう。――「新自由主義」の引き起こす社会矛盾や戦争に対して立ち上がりつつある市民の団結を破壊するために分断・対立が意図的に煽られるという点で、先進諸国におけるこのような状況は実は二〇一一年以降の中東における「宗派主義」激化や「ＩＳ」の出現といった現象とパラレルなものと捉えることができる。

中東に再び目を転じれば、二〇一一年以降の複雑で困難な展開を経て、現在、革命が一種の「行き止まり」のような状態に直面していることは否定できない。これは――一九九〇年代―二一世紀初頭にやはり社会的公正をめざす民衆運動が発展し、各地で左翼的政権が成立したラテンアメリカのその後の経験（ベネズエラ等での革命の国際的孤立と変質の事例など）ともおそらく共通するが――基本的に依然として全体としては「新自由主義」下にある現在の世界において一国（あるいは一地域）だけで革命を続けることの難しさ、と表現することができるかもしれない。結果としてエジプトやチュニジアは現在、（二〇一一年後の政治的文脈では明白に反動的役割を担っていた）「イスラーム主義」勢力を抑え込むことには成功したものの（エジプトの場合はその過程が「軍事クーデタ」と非難され、また逆に「軍事政権」と認知されることでむしろ欧米や域内保守諸国に安心感を与え、温存される、という皮肉なプロセスを辿りつつ）、経済面では結局ＩＭＦの「構造調整」路線に迎合する「新自由主義」的政策をとらざるを得ず、これが政権と市民との乖離を招いている、という状況に陥っている(14)（山中 二〇二二）。

反面、二〇一一年以前と現在とを比較すると、革命がもたらした衝撃とその後の激動の結果、現在の中東は――湾岸戦争やアフガン戦争、そしてイラク戦争のような――米国をはじめとする先進諸国による大規模軍事介入・戦争はもはや寄せつけない状況になっている。むろんシリア情勢やＩＳ対策を名目に介入を狙う動きは絶えず存在し、米国による一方的空爆等も行なわれてはいるのだが、かつてのように米国が世界の世論を動員しつつ戦争準備を進め、（時には国連という場を利用し、また時には国際法を公然と無視する形で）先進資本主義諸国を率いて中東に攻め込むという事態が再現される可能性は低くなっている。（「核疑惑」を名目とするイランへの挑発・圧力は続いているが。）その背景に中国の台頭等に象徴される国際社会における力関係の変化、米国の地位の低下等の要因もあることは言うまでもないが、米国の介入の対象だった中東自体で革命が起きて民衆が立ち上がるという二〇一一年の事態が転換点となったことには注意する必要があり、また(冷戦後の世界において一時は「一極支配」体制を築くかに見えた)米国の地位の低下自体が、中東に対する一連の無法な戦争に起因すると見ることもできよう。ともあれ、二〇一一年の革命状況が分水嶺となって明らかにフェーズが変わり、当面、米国主導の大規模戦争が中東にしかけられる危険性は遠のいている。

二〇一一年に始まった「アラブの春」は目下「行き止まり」状態にあるかに見えるが、二〇一九年にはスーダンやレバノンでやはり市民による非暴力・大規模な抗議行動が起き、同年秋には(二〇〇三年のイラク戦争・占領により内発的な民主化運動の可能性を断ち切られていた)イラクでも戦後の国家体制・政治の現状を批判する大規模デモが発生するなど、中東諸国では現在も各個に革命が続いている。近年の運動では女性の主体性が全面的に発揮されるようになっている点も注目に値する(酒井 二〇二〇、栗田 二〇二〇)。「アラブの春」はその意味ではまだ終わったわけではなく、中東の民衆が手にした新たな行動様式、抵抗の形態として継承され続けていると見ることもできるだろう。

むすびにかえて――新たな戦争へと突き進む世界?

対中東戦争の時代が終わりを迎える一方で、二〇二二年、世界はウクライナを舞台とする新たな戦争の開始という事態に直面することになった。

冷戦期に対共産圏軍事同盟として発足したNATO(北大西洋条約機構)は、冷戦終結後、新たな存在意義を模索する時代に入り、当初は旧社会主義圏への軍事介入(コソボ紛争に際してのユーゴ空爆)を試みた時期もあったが、二一世紀に入る時期から専ら米国の対中東戦争と歩調を合わせ、これを支援することに力を注ぐようになった。二〇〇一年「九・一一」事件に際し、NATOは発足後初めての「集団自衛権」行使という形で米国の「対テロ戦争」に協力、アフガニスタンに派兵した。さらにこの時期には従来の中東を南アジア・中央アジア・アフリカ等の諸地域を含み込む形で拡張した「大中東」(拡大中東)概念が打ち出されると共に、大量破壊兵器の存在や独裁的政治体制、テロリストの跋扈等の問題を抱える危険地域としてのこの「大中東」を先進諸国が共同で管理する上でNATOが果たすべき役割が論じられた(15)。だが対中東戦争の継続というシナリオが二〇一一年の「アラブの春」を分水嶺として挫折した結果、先進諸国による戦争の舞台は結局——中東ではなく——皮肉なことにヨーロッパ自体に求められることになる。二〇二二年二月のロシア・プーチン政権による侵略を発端とするウクライナ戦争(武器提供や国際的な対ロシア包囲網形成、経済制裁等の現状から見て、それが事実上NATOとロシアとの戦争であることは明らかである)は、巨視的に見ればこのような流れの中で捉えられるのではないか。

ソ連崩壊後は資本主義国としての道を歩んでいるロシアと他の欧米諸国との関係が緊張する契機の一つとなったのは既に見たように二〇一五年のプーチン政権のシリア介入(それ自体が二〇一四年のウクライナでの政変およびクリミア危機への対応という側面を持つが)であり、中東をめぐる資本主義諸国間の対抗が最終的にはヨーロッパでの戦争につながるという構図は、ある意味で第一次世界大戦を彷彿とさせる(中東植民地化の主軸としての英仏と、新興勢力ドイツ)面がある。また、振り返れば二〇世紀初頭の場合も、当時中東では前世紀末以来の列強による侵略・植民地化にもかかわらず民主化運動、革命が新たな躍進の時期を迎え(一九〇六年以降のエジプト、イラン等の状況)、帝国主義支配からの自立の予兆が見え始めており、第一次大戦はある意味でこうしたアジア・アフリカでの民衆運動の高揚の結果、行き場を失った列強がヨーロッパでの戦争に走った、という現象と捉えることもできる。「アラブの春」から「ウクライナ戦争」へという過去一〇年余りの世界の変転の意味も、このような歴史的連関の中で分析してみる必要があるだろう。

現在進行中のウクライナ戦争は、ロシアによる侵略を端緒としつつ、NATOにとっては文字通り起死回生、「復活」のプロセスであり、この戦争を通じて世界中で軍事同盟の強化・拡大、大軍拡の動きが実現していく過程となっている。日々伝えられるロシアによる明白な国際法違反の数々は、皮肉なことにイラク戦争がまぎれもなく国連憲章をはじめとする国際法違反の戦争だったこと、イラク戦争やアフガン戦争の過程で国際法違反・人権侵害が繰り返されたことをなかったことにする——いわば「上書きする」——かのような効果を持ち、先進諸国は目下「法の支配に基づく国際秩序」の美名のもとに軍事同盟強化や軍拡を正当化することに熱中している。

冷戦終結後、米国が中東等を標的とする形で行なってきた一連の戦争に対し世界の民衆は粘り強い抵抗・批判を展開し、「アラブの春」(日本の場合は「安保法制」反対運動)を一つの頂点とする戦争反対の流れを作り出し、また現代の戦争が行き着く先としての核戦争を防止するため、人間性に反する存在としての核兵器を断罪する「核兵器禁止条約」を市民の力で成立させる(二〇一七年国連で採択、二〇二一年発効)等の成果を実現してきた。このような民衆の運動の分断・混乱を図る動きは既に見たようにさまざまな形で繰り返されてきたが、現在のウクライナでの戦争は、それを通じて冷戦後三〇年にわたり世界の民衆によって積み重ねられてきた運動の成果を一掃し、「新自由主義」と軍事同盟に基づく世界を再建しようとするプロセスとして進行している。このような流れに抗してどのように民衆のたたかいを立て直していくのか、中東や世界、そして日本の私たちの取り組みが問われている。

注

(1)「アラブの春」は(二〇一一年のG8サミットでの言及が公的な場での最初の用例とされることが示すように)欧米起源の呼称であり、「遅れていたアラブがようやく民主化し始めた」といったニュアンスを含むこと、また「プラハの春」(およびのちの一連の東欧「民主化」革命)を連想させるなど、ある意味で「冷戦」期の資本主義陣営側のレトリックを引き継いでいる概念であることから、その使用には注意を要するが、本稿ではこの概念が「諸国民の春」(一八四八年革命)に起源を持つことを強調し、世界史の転換点を指すにふさわしいと論じるHamid Dabashiの議論に倣う形で用いることとする（Dabashi 2012: xv-xxi）。Dabashiはこの議論をマルクスの思想形成の問題にも引きつける形で展開している。

（2）各国における革命の具体的経緯やその後の展開の詳細を本稿で扱うことはできないが、これらについては酒井（二〇一二）、青山（二〇一四）等所収の諸論考参照。

（3）第三次中東戦争での敗北（この軍事的敗北を第四次中東戦争を経て政治的に「完成」したのがサーダートによるイスラエルとの和平、「キャンプ＝デーヴィッド体制」である）が持った意味については、栗田（二〇一四：一七二―一七六頁）参照。社会主義の敗北、「冷戦」終結という事態は一九九〇年代に初めて生じたわけではなく、中東では一九六七年に始まっていたと捉えることも可能である。

（4）「アラブ諸国体制」、および「中東諸国体制」概念に関してはこの概念を提唱・定着させてきた板垣雄三（一九九二）の議論を参照。他の論者による近年の研究（加藤・岩崎 二〇一三）もこれらの概念を発展させている。

（5）ただし共和制への移行や「社会主義」を掲げる政権成立で矛盾が解決したわけではなく、一九六〇―七〇年代以降の中東では、革命政権下での一党独裁制や新たな矛盾の出現、革命の変質や終焉という現象も生じた。結果として、未だ革命を経ていない保守的諸国（サウディ等）、「共和制」や「社会主義」を掲げてはいるが新たな抑圧が生まれた諸国（バアス党時代のイラクおよび現在のシリア等）、革命政権が変質し、新自由主義路線への転換を経た諸国（エジプト）、等の異なる諸類型から成る「アラブ諸国体制」が出現することになる。イラクのフサイン体制が（湾岸戦争以前は）中東における「現実派」政権として知られ、「民活」推進等、資本主義的成長の追求に積極的だったこと、シリアのバッシャール・アサド政権が「新自由主義」的経済政策導入に踏み切ったことが示すように、「アラブ社会主義」体制下の一党独裁は新たな資本家層の形成を準備するものだったことにも注意。

（6）イランでは一九七九年の革命で（「ペルシア湾の憲兵」と呼ばれた親米王権）パフラヴィー朝が打倒されたが、その後成立した「イラン・イスラーム共和国」体制下では革命を担った民衆のエネルギーがイスラームという宗教的語彙を用いた支配により管理・統制される傾向が生じた。トルコは中東の一国でありつつ冷戦期以来NATO（北大西洋条約機構）に加盟しており、また近年のエルドアン政権下では強権政治を「イスラーム主義」的イデオロギーで正当化する姿勢が目立つ。「中東諸国体制」が抱えるこのような矛盾は、「アラブの春」と前後してこれと共振する動きがイランやトルコでも生じる（トルコでの二〇一三年「ゲジ公園」運動、イランでの二〇〇九年大統領選の際の抗議活動や、一三年大統領選での保守派敗北など）という現象をもたらすことになる。「アラブの春」にイラン出身の論者Dabashi や Asef Bayat が強い関心を寄せていることもこの文脈で捉えることができよう。

（7） 青年拷問死に抗議する「我々全員がハーリド・サイード」運動や、「四月六日運動」、諸運動が合流していく過程に関しては、長沢（二〇一二）や鈴木（二〇一三）、Rabī'（2011）に詳しい。ムバーラクの大統領五選に反対する「キファーヤ」（「もう十分だ！」の意）運動（二〇〇四年開始）も重要であり、同運動はチュニジアにも影響を与えた。

（8） 「尊厳」（カラーマ）は二〇一一年革命の中心概念の一つだが、個人の尊厳である（West 2011; Alnasseri 2016: 31–54）と同時に、植民地主義や新自由主義的グローバリゼーション下で踏みにじられる民族の尊厳、回復されるべき「主権」をも意味し、両者は不可分のものと捉えられていることに注意する必要がある（Dabashi 2012: 127）。新自由主義と「対テロ戦争」下の現代世界のあり方を「屈辱政治」（humiliocracy）と名づけ、これに対する各地の民衆蜂起（インティファーダ）の発生を予見したモロッコの思想家マフディ・エルマンジュラの議論も参考になる（エルマンジュラ・板垣 二〇〇四）。

（9） ただし（「自由将校団」によるクーデタとして始まり、ナセル個人のカリスマが強調される結果となった）「七月革命」に比して今回の革命ははるかに大衆的広がりを持つと言える（栗田 二〇一四：一九三頁）。なお、革命中の市民の様子やデモについては『現代思想』（二〇一一）巻末の「エジプト革命――資料編」や栗田（二〇一四）一二四―一三五頁、附録等も参照。

（10） エジプト共産党は声明「六月三〇日革命――その性格、使命、展望」（二〇一三年八月三日）を発した（栗田 二〇一四：二五三―二五八頁）。現在も共産党をはじめとする左翼勢力は「六月三〇日革命」は（二〇一一年の）「一月二五日革命」を完成させ、「イスラーム主義勢力によって盗まれかけていた革命を人民の手に奪い返した」ものと総括している（「国民民主進歩統一連合」機関紙 *Al-Ahali*, 29 Jun. 2022）。また特に女性の権利という観点から「六月三〇日革命」を重視する評価も示されている（*Al-Ahali*, 30 Jun. 2021）。

（11） なお、二〇一一年の革命が（特にデモ等に参加する中で思想的背景を異にする人々との協働を経験した青年メンバーを中心に）「イスラーム主義」の性格自体に変化をもたらし、自己変革につながる可能性は皆無ではなかったが、こうした動きは大勢となるには至らなかったと考えられる（栗田 二〇一四：一三三―一三四頁）。「アラブの春」以降の中東における「ポスト・イスラミズム」の可能性に関しては、West (2011): 218–220; Bayat (2017): 146–151 参照。

（12） イスラエルによっていわゆる「中東和平プロセス」（一九九三年オスロ合意）後に推進され始めた「新中東構想」（シモン・ペレス等）が、イスラエル中心の地域秩序作りをめざす一方で、「シーア派ベルト」の脅威を強調し、スンナ派・シーア派等の分断・対立を煽動・操作しようとする「宗派主義」的傾向を有すること、この方向性が米国の対外政策と親和性を持つことにも注意する必要がある（栗田 二〇一四：八六―九二頁）。

(13)　アラビア語では al-Dawla al-Islāmīya fī al-ʻIrāq wa al-Shām で、中東では頭文字をとって Dāʻish と呼ばれるのが一般的。なお、「シャーム」は(今日のシリア共和国のみならず、レバノン、パレスチナ、ヨルダンを含む)「歴史的シリア」を指す。

(14)　現政権の経済政策に対しては、「六月三〇日革命」を支持するエジプト左翼も批判を加え、ムバーラク体制関係者復権の動きが見られることにも警鐘を鳴らしている(*Al-Ahāli*, 25 Jan. 2023)。現体制下で原発建設計画が着手されたことの意味にも注意する必要があろう(*Al-Ahāli*, 27 Jul. 2022 は積極的評価を示すが)。

(15)　NATOの二〇〇四年五月の会議における米代表の発言。なお、サミール・アミンは同時期に、現代の世界は「北」の諸国が共同で「南」の民衆を支配し、その富を収奪しようとする「集団的帝国主義」の段階にあり、これは(米国を中心としつつ)米＝欧＝日本(およびオーストラリア)という「三極」構造をとっている、とする分析を示している(Amin 2005; 2011)。

参考文献

青山弘之(二〇一二)『混迷するシリア――歴史と政治構造から読み解く』岩波書店。

青山弘之編(二〇一四)『「アラブの心臓」に何が起きているのか――現代中東の実像』岩波書店。

板垣雄三(一九八三)「東方問題再考」『歴史評論』三九三号。

板垣雄三(一九九二)『歴史の現在と地域学――現代中東への視角』岩波書店。

板垣雄三(二〇一二)「人類が見た夜明けの虹――地域からの世界史・再論」『歴史評論』七四一号。

エルマンジュラ、マフディ、板垣雄三、仲正昌樹(編輯)(二〇〇四)『メガ帝国主義の出現とイスラーム・グローバル現象』世界書院。

加藤博・岩崎えり奈(二〇一三)『現代アラブ社会――「アラブの春」とエジプト革命』東洋経済新報社。

栗田禎子(二〇〇四)「イラク占領後の世界と中東――平和で民主的な世界秩序をどうやってつくるか」『イラク占領後の世界と中東』〈あーてぃくる9ブックレット〉、第9条の会・オーバー東京。

栗田禎子(二〇一四)『中東革命のゆくえ――現代史の中の中東・世界・日本』大月書店。

栗田禎子(二〇二〇)「女性たちによる革命――スーダン・弾圧とのたたかい」『世界』九二九号。

『現代思想』(二〇一一)「総特集　アラブ革命――チュニジア・エジプトから世界へ」四月臨時増刊号。

酒井啓子編(二〇一二)『中東政治学』有斐閣。

酒井啓子（二〇二〇）「イラク「十月革命」が目指す未来――女性・若者が切り拓く非暴力運動のゆくえ」『世界』九二九号。

鈴木恵美（二〇一三）『エジプト革命――軍とムスリム同胞団、そして若者たち』中公新書。

鷹木恵子（二〇一六）『チュニジア革命と民主化』明石書店。

長沢栄治（二〇一二）『エジプト革命――アラブ世界変動の行方』平凡社新書。

山中達也（二〇二一）「「アラブの春」から一〇年の中東――チュニジアの実態から」『経済』三一六号。

Al-ʻĀlim, Maḥmūd Amīn（1998）, "Imkānīya al-Intiqāl ʼilā Nahḍa Thālitha fī al-Ḥayā al-ʻArabīya al-Muʻāṣira"（現代アラブの生活における第三のナフダ（覚醒）への移行可能性について）, *al-Nahj,* no. 50, Dimashq.

Alnasseri, Sabah（ed.）（2016）, *Arab Revolutions and Beyond: The Middle East and Reverberations in the Americas,* New York, Palgrave Macmillan.

Amīn, Samīr（2005）, "Shaykhūkha al-Raʼsmālīya"（資本主義の老境）, *Qaḍāyā Fikrīya,* no. 21, al-Qāhira.

Amīn, Samīr（2011）, *Thawra Miṣr wa ʻAlāqatuhā bi-l-Azma al-ʻĀlamīya*（エジプト革命とその世界危機との関係）, al-Qāhira, Dār al-ʻAyn li-l-Nashr.

Baczko, Adam, Gilles Dorronsoro, and Arthur Quesnay（2018）, *Civil War in Syria: Mobilization and Competing Social Orders,* Cambridge, Cambridge University Press.

Bayat, Asef（2017）*Revolution without Revolutionaries: Making Sense of the Arab Spring,* Stanford, Stanford University Press.

Dabashi, Hamid（2012）, *The Arab Spring: The End of Postcolonialism,* London and New York, Zed Books.

Gresh, Alain and Jean-Pierre Sereni（2019）, "The Arab Revolutions in Historical Perspective", *ORIENT XXI,* 22 Nov.

Haas, Mark L. and David W. Lesch（eds.）（2017）, *The Arab Spring: The Hope and Reality of the Uprisings*（2nd edition）, New York and London, Routledge.

Kilo, Michel（2013）, "Syria...the road to where?", Haseeb, Khair El-Din（ed.）, *The Arab Spring: Critical Analyses,* London and New York, Routledge.

Rabīʻ, ʻAmr Hāshim（ed.）（2011）, *Thawra 25 Yanāyir: Qirāʼa Awwalīya wa Ruʼya Mustaqbalīya*（一月二五日革命：当面の分析と将来の見通し）, al-Qāhira, Markaz al-Dirāsāt al-Siyāsiya wa al-Istirātījīya bi-l-Ahrām.

West, Johnny（2011）, *Karama!: Journeys through the Arab Spring,* London, Heron.

集点 Focus

中国と世界

川島 真

はじめに

本巻「展望」で木畑洋一は、中国のことを「米国への挑戦者」と位置付けた。アメリカ政府も二〇二二年一〇月のNational Security Strategyで、「中国は、国際秩序を再編しようとする意図においても、また経済的、外交的、軍事的、技術的などの面でそれを成し遂げようとする、急成長するパワーという点においても、唯一の競争者である」とした(The White House 2022: 23)。かつて、中国にインセンティブを与えながら、既存の秩序の一員へと導こうとするエンゲージメント政策を展開してきたアメリカは、二〇一〇年代に大きくその方針を転換したのである。

中国は、元来既存の秩序に正面から反対していたわけでもないし、また自らをそれへの挑戦者と位置付けていたわけでもない。一九七四年四月、国際連合総会第六回特別会議に臨んだ鄧小平は、「中国は現在も超大国ではないが、将来も超大国にはならない。もし、中国がある日、その顔色を一変させて、超大国になり、世界で王を称え、覇を称え、さらにどこでも人を欺き、他者を侵略し、他者から奪うようなことがあるとすれば、世界人民は中国の頭の上に社会帝国主義という帽子を被せるべきだし、それを暴き出して反対し、中国の人民と共にそれを打倒するべきだ」などと述べた(鄧小平 一九七四)。また、一九八〇年代に中曽根康弘と会談した鄧小平は、中国が先進国のいう意味での民主主義を将来的に採用する可能性を指摘し、ただ現在はその時期ではないとしていた(川島 二〇一九a)。

実のところ、中国は現在も自らを既存の秩序への挑戦者とは見做していない。むしろ、西側先進国の秩序の方が世界の現状に反しているとする。すなわち、西側先進国の主導する秩序では世界の諸問題には対処できないと批判しているのだ。ただ、胡錦濤時代までの中国は、秩序を形成するのは先進国の責任であり、中国は発展途上国の代表としてそれを修正するとしていた。しかし、習近平政権は自らを新たな秩序の形成主体だとしている。ただ、中国は国際連合には反対してはおらず、ただ西側の安全保障ネットワークや西側の価値観に反対する(Fu 2016)。そして、二〇四九年に社会主義現代化強国となって「中華民族の偉大なる復興」を成し遂げてアメリカに追いつき、追い越し、その時に自らの主張する「新型国際関係」という言葉に示される世界秩序が実現するとしている(川島 二〇一九b)。

このように、先進国の主導する既存の秩序に対する中国の姿勢は、一定の連続性をもちつつも大きく変化してきた。歴史的に見て、その変化はいかに生じ、展開してきたのか。周知の通り、中国の姿勢は、胡錦濤政権の後半に変化し、日本でも多くそれが議論されたが、アメリカの中国研究者がその変化に着目したのは二〇一〇年代の半ばであった(Shambaugh 2015)。こうした対中認識の多様性も踏まえ、本稿では中国と既存の世界秩序との関係性について、その歴史的背景を踏まえた上で、昨今の変容の契機やその要因について考察してみたい。

一、歴史的にみた中国と国際秩序

中国と国際秩序との関係性についてはこれまで多くの議論がなされてきた。一九世紀までは冊封朝貢関係に基づき、二〇世紀前半になると近代外交の担い手として既存の秩序の一員となろうとし、そして二〇世紀後半には社会主義国の一員として冷戦下の世界に関わり、改革開放以後になると既存の経済・金融秩序に加わりながら経済発展を目指したが、次第に政治的に既存の先進国主導の秩序に対して挑戦的姿勢を見せるようになってきた、とおよそ整理できるだろう。

冊封・朝貢が華夷思想に基づいていたことは周知の通りであるが、その理念も歴史的に変化してきたし、それを体現する実態としての冊封・朝貢にまつわる諸関係もそもそも多元的で、時と共に変容してきた。従って、冊封・朝貢を固定化された制度のように考えることには限界があるし、中国の王朝の周辺地域全体がこの理念や制度を理解して共有していたかどうかも疑わしい。また、冊封・朝貢とは異なり、儀礼を伴わない貿易関係である「互市」関係なども存在しており、それらを含めて対外関係全体を考えるべきである。一八世紀中葉からのいわゆる広東システムや、その後の三角貿易、アヘン戦争に至る中英関係史は、長くH・B・モース(Hosea Ballou Morse)の著作に依拠して議論がなされてきたが、昨今これには修正が迫られている(藤原 二〇一七)。いずれにせよ、基本的に「互市」関係にあったイギリスと清朝との間でアヘン戦争が生じて、南京条約などによってその「互市」関係にまつわる制度に調整が加えられた。だからこそ、清朝のアヘン戦争敗北後も冊封・朝貢関係は基本的に維持された。清朝は、欧米諸国との関係の範囲内で条約や万国公法を理解し、一八六一年に総理各国事務衙門をもうけた。清朝で万国公法は翻訳されたが、それにより世界観や秩序観を転換したわけではない。総理衙門下の同文館という学校でも、万国公法は必修科目ではない(Kawashima 2012)。その後、一八八〇年代までに清朝は、冊封・朝貢関係にある国の大半を失ったこともあり、朝鮮との関係を西洋との諸関係を参照して再編した。しかし、一八九〇年代の日清戦争での敗北で朝鮮との冊封関係も潰え、「互市」関係から展開した通商、条約関係が対外関係の基礎に据えられた。二〇世紀に入り、外務部が設けられ、条約改正も目指された。重要なのは科挙が廃止されるなど「王朝としての論理」たる天朝の定制が修正されて、近代国家として一定の体裁を整えることになったことである。

二〇世紀前半の中華民国は、基本的に既存の世界秩序に対応しつつ、一主権国家として、あるいは「大国」を自認してそこに関与することを目指した。無論、その現状に満足していない以上、第一次世界大戦後の新たな秩序形成に際しても、九カ国条約調印国、国際連盟原加盟国となるなど、その秩序に加わりつつ、地位、待遇の改善を目指した。北京政府に対峙した広東政府(あるいは国民党)は、英米などによると秩序の挑戦者たるソ連、コミンテルンに与した面がある。中国におけるそれぞれの主体がそれぞれの観点で大戦後の「新秩序」やそれへの挑戦の意義を解釈していた面が強い。そして、最終的には南京国民政府も既存の国際秩序に順応しながら、「中国」を「本来の姿」たらしめるべく、喪失した国権の回収に努めた。それだけに、第二次世界大戦において連合国の四大国の一員となって治外法権撤廃に成功し、また他方でカイロ会談にも招聘され「アジアの代表」としての地位が可視化されたことは、中華民国の外交の頂点であったと言える。その成果が、国際連合の安保理常任理事国の椅子である。

しかし、第二次世界大戦終結後に世界的に冷戦が形成される過程で、中国は国共内戦を経て二つの政府による分断国家となった。特に朝鮮戦争の結果、台湾の中華民国はアメリカと米華相互防衛条約を結び、西側陣営の一国としてアメリカのハブ&スポークス体制に組み込まれ、国内では国民党の一党独裁が継続した。中国大陸では、中華人民共和国が社会主義陣営の一国として、中ソ友好同盟相互援助条約に基づいてソ連と強固な関係を築いた。

どちらの政府にせよ、中国は冷戦という世界秩序に強く組み込まれる存在となった。他方で、二〇世紀前半の「近代」的な外交や世界観は両政府に一定程度継承された。「中国」であること、そのために主権とか独立を至上命題として扱うことは、正統性を争う両者に共有されたことだった。これは周恩来が採択した平和五原則にも示されている。内政不干渉原則などもそこに含まれよう。また、北京・台北両政府にとって、冷戦をめぐる世界的な「体制」や「秩序」よりも、中国としての正統性や統一、それぞれの革命の完遂こそが重要であった面もある。冷戦という「秩序」もまた、中国における二つの政府それぞれの文脈で理解され、読み込まれていたということでもあろう。このほか、両政府ともに、アジア・アフリカとの関係を重視し、特に北京政府は新独立国、途上国の代表と自らを位置付けようとした。

一九七〇年代、中ソ対立の激化、ベトナム戦争を背景に、東アジア国際秩序の地殻変動が生じた。日中国交正常化はその一つだ。そこで形成された新たな秩序は、一九八九年の冷戦終結後も大きな変化なく継続し、それが二一世紀に入って大きな転換を迎えようとしているのかもしれない状況にあるとも言える。他方、その一九七〇年代の地殻変動は中国国内で改革開放政策の採用という結果をもたらした。グローバルな冷戦は継続していたが、中国は西側諸国を中心とする国際的な経済枠組みへの参画を目指し、まさにグローバル化の下で経済発展を実現した。一九八〇年代の中国外交は、独立自主の外交という言葉で示されるが(益尾 二〇一〇)、これは「主要敵」を設定しない全方位的な外交であり、そこには対ソ関係改善も含まれていた。それは一九八九年五月の中ソ関係改善へと結びついた。

しかし、中国がグローバル化の下での経済発展を目指したとはいっても、政治体制の変更は望まず、一九八〇年代の東アジア諸国の民主化、ソ連の民主化、そして冷戦の終結に伴う東欧諸国などのドミノ現象を経ても、中国は社会主義体制を維持した。ただ、だからと言って一九九〇年代に入ってからも中国が冷戦後の秩序に「挑戦」するということはなく、もっぱら発展途上国としてその不公正さなどに対して修正を求める程度であった。

二、改革開放期の中国と国際秩序

改革開放時代の中国は、階級闘争を基本的に放棄して「発展」を国是に据え、前述のように世界的なグローバル化の下での経済発展を目指した。ブレトン・ウッズ体制の下で、先進国の間で投資の自由化、関税撤廃が進められる中で、中国は途上国としての権利を主張しつつ、西側先進国の主導するグローバルな経済・金融秩序に自らを組み込み、その中で経済発展という国家目標を実現していった。ただ、経済発展の結果として共産党政権が「体制転覆」されることは受け入れず、また自ら民主化を選択することもなかった。ただ江沢民、胡錦濤政権は「党内民主化」を推進した。後述するが、習近平政権はその党内民主化の流れの中で成立しながら、その方針を転換して、国家主席の任期撤廃や中国共産党中央の幹部選出方法などを変更して、明確にその「党内民主化」さえも止めたのである。

改革開放期の中国の発展モデルは、主に西側先進国からの投資によって中国国内に工場を建設し、それが雇用と技術移転をうみ、その製品が先進国に輸出されて、先進国は無関税か低関税でその製品を輸入し、逆に開発途上国である中国は先進国の製品に高関税をかけることが許され、国内産業を保護育成できるというものであった。これは、先進国、とりわけアメリカが採用していた、中国にインセンティブを与えてでも既存の秩序に組み込むべきだという「関与」(エンゲージメント)の理念にも合致していた。中国のWTO加盟はまさにそうした両者の思惑が一致して実現したものだった。そして、中国は高度経済成長を遂げ、世界の工場と言われるほどになった。

中国はどのようにして、経済発展に伴う(先進国でいう意味での)民主化を拒否したのか。中国共産党は、経済発展に伴う富の再分配の面において、党・政府・軍に近い領域に「傾斜配分」した。許認可、資本分配の面で、一般にその幹部の多くが共産党員である国有企業を優先したのがその好例である。その結果、豊かになる層は党・政府・軍などの関係者であり、いわゆる中間層が民主化要求をする可能性が減じた。このような「豊かさ」を求める上での、富の再分配に不平等があれば、当然それに対する不満が社会に生じるので、それを抑制するために強力な警察装置が必要になったのである(阿南 二〇一七)。一九八九年の天安門事件は、民主化要求とともに物価騰貴改善を求めた運動であった。だが、事件後に武装警察が設けられたように、この事件は中国共産党が従来からの政策を強化する契機となったと言える。冒頭に述べたように、鄧小平はまた将来的に中国が民主化する可能性を残していたかもしれないが、先進国のいう意味での(政治的な)民主化が、中国共産党により政策化されたことはなかったのである。

二〇〇二年の中国発展高層フォーラムに参加した温家宝副総理(当時)は、「中国のWTOへの加盟は、中国が経済のグローバル化にさらに一歩適応するものであり、現代化への歩みを加速させていくという戦略的な政策決定である」などと述べたが、そこに政治的な含意は述べられていない。そして、「WTOの規則と中国の国情」とを照らし合わせて、「社会主義市場経済とそれに相応する法律体系をさらに完全なものとし、政府の機能を変化させ、市場の秩序に規範を与え、公平なる競争に利する国内統一市場を確立する」などともしている(温家宝 二〇〇三:三-四頁)。温家宝でさえWTO加盟と自らの民主化とを結びつけていないのである。

しばしば誤解されるが、中国の「社会主義市場経済」は政治が社会主義で経済が市場経済だという意味ではない。政治も経済も社会主義なのであって、それを大前提にして経済面で市場経済的要素を取り入れて「社会主義」を完全なものとするということを(少なくとも論理上は)意味している。WTO加盟もその文脈で理解されていた。中国が世界銀行やIMFなどとも良好な関係を築いていったのも同じ文脈である。もし、先進国の側がこうした経済や金融面での国際秩序への中国の加盟や参与が中国に政治的な変革をもたらすと「期待」していたのであるならば、その「期待」は中国には明確には伝わらなかったか、あるいは中国への内政干渉、体制転覆という危険な試みだと中国で読み替えられていったということになる。

ただ、中国の言う「社会主義市場経済」がたとえ民主化をもたらさないにしても、そこには大きな課題が存在した。それは、第一に、江沢民政権期に経済発展が加速し、それが社会の多元化や、格差や環境問題などをもたらしたことであった。それに対し、胡錦濤政権は、「和諧社会」(harmonious society)を掲げて問題解決を試みた。

胡錦濤による「和諧社会」という国内向けの政策理念は対外政策にも適用された。胡錦濤は、「和諧世界」(harmonious world)という理念を二〇〇五年には主張するようになった。これは、「中国脅威論」への対処という面もあった。外国投資に依存し外国との協力が必要な中国は「中国脅威論」をむしろ脅威と認識し、その払拭に努めようとしたのである。二〇〇五年九月、国連成立六〇周年記念首脳会議の場で胡錦濤は平和裡に台頭する中国像を強調し、こう述べた。「先進国は、グローバルの普遍的で、協調的で、均衡の取れた発展を実現するため、より多くの責任を負わなければならない。とりわけ、発展途上国の中でも重債務国や低開発国家の市場解放、技術移転、援助増加、債務減免などにおいてはそうである」(胡錦濤 二〇〇五)。グローバルな秩序を形成していく主体はあくまでも先進国であり、先進国は開発途上国のことを考慮しなければならない、というのが胡錦濤の主張である。中国は、あくまでも開発途上国の一つとして先進国の創出する秩序や規範について物申す修正主義者であるということである。この時点で中国は既存の秩序の修正者であっても、挑戦者ではなかったし、自らが秩序を創出するということは想定していなかったと考えられる。

「社会主義市場経済」がもたらした第二の課題は、中国国内において、西側諸国と同様の誤解が生じたことだった。これは次節で検討したい。

三、胡錦濤政権後半期の政策論争と政策転換

中国経済の発展が進み、世界第四位から第三位へと躍進し、さらに二〇〇八年の北京オリンピックが視野に入り始めると中国国内では胡錦濤政権の対内、対外政策への疑義が多く提起されるようになった。国内政策をめぐっては、西側の「市場経済」を無批判に取り入れることへの疑義も提起され、社会主義の大原則を踏まえるべきだとの方向づけが再びなされるようになった。この問題は、「社会主義市場経済」という言葉の解釈をめぐる議論において顕在化した。前述のように、「社会主義市場経済」というのは、政治は社会主義で、経済は市場経済だということではない。あくまでも全体が社会主義であるのを前提として、経済面で市場経済的要素を取り入れるということに過ぎない。し

かし、当時の中国では社会主義という前提を無視した「市場経済化」が使われる傾向にあった。

二〇〇六年、経済学者の劉国光はこのような状況を「またしても「資」氏と「社」氏との論争が生じている」などと揶揄し、「我々の改革の目標は、鄧小平の述べた社会主義制度を自ら完全なものとするということであり、そこには社会主義市場経済体制も含まれている。政治改革、経済改革、社会改革、文化改革、政府改革などについて、これらをまとめて「市場化改革」などとすることはできないのであって、中国の改革たるものは社会主義制度がそれぞれの領域において完全になっていくことなのである」と述べた。つまり、「「市場経済」の前には、「社会主義」という前置詞が加えられている」のであって、その前置詞を忘れてはならない、と強調していたのだった(劉国光 二〇〇六)。

二〇〇七年一〇月、胡錦濤は第一七回党大会において、「和諧社会」「和諧世界」を指導思想として位置付けた。これは、経済発展を維持しつつ、一定程度の報道の自由や、社会からの「異議申し立て」などを認め、党内では民主化を進める胡錦濤路線の確立を意味しているとも思われた。この路線は対外政策の面でも、後述する「韜光養晦」路線を維持することを前提としていた。しかし、この第一七回党大会で胡錦濤は、自らの後継者に李克強を据えることはできず、習近平を次期総書記とせざるを得なかった(清水 二〇〇九)。

また、その後のリーマン・ショックは中国にも一定程度の影響を与え、その経済成長も二桁成長を維持できない程度に鈍化した。胡錦濤政権は、外国投資に依存する経済構造では外国の景気動向に左右されるため、リーマン・ショック前から国内需要を重視する方向性へと経済の構造転換を図ろうとしていた。だが、そこにリーマン・ショックが発生し経済が大きな打撃を受けたために、巨額の景気対策を行うことになった。これは一旦軌道修正した経済政策をさらに修正することを意味しており、温家宝首相のリーダーシップにも影響を与えることになった。四川大地震対策も含めて合計で六〇兆円もの財政出動を中国が行い、それが世界の景気を支えたことも確かだが、これにより中国経済が負ったマイナス側面も小さくない。

胡錦濤政権が直面した課題は理念や価値観にも見られた。これには日中関係も関わっている。二〇〇八年五月に来日した胡錦濤主席と福田康夫首相(当時)との間で、「「戦略的互恵関係」の包括的推進に関する日中共同声明」が採択され、署名もなされた。これは、現在も四つの基本文書の四番目の文書と位置付けられているが、この文書には次の文言が含まれていた。「国際社会が共に認める基本的かつ普遍的価値の一層の理解と追求のために緊密に協力するとともに、長い交流の中で互いに培い、共有してきた文化について改めて理解を深める」(外務省 二〇〇八)。清水美和が指摘するように、この声明をめぐって当時の中国で問題になったのが「普遍的価値」であった(清水 二〇〇九)。前述の「社会主義市場経済」をめぐる論争のように、この「普遍的価値」は西側の価値観であり、それこそ覇権主義だとする批判が『人民日報』や『求是』など中国共産党宣伝部の媒体で展開され、実質的に改革を進めようとした温家宝を糾弾する声が保守派から強まった。重要なことは、この保守派勢力の支持の下で次第に台頭したのが習近平だということである。普遍的価値が、「七つの語ってはいけないこと」(七不講)の一つになり、大学の授業や公開の場で口にできなくなったのは、習近平政権発足後の二〇一三年五月の「目下のイデオロギー領域の状況に関する通報」においてであった。

このように、実際の経済政策だけでなく、「社会主義市場経済」や「普遍的価値」への批判が高まる中で、対外政策の面でも二〇〇六年から二〇〇九年にかけて修正が加えられていった。それは、従来対外政策の主たる目的とされていた「(経済)発展」の前に「主権・安全」が加えられたこと、また韜光養晦をめぐってさまざまな議論がなされたことが知られている。「韜光養晦」は、経済すなわち「発展」を中心とした、対外協調的な対外政策の理念であり、いわば強硬な対外政策を抑制する言葉として機能してきたが、胡錦濤期の後半にはまさに強硬な対外政策と協調的な対外政策との間の相剋にさらされることになったのである(山崎 二〇一八、李彦銘 二〇一七、川島 二〇一二)。そしてリーマン・ショックの後、二〇〇九年の第一一回駐外使節会議において、「堅持韜光養晦、積極有所作為」というように「堅持」と「積極」が加えられた。韜光養晦は、もともと「有所作為」(得られるものは得る)という言葉とセットで用いられてきていたが、この後半部がむしろ強調されるようになったのである。これは中国外交が「強硬」へと転じることを示す、言葉の上での変化であったが、南シナ海での中国海軍の動向に見られるように、実際の行動でも二〇〇九年から二〇一〇年にかけて中国の対外行動は次第に強硬となり、「韜光養晦」の終焉などと言われた。

なお、胡錦濤政権下では歴史問題や領土問題を抱える日本といかなる関係を作るのかということも対外政策上の焦点になっていた。経済発展を重視し、西側の価値観にも一定の理解を示す立場からすれば、世界第二位の経済大国である日本との関係は重視することになるが、領土や歴史問題を重視する保守派の立場からすれば対日関係はむしろ抑制すべきことになる。二〇〇七年四月一二日に温家宝が日本の国会で行った演説では、「日中国交正常化以来、日本政府と日本の指導者は何度も歴史問題についてその態度を表明し、公開の場で侵略を認め、被害国に対して心からの反省とお詫びを表明してきた。これに対して中国政府と人民は積極的な評価を与える」などと述べたが(温家宝 二〇〇七)、これもまた保守派からの批判の対象となった。習近平政権は、この温家宝の言葉を踏襲してはいない。

そして、二〇〇八年後半には情勢は一変、同年六月に日中間で合意したはずの東シナ海ガス田の共同開発も事実上棚上げにされ、また一二月八日には中国海洋局所属の大型船二隻が尖閣諸島の領海に初めて入り(海上保安庁 二〇二三)、日本の保守政治家を強く刺激した。

このように胡錦濤政権の後半期には政策理念、そして世界、とりわけ西側諸国との関わりの面で大きな変化が生じた。だが、二〇一〇年には中国が日本を抜いて世界第二位の経済大国に躍進しても、中国は自らを世界の既存の秩序への挑戦者だと位置付けてはいなかった。南シナ海の島々を占領してはいたものの、そこに軍事基地を築くまでには至らなかったのである。ただ、だからと言って、中国がアメリカと手を取り合うことはなかった。対米関係を見ても、従来の「関与政策」を維持しつつ、中国を責任ある利害関係国(responsible stakeholder)にすることを目指し米中G2論を提起したオバマ大統領が二〇〇九年一一月に訪中すると、温家宝総理は米中関係の重要性を指摘しつつも、G2論には賛成できないと述べた。米中関係はCOP15やオバマ–ダライラマ会談、そして前述の南シナ海問題などで緊張したが、二〇一一年一月の胡錦濤訪米によりある程度関係は改善した。だがG2論はすでに挫折しており、オバマ大統領が再び提起することはなかった(Bader 2012)。

国内政治の面でも、保守派の台頭の下で、胡錦濤はかろうじて鄧小平以来の改革開放路線を堅持し、江沢民政権以来の党内民主化を推進したといえるだろう。その帰結が、習近平を党内「選挙」で選出した第一八回党大会だということになる。胡はもともと李克強を推していたと思われるが、「選挙」の結果に従ったと見ることもできる。しかし、その党内民主化もまたこの頃にはすでに論争点となっていた。二〇一〇年、かつて政権の中枢にいた田紀雲は一九九七年七月に自らが提起したという二つの改革について再び述べている。田は、「政治体制改革には慎重な態度で臨むべきだということに私は賛成だ」としつつも、「国家機関で働く者が法律の拘束を受けず、ほしいままに人民の利益をおかし、自らの権限を使って私服を肥やしている」などと、名指しは避けながらも批判し、最終的には「現在は、国家の領導人も含む幹部の交代を正常に行うメカニズムを確立する時期だと認識している」と明確に述べたのだった(田紀雲 二〇一〇)。

四、習近平政権を取り巻く環境と自己認識——「偉大なる復興の夢」と対米「競争」

二〇一二年秋の第一八回党大会で習近平政権が成立した。この時にのちの習近平政権の姿を想像した専門家は多くなかったであろうし、アメリカも直ちに警戒心を示したわけではない。前述のように、日本の学界は二〇〇八年前後の中国の変化に注目していたが、アメリカの学界では中国の変化が広く議論されたのは二〇一〇年代半ばであった。

それは後述する、オバマ政権後期に米中間の「約束事」が機能しなくなることによって生じたと考えられる。

ただ、習近平政権がそもそも胡錦濤政権後半期に強まった保守的傾向の中で成立した政権だったことに留意しておきたい。和諧社会を提唱した胡錦濤政権が取り組んだ格差解消は、社会主義国を担う中国共産党が当然行うべきことではあったが、これが更に重視されることにより、結果的に党内の保守派の台頭を促した面があった。この保守勢力が習近平政権の基礎となっていった。また、進行した社会の多元化により、中国共産党一党独裁に悪影響が出ると考えられた面もあろう。そして、集団指導体制を徹底した胡錦濤政権には大きな決断ができないという課題もあった。

習近平政権はまさにそうした胡錦濤政権の課題を克服する政権として誕生した面があり、それだけに多くの権限が習近平へと集約された。しばしば習近平について毛沢東の再来とみなす向きもあるが、それは正しくないだろう。習近平政権は毛沢東政権よりも中国共産党中央においてはるかに集権的であり、また改革開放を踏まえ、経済発展重視の姿勢を習近平政権は基本的には変えていないのである。ただ、習近平政権としても経済政策は極めて重要であり、「豊かさ」が正当性の重要な源ではあるものの、同時に貧困対策を重視し「小康社会」の実現を唱え、経済的「発展」よりも、(習近平政権の文脈での)「社会の安定」を重視する政策を相次いで打ち出した。その結果、「経済発展しても民主化しない」という政策は一層強化されるとともに、「国家の安全」を重視して総合的な安全保障概念を創出し、軍事安全保障から環境問題、文化に至るまでのあらゆる領域が「安全」に関わるとし、その「安全」を何よりも重視するという姿勢を示した。「安全」を重視して、自らの政策を正当化し、また経済合理性よりも安全をいっそう重視してそれが香港国家安全維持法の制定にも結びついた。

また、胡錦濤政権と習近平政権との大きな相違点としては、デジタル技術の進展がある。これは民間のプラットホーム企業の躍進とセットになる現象だが、サイバーセキュリティ法などを通じて中国共産党は、個人情報を掌握できるようになった。その結果、社会への管理統制力が一層強まり、政治に対する異議申し立ては次第に抑制され、党内民主化もまた転換を迫られていった。ただ、中国の人々が個人情報を「差し出す」のは、「豊かさ」や便利さとの取引だという面もあり、中国共産党政権が中国社会に「豊かさ」を与え続けられなければ、その「取引」が成立しなくなる可能性もある(梶谷・高口 二〇一九)。

そして、前述のように、習近平政権成立に際しては、胡錦濤時代の「問題点」の改善、解決が求められていた面もあった。胡錦濤期では集団指導体制の性格が強く、政治局常務委員それぞれが課題を分掌しており、胡錦濤自身のリーダーシップは強くはなかったことから、決断力のある強いリーダーが求められた。習近平は「反腐敗運動」をおこなって政敵を粛清しつつ、数多くの法律を制定して、制度、組織、政治を整頓し、統治の徹底を図った。その際には、李克強を首班とする国務院ではなく、自らが総書記として頂点にいる中国共産党に権限を集中させた。党国体制を一層強化すべく、国務院改革が進められ、国務院の権限は次第に縮小されていった。なお、習近平がその政治家としてのキャリアにおいて「軍籍」を有していたことも重要だった。習近平は、人民解放軍との強い関係性を背景に、軍事制度改革も推進することができたのである。

さらに、中国経済の面でも、習近平政権を取り巻く環境は胡錦濤政権成立時とは異なっていた。第一に、中国自身はリーマン・ショック後に巨額の公的資金を投下して世界経済を支えたものの、過剰投資のために余剰資材の処理が必要となっただけでなく、前述のような外国投資に依存した経済からの構造改革を迫られていた。「世界の工場」としての性格を維持しつつも、ルイス転換を経て賃金が上昇し始めたことなどを背景に、内需を中心とした経済構造がいっそう求められ、また資本蓄積が進んだことから、被投資国から投資国へと転換することも必要であった。一帯一路はまさにこれらの背景の下に成立したものであった。

第二に、国有企業改革が以前にも増して重要となった。二一世紀に入り、中国の民間企業が経済力、技術力の両面で国有企業を上回る事態となり、習近平政権は民間企業を利用しながらもそれを抑制し、同時に中国共産党員を多く有する国有企業を維持し続けるという難題に直面することになった。民間企業の成長の下で、「経済成長しても民主化しない」という統治モデルを維持するには一層多くのコストが必要となり、また社会を管理統制する必要性に一層迫られたのだった。習近平は、「党内民主化」の潮流の下で、投票によって選出された総書記であったが、その習近平自身は「党内民主化」の流れを止めるどころか逆行させていき、社会への管理統制を強化していったのである。

このような習近平政権の国内政策は対外政策にも結びついていった。中国国内では西洋諸国が香港を窓口とし中国国内でも体制転覆を狙うカラー革命を起こそうとしているとの言説が広められ、それが国家安全維持法や反スパイ法の制定などに結びついた。また、外国のNGOの中国国内での活動は制限され、中国国内の外国人への管理統制も強まった。そして、中国国内で党の国家への指導を強め、政治の保守化が進展すると、それもまた対外政策に影響を与えることになった(川島 二〇二三)。習近平は「韜光養晦」という用語を使用せず、ただ「(韜光養晦の後ろにある)有所作為」という部分に関連づけて「奮発有為」(力を尽くして成果を求める)と述べるにとどまった(川島 二〇一九c)。前述のように普遍的価値への批判も強まり、西側の価値観は否定すべき対象となった。このような政策は、中国の世界観、対外政策と深く結びつくことになった。

ちょうど習近平政権が成立した二〇一二年は、リーマン・ショック後にアメリカや先進国の主導性が揺らぎを見せ、逆に中国を含め、価格が高騰する資源を有する「新興国」とされる国々が世界で注目され、G7よりもG20、そしてBRICSなどが世界秩序に強い影響をもつと言われていた時期でもあった。そうしたこともあって、習近平政権は従来の西側主導の既存の世界秩序に疑義を呈し、既存の秩序では現在の世界の諸問題に対応できないと主張するようになった。これは新型国際関係という政策理念に体現された。この理念は、経済関係を基軸としたウィンウィンの二国間関係を築き、それを基礎にパートナーシップを形成して世界に拡がり、それが運命共同体になっていくというものであり、民主主義などといった理念を用いずに国際秩序を説明するところにその特徴がある。そして、「はじめに」で記した通り、中国は国際連合重視を唱えながらも、明確に西側先進国主導の秩序、価値、安全保障ネットワークを批判するようになった(Fu 2016)。二〇一七年には第一九回党大会で習近平が三時間半に亘る演説を行い、二〇四九年には社会主義現代化強国になると、アメリカに追いつき追い越すという「中華民族の偉大なる復興」を掲げた。

アメリカでは、秩序の面での挑戦を目指す習近平政権への疑義が生じた。南シナ海の島嶼の「非軍事化」問題や政府機関へのサイバー攻撃停止などの面で米中間の「約束事」をめぐって信頼が損なわれ、アメリカはエンゲージ政策を事実上放棄することになった。アメリカから見れば、経済や科学技術の面での中国の躍進などが、一九世紀以来のアメリカや西側先進国の優位性を失わせる可能性のある問題だと認識され、また政治体制や価値の面でも中国が新しい統治モデルを世界、とりわけ開発途上国に提示していると映ったのだろう(田中 二〇一八)。「新型国際関係」がそうであるように、中国の秩序理念などは基本的に西側先進国への批判を主眼としたものであり、既存の秩序に代わるオールタナティブを十分に提示しているわけではない。だが、胡錦濤政権期と異なり、秩序形成者として自らを位置付け始めたことが習近平政権の特徴として注目される。ただ、新型肺炎感染症に伴う経済の減速や高齢化の加速、管理統制強化に対する社会の反発、ウクライナ戦争に伴う世界からの厳しい視線の下で、習近平が掲げた国家目標の実現は容易ではなくなっている。

おわりに

本稿では、中国の対外認識や秩序観について、歴史的経緯と、現下の国内政治状況を踏まえつつ考察してきた。

現在、中国は先進国が主導してきた世界の秩序への挑戦者だと西側諸国に認識されている。中国が国連重視を謳っている以上、既存の秩序の全てに挑戦しているわけではないものの、中国自身も西側諸国主導の秩序や価値観への疑義、批判を明言し、また二〇四九年に「偉大なる復興の夢」を実現するとしているのだから、アメリカなどの先進国に「挑戦」していくことは明白だ。無論、安定した環境の創出のためにアメリカや先進国との「衝突」を避けようとし、「対抗」という言葉も使わず、「競争」だと表現することは怠らない。

では、中国がこれからどのような自画像を描き、いかなる秩序を想定していくのか。そのことを考察するに際して、それが中国の歴史的経緯の土台の上に存在していること、また国内の統治のありようとそれが深く関わることを忘れてはならない。

一九世紀の冊封朝貢の時代の姿は「覇道(覇権)」批判、「王道」重視という基調を育み、二〇世紀前半の近代外交は主権や独立重視という文脈を形成した。これらは二〇世紀後半にも継承された。特に後者は周恩来の平和五原則などに採用された。だが、中華人民共和国によるソ連との同盟は結果として否定的に捉えられ、文革後の一九八〇年代には独立自主の外交方針が採択され、同盟国を持たない近代以来の路線が採用されて現在に至っている。これらの諸要因は習近平政権においても継承されている。

現在の中国もまた、一九世紀までの王朝時代、また二〇世紀の近代、そして二〇世紀後半の社会主義という三層の基盤の上に成立している。では、昨今、先進国が主導する秩序に対して中国が「挑戦」するとき、その歴史はいかに参照されるのか、されないのか。しばしば、習近平政権を明王朝や清王朝になぞらえる向きもある。だが、過度に中国の独自性や、歴史的継続性を強調すると文化決定論に陥る可能性もあろう。近代外交の時代に形成された主権や独立を重視し、「中国」の維持を目標とするような対外関係や、たとえ中国的な解釈に基づくとはいえ、社会主義国家であるということの影響も看過できないのではなかろうか。

また、国内の統治と世界観や対外政策とが密接不可分であることは言うまでもない。一九世紀の「王朝の論理」を最重要視する理念、二〇世紀前半の「中国」を「中国」として維持していくことを至上命題とする政策などはいずれも、国内を安定的に統治するということがその根幹にあった。このことは中国共産党政権においても変わらないだろう。無論、先進国にとっての「合理性」「合理的選択」から見たときに、非合理な、また国益に反するような政策を習近平政権が採用するように見えることもある。しかし、中国国内ではそれらが社会からの支持を受ける政策であったり、中国の論理では合理であったりすることもある。むしろ問題は、そのような習近平政権における国内統治のあり方が国内、特に中国に住む人々から支持されなくなることであり、その場合、それはもはや「中華民族に共有されない夢」であり、その政策の（中国的意味での）合理性さえも喪失することになるということだ。その意味で西側の尺度で中国を評することよりも、中国自身の視線、とりわけ中国社会の尺度で習近平がいかに評価されるのかということが重要だ。それはデジタル監視国家においても同様だろう。

参考文献

阿南友亮（二〇一七）『中国はなぜ軍拡を続けるのか』新潮選書。

海上保安庁（二〇二三）「尖閣諸島周辺海域における中国海警局に所属する船舶等の動向と我が国の対処」海上保安庁ウェブサイト（https://www.kaiho.mlit.go.jp/mission/senkaku/senkaku.html）。

外務省（二〇〇八）「「戦略的互恵関係」の包括的推進に関する日中共同声明」二〇〇八年五月七日、日本外務省ウェブサイト（https://www.mofa.go.jp/mofaj/area/china/visit/0805_ks.html）。

梶谷懐・高口康太（二〇一九）『幸福な監視国家・中国』NHK出版新書。

川島真（二〇一二）「「韜光養晦」と「大国外交」の間――胡錦濤政権の外交政策」『国際問題』第六一〇号。

川島真（二〇一四）「中国における国際政治研究の展開」『国際政治』一七五号。

川島真（二〇一九a）「公開された外交記録における中国首脳――中曽根政権期の日中首脳外交から見る」『外交史料館報』三二号。

川島真（二〇一九b）「習近平政権の国際秩序観――国際政治は国際連合重視、国際経済は自由主義擁護」『安全保障研究』第一巻四号。

川島真（二〇一九c）「習近平政権下の外交・世界秩序観と援助——胡錦濤政権期との比較を踏まえて」川島真・遠藤貢・高原明生・松田康博編『中国の外交戦略と世界秩序——理念・政策・現地の視線』昭和堂。

川島真（二〇二三）「外へと滲み出る内部の論理——中国の「カラー革命」認識と国家の安全」川島真・鈴木絢女・小泉悠編著、池内恵監修『ユーラシアの自画像「米中対立／新冷戦」論の死角』PHP研究所。

清水美和（二〇〇九）「胡錦濤「和諧」路線の挫折」『国際問題』五八一号。

田中明彦（二〇一八）「中国台頭で変容する国際システム——貿易戦争から「新しい冷戦」へ」『中央公論』二〇一八年一一月号。

藤原敬士（二〇一七）『商人たちの広州——一七五〇年代の英清貿易』東京大学出版会。

益尾知佐子（二〇一〇）『中国政治外交の転換点——改革開放と「独立自主の対外政策」』東京大学出版会。

山崎周（二〇一八）「中国外交における「韜光養晦」の再検討——一九九六年から用いられるようになった国内の対外強硬派牽制のための言説」『中国研究月報』第七二巻第一〇号。

李彦銘（二〇一七）「「韜光養晦」論の提起、解釈と論争——その過程と含意」加茂具樹編『中国対外行動の源泉』慶應義塾大学出版会。


鄧小平（一九七四）「永不称霸——聯合国大会上的中国声音」（中国外交部、二〇二二年八月二四日掲載）https://www.fmprc.gov.cn/web/ziliao_674904/zt_674979/dnzt_674981/qtzt/zggcddwjw100ggs/jszgddzg/202208/t20220824_10750619.shtml
胡錦濤（二〇〇五）「中華人民共和国主席胡錦濤「努力建設持久和平、共同繁栄的和諧世界——在聯合国成立六〇周年首脳会議上的講話」」（二〇〇五年九月十五日、美国紐約、中国共産党員網 https://news.12371.cn/2015/09/28/ARTI1443385752850104.shtml）。

劉国光（二〇〇六）「我国改革的正確方向是什麼？ 不是什麼？——略論『市場化改革』」『劉国光文集』第一〇巻、中国社会科学出版社。

田紀雲（二〇一〇）「追憶関於改革的両点建議」『炎黄春秋』二〇一〇年第二期。

温家宝（二〇〇三）「在『中国発展高層論壇二〇〇二年会』開幕式上的講話」王夢奎主編『加入世貿組織后的中国』人民出版社。

温家宝（二〇〇七）「国務院総理温家宝在日本国国会的演講」二〇〇七年四月一二日、中華人民共和国中央人民政府ウェブサイト（http://www.gov.cn/ldhd/2007-04/12/content_580519.htm）。

Bader, Jeffrey A. (2012), *Obama and China's rise: an insider's account of America's Asia strategy*, Washington, D. C., Brookings Institution Press.（ジェフリー・A・ベーダー『オバマと中国——米国政府の内部からみたアジア政策』春原剛訳，東京大学出版会，二〇一三年）。

Fu, Ying(傅瑩)(2016), "China and the Future of International Order", Speech, Chatham House. https://www.chathamhouse.org/sites/default/files/events/special/2016-07-08-China-International-Order_0.pdf

Kawashima, Shin (川島真) (2012), "Chapter 19, China", Bardo Fassbender & Anne Peters (eds.), *The Oxford Handbook of The History of International Law*, Oxford, Oxford University Press.

Shambaugh, David (2015), "The Coming Chinese Crackup: The endgame of communist rule in China has begun, and Xi Jinping's ruthless measures are only bringing the country closer to a breaking point", *Wall Street Journal*, 6th March.

The White House (2022), *National Security Strategy*, the White House website. https://www.whitehouse.gov/wp-content/uploads/2022/10/Biden-Harris-Administrations-National-Security-Strategy-10.2022.pdf

コラム｜*Column*

忘れられた「和解」

——韓国強制動員労働者問題をめぐって

太田 修

今日ではあまり知られていないが、かつて日本企業は韓国の元「徴用工」(強制動員労働者)やその遺族と「和解」したことがあった。一九九七年に「新日鐵釜石事件」、一九九九年に「日本鋼管川崎工場事件」、二〇〇〇年には「不二越事件」で「和解」が成立した。ところがこうした流れは長く続かず、その後「和解」の事実そのものが忘れられていった。

一方、二〇一八年一〇月、徴用工訴訟で韓国大法院(最高裁)は、新日鐵住金(かつての新日本製鐵／現在の日本製鉄)に賠償を命じた。二〇〇八年(第一審)、〇九年(第二審)で原告側が敗訴した原判決が、一二年の上告審、翌一三年の差戻し審判決で棄却され、最終的にはこの大法院で、日本企業に対して元徴用工への損害賠償を命じる判決が初めて確定することとなった。だが、日本企業がこの判決に従わなかったため、両者の対立は、二〇二三年七月現在も続いている。

本稿では、先の「新日鐵釜石事件」での「和解」と、二〇一八年大法院判決をめぐる対立を比較することで、元徴用工と日本企業との「和解」の可能性を探ってみたい。

アジア太平洋戦争中に朝鮮から旧日本製鐵の釜石製鐵所に強制連行され、艦砲射撃や労災などで死亡した労働者の韓国人遺族一一人が一九九五年九月、新日本製鐵と日本政府を相手に、遺骨の返還や未払金返還、謝罪、慰謝料などを求めて東京地方裁判所に提訴した。約二年間にわたる裁判と交渉を経て、九七年九月一八日、新日鐵側は総額二〇〇五万円を支払い、原告側は訴訟を取り下げて新日鐵側と「和解」(裁判外の和解)した。同九月二二日付の日本の新聞とテレビは、「韓国人強制連行訴訟で、初の和解」と大きく報じた。

「和解」の決め手となったのは、新日鐵側が遺族に対して、直接「慰霊金」を支払い、慰霊事業への協力(戦災犠牲者名簿の作成やその鎮魂社への奉納、合祀祭の開催など)を行ったことだった。「日本製鉄元徴用工裁判を支援する会」は後日、それまで企業側は一九六五年の日韓請求権協定で解決済みとして賠償を拒否してきたが、その「解決済み」論に風穴があいたと、「和解」の意義を強調した。

新日鐵側は「日本製鉄の債権債務を承継しておらず、弊社に一切の法的責任」はないとする一方で、「これまで遺骨がなかったため故人の霊を鎮めることができなかった原告の事情を察し、慰霊のために協力することにした」との談話を発表した(『東京新聞』一九九七年九月二二日)。

原告の遺族は、新日鐵が「人道的見地から積極的に遺骨調査を実施し」、同年四月には遺族らと共同で調査を行ったこと、そして「慰霊のための協力」を申し入れたことを「高く

『虹』1998年1月28日発行．日本製鉄元徴用工裁判を支援する会編

評価」した（原告の談話、九月二一日）。「支援する会」の矢野秀喜さんも、謝罪文はなかったが、新日鐵は「遺族を釜石に招き、慰霊祭を行い、亡くなった元徴用工を「山神社」に祀るという対応をした」、また「遺族が韓国、忠清南道瑞山で追慕祭を実施するに当たっては、社内で「慰霊金」をカンパで集め、社員代表が追慕祭にも出席し、それを遺族に手渡すという礼を尽くした。これが遺族を納得させた」と振り返る。

一九九七年の「和解」を二〇一八年にそのまま適用できるわけではない。前者は原告が遺族で後者は強制動員された当事者であり、訴えの内容も異なるためだ。にもかかわらず、植民地下の強制動員労働者問題をめぐる訴訟において、原告と企業側が「和解」した歴史をもつことの意義は小さくない。

「和解」の成立過程で、訴訟の被告でもあった日本政府が口を差し挟まなかったことにも注目したい。二〇一八年の大法院判決に対して、問答無用とばかりに、日韓請求権協定で「解決済み」であり、判決は「国際法違反」だと非難し、被告企業側も政府見解に従い、「和解」が困難になったこととは、対照的である。一九九七年当時、新日鐵の国内法規グループリーダーで、訴訟と「和解」を担当した唐津恵一氏も言うように、日韓請求権協定は「国と国との取り決めで、企業と個人のやりとりは縛って」いない（『朝日新聞』二〇一九年一〇月三一日）。こうして考えると二〇一八年においても、判決が確定したとはいえ、「和解」の可能性はある。韓国の支援団体によると、原告側も「和解」を望んでいるという。

一九九七年の「和解」でもっとも重要だったことは、上記のように、原告の遺族が企業側と対話を重ね、企業側が行った「調査」や「協力」を評価したことである。原告が単なる客体としての被害者ではなく、主体として自ら「和解」を選んだのである。

そして、そこで問われたのは、日韓請求権協定という法・条約で「解決済み」かどうかではなく、企業側が「過去」を克服しようとする意志や態度を示したかどうかだった。

朝鮮の人々が日本の企業に強制動員、強制労働させられたことは、動かしようのない事実である。その事実を企業側が直視し謙虚に受けとめる姿勢を示せば「和解」の道は開かれるだろう。「和解」を積み重ねることは日本と朝鮮半島のあいだに相互信頼を築き、平和的な友好関係にもつながっていくはずだ。「過去」を「現在」と「未来」の問題として考え続けることが求められている。

焦点 *Focus*

アフリカの変容
――二一世紀のサハラ以南アフリカ

島田周平

はじめに

本稿ではサハラ以南アフリカの一九九〇年代から現在までの歴史を中心に述べる。北アフリカはアラビア語を話すイスラーム圏でありサハラ以南アフリカとの社会文化的異質性が大きい。南北一七〇〇キロメートルにも及ぶサハラ砂漠が両地域の日常的交流を阻んできた。しかしながら、サハラ越え交易が北アフリカからイスラームを南に伝え、南の古ガーナ王国から金を地中海世界に運んだ(川田 二〇〇九)ように、サハラ砂漠は両者を結びつける「海」であったともいえる(島田 二〇一九b)。砂漠の南北を共時的にみることの重要性を認識し、サハラ以南アフリカを中心に追いつつも必要に応じて北アフリカにも言及する。

一、一九九〇年代アフリカの地域紛争

欧米における新自由主義政策拡大の影響を受け一九八〇年代以降のサハラ以南アフリカは激しく変化してきた。国

による違いは見られるが、おおむね一九八〇年代は経済の自由化を、一九九〇年代は政治の民主化を遂げてきた。

一九八〇年代のアフリカ諸国は、対外債務問題解決のため国際通貨基金（ＩＭＦ）や世界銀行の構造調整融資を受け構造改革に取り組んだ。融資にあたってＩＭＦや世界銀行は「良き統治」の実現を条件とした。一九八〇年代に構造調整融資を受けた国は二三カ国にのぼり（犬飼 一九九三）、これらの国では公的部門の縮小（補助金カット、公企業の民営化）や金融の自由化を含む規制緩和が実施された。ポストコロニアル家産制国家の性格をもつアフリカ諸国においてこれらの改革は政権の基盤であるパトロン・クライアント関係を切り崩すものであり、政権を弱体化させた（武内 二〇〇九）。

世界銀行が指導する「良き統治」には政治的要求は含まれないはずであった。しかし一九九一年のソヴィエト連邦崩壊後、西側諸国は政治の民主化や人権擁護への要求を強めてきた。軍政や一党制の国には外交や援助をとおして多党制への移行が促された。一九七二年以来一党制を続けてきたザンビアでは一九九〇年に多党制移行が決められ、その翌年に行なわれた選挙で欧米諸国が応援した「複数政党制民主主義運動」党が勝利した。一九八九年時点で複数政党制の国は五カ国のみで、一党制（二八カ国）と軍事政権（八カ国）が多数派であったが、二〇〇一年には複数政党制の国が三八カ国に急増した。一党制の国は無くなり軍事政権も一カ国となった（落合 二〇〇二）。

政治制度の急変は各地で政治的混乱を巻き起こした。政権をめぐる内戦、「崩壊国家」内の戦闘、さらに独立をめぐる地域紛争などが多発し、それらを引き起こす主体も一気に多様化した。これにはソヴィエト連邦崩壊も関係している。東西体制の終焉は東欧地域で深刻な紛争を引き起こし欧米諸国の目をくぎ付けにした（柴 二〇一一）。欧米の関心が東欧に集中しているこの時に、政府の弱体化を衝いて武装集団が族生した。彼らは国境を自由に往き来して政府軍と戦ったために国内の政権争いが国際紛争の様相を呈していった。

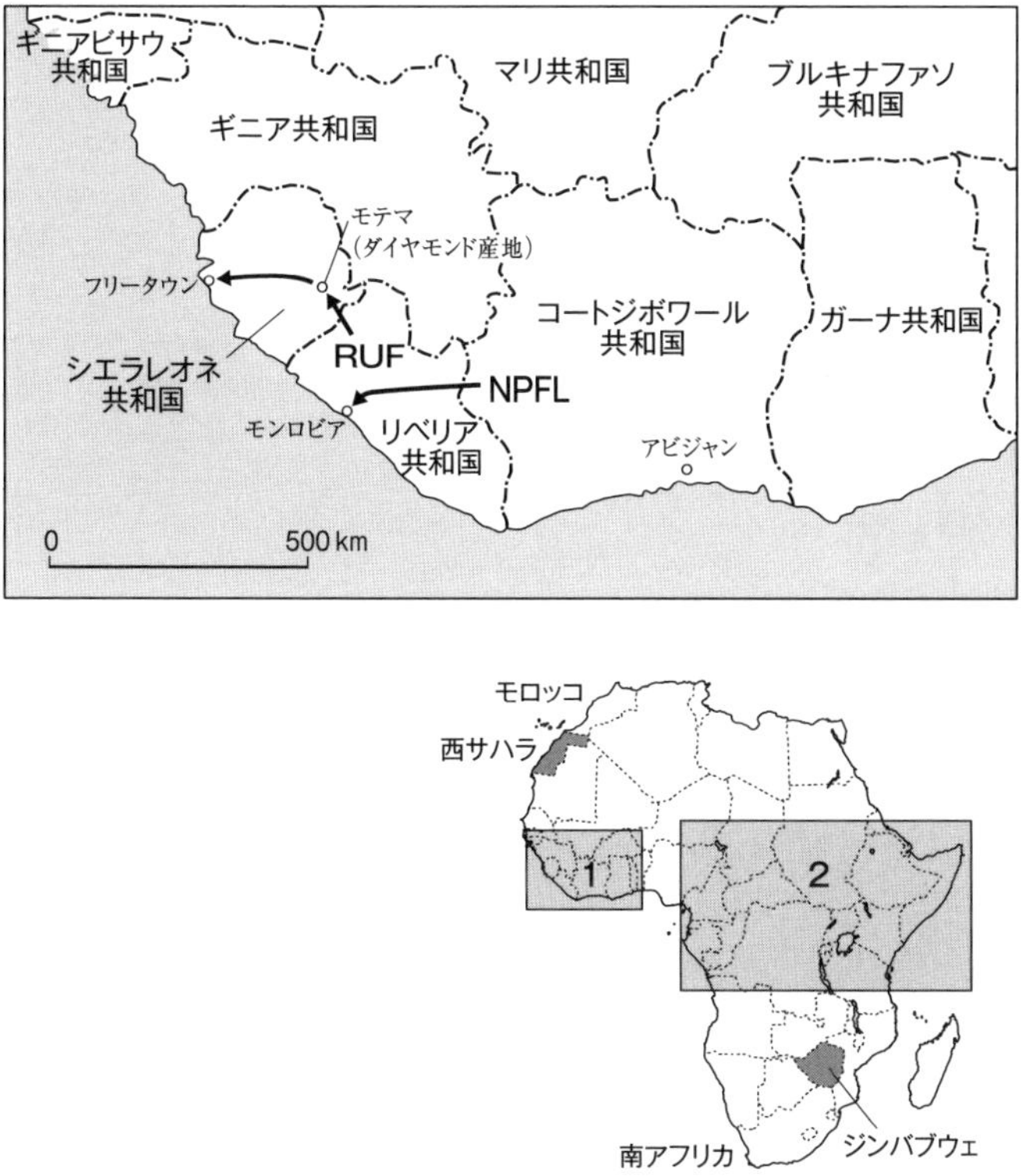

図1　アフリカ地図1

越境する紛争――西アフリカの「紛争ダイヤモンド」とルワンダのジェノサイド

シエラレオネでは、隣国リベリアで機を窺っていたシエラレオネ革命統一戦線(RUF)が一九九一年に国境を越えて侵攻し、国の東部にあるダイヤモンド生産地を占領した。政府が雇った南アフリカの軍事会社(エグゼキュティブ・アウトカム)の傭兵軍に一時鉱山を奪われたもののRUFはそれをすぐに奪還して「紛争ダイヤモンド」の生産地を確保し続け、二〇〇二年まで政権中枢部への影響力を保持した。

リベリアではリベリア国民愛国戦線(NPFL)が一九九一年に政権の座に就いた。彼らもまた隣国コートジボワールで組織を結成し自国に攻め入ったのである。一九九七年にはNPFLのテイラー(Charles Taylor)が大統領に就任したが内戦は収まらず、戦闘に少年兵を投入する悲惨な状況が二〇〇三年まで続いた[1]。

後にルワンダ大統領となるカガメ(Paul Kagame)がルワンダ愛国戦線(RPF)結成に参画(一九八七年)したのも隣国

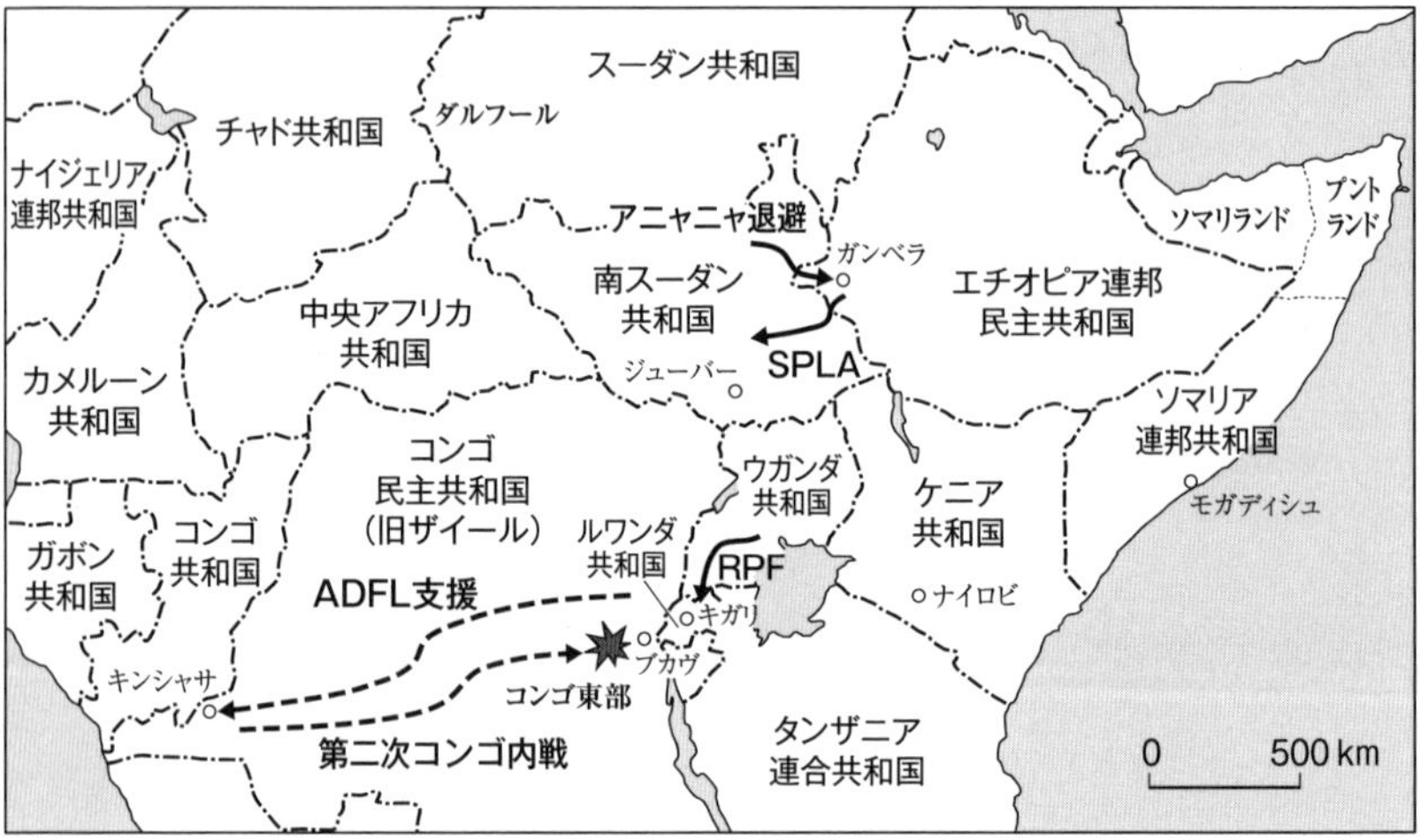

図2　アフリカ地図2

ウガンダにおいてであった。ツチ人の彼は、一九六二年に成立したフツ人の政権から逃れて一九六〇年代からウガンダにいた。一九九〇年にRPFは国境を越え自国ルワンダに侵攻した。

戦闘が膠着状態となった一九九四年にRPFと政府間で連立政権樹立の協定が結ばれた。しかしその直後にハビャリマナ（Juvénal Habyarimana）大統領が暗殺され、それをきっかけにフツ人とツチ人の間で無差別の殺戮が始まった。わずか一〇〇日間に八〇―一〇〇万人（国民約七〇〇万人）が命を落としたという「ルワンダのジェノサイド」である。フツ人の民兵組織であるインテラハムウェ（Interahamwe）がツチ人排除を扇動したことが最大の原因だといわれるが、一般人同士の殺し合いも多かった（服部 二〇二一）。

ツチ人保護を名目に攻撃を強めたRPFが全土を制圧し一九九四年に政権を握ると、今度は約二〇〇万のフツ人が国外に逃れた。隣国ザイール共和国（一九九七年にコンゴ民主共和国に改称）の東北部に逃れた約一五〇万人の中には武器を持ったインテラハムウェのメンバーや旧ルワンダ軍兵士も紛れ込んでおり、彼らはザイールでルワンダ解放軍（ALIR）を結成した。

ALIRがルワンダに侵攻するようになると、カガメはザイールのルワンダ難民キャンプを攻撃（一九九六年）した。さらに彼はコンゴ・ザイール解放民主勢力連合（ADFL）を支援して第一次コンゴ内戦を戦い、カビラ（Laurent-Désiré Kabila）政権樹立（一九九七年）に貢献した。しかしルワンダの傀儡政権との批判を受けたカビラがADFLからルワンダ人排斥の動きに出ると、今度はカガメと対立し第二次内戦が勃発した。コンゴ民主共和国の東北部に逃れたルワンダ人らの兵は、世界有数の金やスズ鉱山があるその地を支配し、二〇〇三年までコンゴ政府軍と戦った(2)。

二、紛争を調停する地域機関とその限界

第二次大戦後に盛り上がりを見せた汎アフリカ主義には、植民地支配からの解放という実践的目標と将来アフリカ合州国を創るという理想が含まれていた。独立国が増えるにしたがい合州国設立は非現実的なものとなったが、汎アフリカ主義の精神は、一九六三年のアフリカ統一機構（Organization of African Unity＝OAU、二〇〇二年以降はアフリカ連合 African Union＝AUが継承）の設立に結実した。その憲章には各国の主権尊重と領土保全に加え、交渉、仲介、調停による紛争の平和的解決を目指すことが謳われていた。

崩壊国家ソマリアにおける平和維持活動――国連の失敗体験

市民が必要とする安全、医療、教育などの最低限の行政サービスを政府が提供できず国の周縁部では支配も及んでいない国家を失敗国家と呼び、その極限的状態を「崩壊国家」という（遠藤 二〇一五）。一九九〇年代以降のソマリアがまさにそのような状態にあった。

ソマリアは、北部のソマリランド（一九九一年独立宣言）、その東隣にあるプントランド（一九九八年自治宣言）とそれ以外の中・南部ソマリアの三地域からなる。ソマリランドとプントランドの政治は比較的安定していたが、中・南部地

域には一九九一年以降安定した政府が存在しなかった。氏族(クラン)を基盤とするクラン中心主義の政治が横行し、全国を掌握する政府が成立しなかったのである。外部組織の支援を受けて何度か暫定政府擁立の試みがなされたが、むしろその度に軍閥(いくつかのクランを束ねた軍事組織)間の均衡がくずれ紛争が激化した(遠藤 二〇一〇)。

暫定政府維持のため、国連安保理事会は一九九二年に多国籍の第一次平和部隊(UNOSOMⅠ)を派遣しアメリカ海兵隊もこれに加わった。その翌年に「平和維持のための武力行使」を認める第二次平和部隊(UNOSOMⅡ)の設置が決定されると、反政府側のアイディード(Aidid)派の攻撃が激しさを増しアメリカ部隊にも犠牲者が出た。そればかりか平和部隊に対する市民の反発が強くなり、国連はUNOSOMⅡを一九九五年に廃止した(沼沢 一九九五)。

市民の激しい反発は国連に衝撃を与えた。これ以降、紛争予防や平和維持におけるOAUや準地域機構(西アフリカ諸国経済共同体ECOWAS、東アフリカの政府間開発機構IGAD、南部アフリカ開発共同体SADC等)の役割がより重視されるようになった。

西アフリカにおける平和維持活動——準地域機構と国連、欧米諸国の関係

西アフリカの地域紛争ではECOWASが平和維持活動を担い、一九九〇年にリベリア政府とNPFLとの戦いを調停するための監視団(ECOMOG)を首都モンロビアに派遣した。しかし戦闘はやまず、一九九四年には国連がリベリア監視団(UNOMIL)を派遣した。NPFLのテイラーが戦闘停止に応じたのは、アメリカ、EU、OAUが調停に乗り出した一九九五年のことであった。一九九七年に大統領選挙が行われテイラーが勝利したがその後も紛争は収まらず、最終的に終戦を迎えたのはアメリカが平和維持軍を派遣した二〇〇三年のことであった。

シエラレオネにも一九九七年にECOMOGが、その翌年に国連シエラレオネ派遣団(UNAMSIL)が派遣されたが、相次ぐクーデターで混乱は収まらなかった。最終的に内戦が収束したのは、イギリスが軍隊を派遣して政府と

RUF間の調停に乗り出した一九九九年のことであった。最終的な停戦には国連や欧米諸国の平和維持軍の派遣が欠かせなかったとはいえ、紛争調停の初期段階でAUや準地域機構が一定の役割を果たすようになってきたことは確かである。しかし近年はその役割に新しい課題が突き付けられている。

二〇〇一年にわずか一カ国に減少していた軍事政権が、二〇二一年にマリとギニアで、二〇二二年にブルキナファソで誕生したのである。AUやECOWASは直ちに非難声明を出した。しかし、マリの暫定軍事政権はECOWASが要求する速やかな民政移管を拒否し、撤退するフランス軍に代わりロシアの軍事会社ワグネル社と軍事的契約を結んだ。準地域機構の平和維持活動が、ロシアの「民間」軍事会社の動きと対峙する事態に直面している。

紛争調停から独立へ——南スーダン共和国

国連や欧米諸国は二〇一一年の南スーダン共和国の独立においても決定的な影響を与えた。

スーダン共和国から分離独立する前のスーダン南部は、北部に対して政治経済的に従属的な地位にあった。一九八三年、当時の大統領ヌメイリ(Jaafar Muhammad an-Nimeiry)はスーダン南部の最高執行評議会を解散させ、その上非イスラーム教徒が多い南部でもイスラーム法(シャリア法)を施行すると宣言した。

この決定に反発する政府軍の第一〇五大隊が反乱を起こした。この大隊の将兵の多くは南部の独立を目指すゲリラ組織アニャニャ(Anyanya)の構成員だった(栗本 一九九六)。鎮圧部隊に押されて隣国エチオピアのガンベラに退避したこの大隊は、そこでアニャニャと合流しスーダン人民解放運動(SPLM)を結成した(**図2**参照)。SPLMの軍事部門であるスーダン人民解放軍(SPLA)はエチオピア政府の支援を得て一九八四年にスーダン国内に侵攻し、一九八九年には南部のほぼ全域を支配した。一九九一年にエチオピア社会主義政権が崩壊すると、その勢力圏は一時縮小したものの一九九五年には盛り返し、南部はSPLAが、北部はヌメイリ後のバシール(Omar Hassan Ahmad al-Bashir)政権が支配するという勢力分布で二一世紀を迎えた。

バシール政権は国内西部のダルフールでも非アラブ人への圧力を強めていた。アラブ系民兵組織ジャンジャウィード(Janjaweed)[3]が多くの民間人を虐殺するに及んでアメリカ政府は反バシール政権の態度を明確にし、国連もスーダン制裁を決議した(栗本 二〇〇一)。エジプトやリビアは、バシール政権のもとで統一スーダンを堅持すべきと主張したが、国連、AU、アメリカ、EU、IGADは、戦闘の停止、人道支援の受け入れ、南部における自決権の承認、政教分離を主張した。バシール政権とSPLMとの間で包括的和平合意が成立したのは二〇〇五年であった。独立を問う住民投票が二〇一一年一月に実施され、九八%以上の賛成を得て同年七月に南スーダン共和国は独立した。この年はジャスミン革命の翌年で、北アフリカ諸国は「アラブの春」の真っただ中にあり、欧米諸国の独立支持の動きに抗する余裕はなかった。

南スーダンとは対照的に、住民投票実施の合意をしたにもかかわらず未だに投票が行われず独立承認に至っていない「国」がある。西サハラ民族解放戦線(ポリサリオ戦線)が一九七六年に独立宣言したサハラ・アラブ民主共和国(SADR)である。AU加盟国の多くがその独立を支持しているが、隣国モロッコが国土の七割を実質的に支配して領有権を主張し、アメリカをはじめ西欧諸国がその主張を支持しているからである。

三、アフリカの経済成長と中国の進出

中国の進出

二一世紀に入り、国際的な資源価格上昇に伴う海外投資流入でサハラ以南アフリカはかつてない高い経済成長率を記録した。その投資を支えた最大の国が中国であった。中国の貿易・援助額の急激な増加は欧米諸国を刺激し、冷戦

時代の政治的対立から経済的対立に取り替わるかのような様相を呈しはじめた。

一九九九年策定の「走出去(Go Global)」政策で中国は、資源や一次産品の供給源、余剰貯蓄と外資の投資先、そして国民の移出先としてアフリカに期待するところがあった。二〇〇〇年に北京で開かれた中国・アフリカ協力フォーラム(FOCAC)会議では「相互互恵」関係が強調されたが、その背後には走出去政策があった。

中国の対アフリカ貿易は、二〇〇六年にイギリスとフランスを、二〇一三年にはアメリカを上回った。開発援助額も二〇〇五年以降急増し、推計によれば二〇〇九年には日本を、二〇一七年にはフランスを抜いてアメリカ、イギリス、ドイツにつぐ第四位となった。

中国の援助が急拡大したのは、二〇〇八年の金融危機で欧米諸国の対アフリカ援助が停滞した時期であった。一九八〇年代以来協調援助を進めてきた欧米諸国は、中国の援助は紐付きで被援助国のオーナーシップを認めておらず、説明責任を果たしていないと批判した。そのうえ債務を増大させていることも危険であると非難した(Tull 2008)。

中国の貿易全体に占める対アフリカ貿易の割合は二〇〇〇年頃は一%あまりで、中国政府のアフリカに対する関心はあまり高くはなかった。しかし急速な貿易拡大にともない現地で起きるトラブルも増えてくると、中国政府は多国間協調に乗り出す必要性を認識しはじめた。二〇〇七年にはスーダンのダルフールへの平和維持軍派遣に踏み切った。

一方で、欧米諸国も中国から学ぶところがあった。自分たちの援助に旧宗主国の指導的発想が残っていないか自問を迫られる場面が増えてきたのである。ルワンダのカガメ大統領やガーナのアクフォ＝アド(Nana Akufo-Addo)などは公然とその点を衝く発言をたびたび行っている。

信頼できる旧友か「新帝国主義国」的大国か

二〇一九年時点で、中国の融資残高が三四億ドルを超える一〇カ国のうち六カ国がアフリカの国々であり、それらの国の対中国債務は危険水域に達しているといわれている。しかし、債務不履行を理由に中国が直ちに政治的・軍事的要求を押し付けるとは思われない。一九八九年の天安門事件で経済制裁の危機に直面した時や二〇〇八年の北京オリンピック直前のチベット問題で国際的に孤立した時に中国政府にいち早く支持を表明したのはアフリカ諸国であった。中国にとってそれらの国々は重要な「支持国」なのである。

しかしながら近年は、アフリカ諸国との信頼関係を重視する外務部に対して戦略的観点を重視する高務部の方が援助政策に対する発言力を強めているという(Sun 2014)。また「一帯一路」計画を推進しアメリカとの対立を深める習近平政権が、「戦狼外交」(三浦 二〇二二)という高圧的な外交姿勢に転じる可能性も否定できない。

四、欧米諸国の民主主義と人権政策の蹉跌――植民地遺制と制裁

ジンバブウェが抱える土地問題

南ローデシアは、土地問題という植民地遺制を抱えて一九八〇年にジンバブウェとして独立した。独立前年、宗主国イギリスを含むすべての関係者がロンドンに集まりランカスター・ハウス協定が締結された。協定の中で土地問題は最重要課題の一つであった。当時全人口の三・二%(二四万人/七六〇万人)に過ぎない白人(ほとんどイギリス人)が国土の四六%強を所有していた。この状況を可能な限り維持したいイギリスは、「土地収用は所有者の合意を得て有償で行うこと」を黒人側に求め、その代わりに「土地の購入資金はイギリスが供与する」ことを約束した。

独立後政権の座に就いたムガベ(Robert G. Mugabe)首相(一九八七年以降は大統領)は、放棄地や低利用の白人農地を買い上げ、それを元兵士たちに配分する再入植計画を開始した。土地の買い上げは一〇年後でも当初計画の三分の一程度にとどまり、元兵士たちの不満は高まっていた。しかしランカスター・ハウス協定で定められた憲法には一〇年間

不改正の縛りがあった。それが消えた一九九二年にムガベは土地収用法を改定し、自由意志による売買原則を廃止して政府による市場価格以下での買い上げを可能にした。この改定に反発したイギリスは、一九八〇年代後半から滞りがちだった資金援助を停止した(小倉・舩田 二〇一八)。そして一九九七年には、時の労働党政権が協定の歴史的重みを理解することなく「資金提供の廃止」に踏み切った(小倉 二〇一二)。

イギリス政府の資金供与の破棄決定は、協定遵守の立場から何とか元兵士たちを説得してきたムガベを窮地に追い込んだ。二〇〇〇年以降、土地配分に不満な元兵士や農民たちが白人農場に無断で押し入り農地を占拠する事態となってきた。しかしムガベにはそれを押しとどめる政治力はもうなかった。農民たちが占拠した土地を政府は接収して、それを「急速再入植計画」と称して農民に再配分したのである(吉國 二〇〇八)。

欧米諸国による制裁

イギリスは、白人農場の無断占拠や白人農場主とその家族への暴力行為は著しい違法行為であり人権侵害だとして直ちに制裁を実施した。アメリカも、民主主義や法の支配への挑戦だとして二〇〇一年に制裁に乗り出し、世界銀行やIMFの対ジンバブウェ資金調達にも反対を表明した。これによりジンバブウェの通貨(ジンバブウェ・ドル)は暴落し、ジンバブウェ経済はハイパーインフレーションに見舞われた(Hanke 2009)。

欧米のムガベ批判は、彼が苦闘した土地問題の歴史的背景には触れずに、緊急再入植計画でみられた非人道的側面に焦点をあわせることで彼の暴虐性を強調する傾向があった(井上 二〇一八)[4]。しかし、欧米諸国が掲げる民主主義、基本的人権、法の支配といった「基本的価値」が、歴史的反省もないままアフリカ側に「押し付けられる」ことへの抵抗感を、アフリカの指導者たちは共有していた。ムガベ在任中にジンバブウェは、SADC議長国(二〇一四年八月)とAU議長国(二〇一五年一月)に選ばれている。

五、二一世紀の新潮流
——流動する人々、土地収奪、変化する宗教、経済発展への挑戦、コロナ、BLM

流動する人々——増大する難民と海外移住者（ディアスポラ）、国際的連携を強めるイスラーム

サハラ以南アフリカでは一九九〇年代以降多くの難民が発生した。国連難民高等弁務官の資料によれば、サハラ以南アフリカにおける二〇二〇年の難民は約六五九万人だという（UNHCR 2020）。越境せず国内に留まっている避難民が約二二二五万人いるとされているので、難民認定は受けていないものの難民状況にある人は多いと考えられる。一方で、学生や医師、技術者、商人などの大陸外への移動が二〇〇〇年以降急増している。欧米諸国に住むサハラ以南出身者の数は、二〇〇〇年の一三一五万人から二〇一九年の二三五七万人に増えた。とりわけ医療関係者の流出は深刻で、国家元首や有力政治家たちが入院治療のために欧米やサウディアラビアに出かけることが常態化している。[5]

海外居住者の本国送金額も二〇〇〇年以降急増している。送金額がサハラ以南アフリカ全体の六五％（二〇〇二年）を占めるナイジェリアを例にとると、二〇〇八年の送金受取額は一九二億ドルであった。ちなみに同国が二〇〇九年に外国から受け取った開発援助額は四・二億ドルであったというからその送金額の大きさがわかる。送金額の増大とともに国内政治に対するディアスポラの発言力は高まってきた（島田 二〇二一）。

増大する海外移住者の中にはイスラーム商人も含まれる。彼らは伝統的な商業ネットワークを利用して活動範囲を世界に広げている。セネガルとマリの国境地帯を故郷とするソニンケ人は伝統的商人として有名で、植民地時代から宗主国フランスを中心に出稼ぎに出かけていた（三島 二〇〇二）。彼らのネットワークは閉鎖的集団と批判される（フランスにおける「ソニンケ問題」）ことがあったが、一九八〇年代以降は活動範囲をバンコク、香港、シンガポールなどに

広げ、二〇〇〇年以降は中国各地にもビジネス拠点を築いている。

イスラーム商人の中には大富豪となった経済人も多い。アフリカ一の富豪といわれるナイジェリアのダンゴテ(Aliko Dangote)は、精糖業やセメント工業などで成功をおさめ二〇二三年にはアフリカ最大(日産六五万バーレル)の石油精製工場をラゴス近郊に完成させた。彼のような経済人は政治的には漸進的穏健路線を支持しており、ナイジェリアの北部で履行が決まったシャリア法の厳格な適用(たとえば身体刑)には慎重な態度をとっている(落合 二〇二一)。

変貌するアフリカの二大宗教――急拡大するキリスト教系新宗教と過激化するイスラーム

サハラ以南アフリカではキリスト教とイスラームが二大宗教となっているがキリスト教徒の方が多いと考えられている。出典は違うのであるが、この地域のキリスト教徒は二〇一二年時点で五億一七三四万人で人口の六三％を占めるという報告(PRC 2012)があり、一方イスラーム教徒は二〇二〇年には二億九五〇〇万人となり人口の約二八％を占めるだろう(Kettani 2010 から算出)という推計がある。

アフリカ大陸の全人口に占めるカトリック教徒の割合は一九七〇年の一三％から二〇〇五年の一七％へ、プロテスタントは一五％から二九％へと増加したといわれる。この増加のほとんどはサハラ以南アフリカで生じたものであり、ペンテコステ派やカリスマ教会などの新宗教の拡大が関係している。ケニアでは、プロテスタントの七割、カトリックの三分の一がペンテコステ派かカリスマ教会派であり、これらは一九九〇年代以降急拡大してきたという。

こうした新宗教拡大の背景としては、急激な社会変容の中で疎外されてきた弱者たちの宗教実践や社会体制への抵抗の実践または伝統的な妖術への対抗手段(石井 二〇〇三)などがあげられている。新宗教は、マスメディアの利用やメガチャーチでの大規模集会など、新しい布教方法で多くの信徒を惹きつけてきた(三阪 二〇一二)。

一方イスラーム教徒の多い地域では、二一世紀になりイスラーム武装勢力が活発化してきた。ナイジェリアのボコ・ハラム(Boko Haram)や北東部アフリカにおけるアル・シャバーブ、さらにはリビアのカダフィー政権崩壊後にマリ北部に逃れたイスラーム・マグレブ諸国のアルカーイダ(AQIM)などである。これらの武装勢力は国際的ネットワークで繋がっており、ボコ・ハラムは二〇一五年にイスラーム国(ISIS)への忠誠を宣言しその一部はイスラーム国西アフリカ州(ISWAP)を名乗りはじめた。二〇一一年の九・一一事件以降、これらの武装勢力は多くの国でテロ集団に指定された(白戸 二〇一七、佐藤 二〇二一)。

こうした過激化の背景を、国際的イスラーム運動との連携の視点とは別の地域的特性から見直すことの必要性を説く意見もある(Mustapha & Meagher 2020)。たとえばボコ・ハラム運動の拡大と過激化の要因としては、ナイジェリア東北部の経済的困窮、行政の不在、さらに二〇〇〇年から北部諸州で適用されたシャリア法の履行の不徹底さに対する反発などが指摘されている。

経済発展への挑戦——土地改革と「蛙飛び発展」

一九八〇年代の構造調整計画とドナー諸国による市場の自由化の要求をきっかけに、一九九〇年代に入りアフリカ各国で土地改革が本格化してきた。一九六〇年代の独立以降も遅々として進展しなかった改革が一気に進んだのである。とはいえすべての国が共同体的土地保有制度(慣習法)を破棄し土地の私有地化に踏み切ったわけではなく、土地慣習法を残しつつ諸権利の明確化に重点を置いた国も多い。しかしいずれの国においても、それまで重層的に存在してきた土地に対する諸権利(土地保有権、管理権、耕作権、樹木権など)の法域が明確化されたことで土地取引は容易になった(武内 二〇一七)。

二〇〇〇年以降急増した土地売買の中には、伝統的土地保有権で守られてきた小農の耕作権や居住権を奪うものもあった。自分たちに諮ることなく耕作権や居住権の喪失を伝えられた農民たちにとってそれはまさに「土地の収奪

land grab」であった。彼らは土地取引の無効と慣習法の遵守を訴える運動を各地で起こした（池上 二〇一五、大山 二〇一七）。

土地改革の他にも、農民たちの日常生活には大きな変化があらわれている。二〇〇〇年に一五〇〇万人だった携帯電話所有者が二〇一〇年には五億四一〇〇万人に急増した。エム・ペサ（M-Pesa）社のソフトを使った送金や、農民への市場価格のリアルタイム送信が日常的に行われるようになり、さらに一部の地域ではSNSとドローンを併用した遠隔地への医薬品の即時配布などがすでに開始されている。携帯電話とドローンの登場が、インフラ整備の遅れが経済活動にとって最大の障害だとされるアフリカに飛躍的な経済発展（「蛙飛び leapfrogging」型発展）をもたらすものと期待されている。一方で、携帯電話の普及が人々の流動化や個人化を促進し、アフリカの伝統的な相互扶助関係や家父長的関係に影響を与えるばかりか地域紛争の大衆化に利用された（羽渕他 二〇一二）という報告がある。新しい機器の出現による「蛙飛び発展」がもたらす急激な社会変容については注視が必要である。

コロナ感染拡大とブラック・ライブズ・マター（BLM）運動

二〇二〇年一二月時点のアフリカにおけるコロナ感染者数は約二五〇万人、死者数が約五万六〇〇〇人で、同時期のフランス一カ国と同程度であった。感染の広がりが比較的緩やかだったことも影響しているが、毎年四〇万人前後がマラリアで命を失い九四万人（二〇一七年）がエイズで亡くなっているアフリカの人々の間では、そもそもコロナ感染症の受け止め方に先進諸国とは違いがあった。タンザニアの大統領のように、コロナは怖れるに足りないと軽視する発言を繰り返す一方で、感染防止を理由に政敵の集会やメディアの規制に乗り出すなど、コロナ感染防止を政治的に利用するケースも見られた。

ワクチンが完成し世界規模で接種が始まると、医療にみられる国際社会における二重構造が明らかとなってきた。

多くのアフリカ諸国は、「途上国にワクチンを供給するための国際的枠組み」(COVAX)に依存せざるを得なかった。COVAXによる最初のワクチン提供は二〇二一年二月の四億回分で総人口一二億人には十分ではなかった。この機会に中国は、接種への支援として一〇億回分のワクチンの提供を表明した。それでも二〇二二年二月時点のワクチン接種率は一三%にとどまっていた。

二〇二〇年にアメリカで急拡大したBLM運動は、時を移さずアフリカでも広がった。黒人男性が白人警察官の不当な暴力を受ける映像は、アメリカの民主主義が人種差別の上に成り立っているという言説をアフリカの人々に実感させることになった。

アメリカの民主主義に対するアフリカ人の気持ちには、羨望と失望がないまぜになったアンビバレントなところがある。テロ集団やテロ国家の認定においてアメリカ政府がみせる決然とした態度に対しても、反発や懐疑を憶えるアフリカ人が少なくない。アメリカ人は自らが一翼を担っている「構造的暴力」に対して無自覚(小倉 二〇二二)ではないかという批判がその背後にはある。このアンビバレントな感情は、欧米流民主主義がアフリカに素直に受け入れられない一因にもなっていると思われる(6)。

おわりに

近年マリやブルキナファソで起きた軍事クーデターに対し、AUは厳しく非難し速やかな民政移管を軍事政権に要求した。国際連合憲章と世界人権宣言の遵守を原則とするAUとしては当然のことであり、元南アフリカ大統領ムベキがアフリカ・ルネッサンスの実現に必要だとした「暴力と差別の排除、政治の民主化、経済の自由化」に沿うものである。これは欧米諸国や世界銀行がアフリカに期待する動きに沿ったものでもあった。しかしマリの軍事政権が民政移管に難色を示したように民主化や自由化要求に応じない国が少なくない。[7] このような国にとって、非民主的な国も排除せず援助を拡大する中国の存在は「救い」となった。

アフリカを「最後のフロンティア」と期待する投資家を呼び込むために政治の民主化や経済の自由化を急速に進めることは、新自由主義的傾向が続く中においては貧困拡大や政治的混乱を招きかねない。一九八〇年代に経験したところである。他方、中国の援助に過度に頼ることは政治的自由を失い新たな隷属関係に組み込まれることになる。狭隘な民族主義的メッセージで国民の支持を得るポピュリスト政治家が出現する傾向が強まると、グローバル経済の草苅場や債務の罠場にされる危険性が高まることになる。

アフリカの指導者たちに求められるのは、自らの歴史や文化に対する深い理解に裏打ちされたアフリカ・ルネッサンスの理念であり、[8] 借り物ではなく、社会に内在する「アフリカ潜在力」に対する確たる自信と信頼にもとづくもの(松田他 二〇二二)ではなかろうか。アパルトヘイト廃止後の南アフリカで、復讐ではなく理解、報復ではなく補償の必要性を説き、報復の連鎖を断ち切るためにウブントゥ(Ubuntu)[9] の精神を持ち出したマンデラにはこの自信と信頼があったように思われる。

注

(1) リベリア内戦は二〇〇三年に終息したのであるが、この終戦に向けて立ち上がったのがピースウィメン(WIPNET)の指導者ボウィ(Leymah Gbowee)氏であった。彼女はその功績を称えられ二〇一一年にノーベル平和賞を授与された。

(2) 東部地域の紛争では女性が性暴力の犠牲になることが多く、彼女たちを救おうとブカヴの病院で立ち上がった婦人科医ムクウェゲ(Denis Mukwege)氏が、二〇一八年にノーベル平和賞を受賞した。

(3) 二〇一九年の軍事クーデター(バシール政権崩壊)後の暫定政権に参画した即応支援部隊(RSF)の前身である。RSFは二〇二三年四月に政府軍と対立し内戦となった。

（4） イギリスは一九九四年にムガベにバス勲章を授与している。独立直後の融和政策を評価してのことであるが同時に一九九二年の土地収用法改定後の行動に自制を求める期待が込められていたと思われる。

（5） ナイジェリアのブハリ大統領は、第一期目の任期中（二〇一五―一九年）に、五カ月間以上ロンドンの病院に滞在した。

（6） 二〇一九年に行われたナイジェリアの大統領選挙で国際経験豊富なエリート候補者二名が政治の民主化、経済の自由化、人権擁護を訴えて立候補したが、彼らの得票率は合わせて〇・二％に満たなかった（島田 二〇一九a）。

（7） 国連の安全保障理事会（二〇二二年二月二一日）においてケニア国連大使がロシアのウクライナ侵攻を非難する演説を行い西側諸国から高い評価を得たが、翌月二日の総会で行われたロシアのウクライナ侵攻非難決議では、エリトリアは反対に投じ、アフリカの一七カ国（全体では三五カ国）が棄権に回った。南アフリカは、アメリカのイランやアフガンへの軍事侵攻やイスラエルのガザ攻撃と今回の侵攻とを区別することに首尾一貫性がないとして棄権した。西側諸国の覇権主義にも反対するという立場からである。

（8） 二〇〇六年から南アフリカで発刊されている『国際アフリカ・ルネッサンス研究ジャーナル（IJARS）』誌上では、独立後のアフリカの指導者たちが汎アフリカ主義の精神を顧みず、ヨーロッパ起源の政治的経済的イデオロギーに囚われすぎてきたことを批判する議論がみられる（Taye 2019）。

（9） ズールー語で「自分は誰かがいることで生かされていて、その人も誰かのおかげで生きている」という人と人との関係性を重視する精神性を意味する言葉である。

参考文献

池上甲一（二〇一五）「モザンビーク北部における大規模農業開発事業とランドグラブ」『アフリカ研究』八八号。

石井美保（二〇〇三）「アフリカ宗教研究の動向と課題――周辺化理論と近代化論の限界をこえて」『人文學報』八八号。

犬飼一郎（一九九三）「一九八〇年代における世界銀行の対アフリカ構造調整援助の動向」『アフリカ研究』四二号。

井上一明（二〇一八）「「暴君」と呼ばれた世界最高齢の大統領ムガベの退場」『アフリカレポート』五六号。

遠藤貢（二〇一〇）「ソマリアにおける「紛争」と国家形成をめぐる問題系」佐藤章編『アフリカ・中東における紛争と国家形成』日本貿易振興会アジア経済研究所調査研究報告書。

遠藤貢(二〇一五)『崩壊国家と国際安全保障――ソマリアにみる新たな国家像の誕生』有斐閣。

大山修一(二〇一七)「ザンビアの土地政策と慣習地におけるチーフの土地行政」武内進一編『現代アフリカの土地と権力』日本貿易振興機構アジア経済研究所 研究双書 六三一巻。

小倉充夫編(二〇一二)『現代アフリカ社会と国際関係』有信堂。

小倉充夫(二〇一二)『自由のための暴力――植民地支配・革命・民主主義』東京大学出版会。

小倉充夫・舩田クラーセンさやか(二〇一八)『解放と暴力――植民地支配とアフリカの現在』東京大学出版会。

落合雄彦(二〇〇二)「アフリカにおける民主化の現状と支援のあり方」『民主的な国づくりへの支援に向けて――ガバナンス強化を中心に』国際協力事業団国際協力総合研修所。

落合雄彦(二〇一二)「植民地期の北部ナイジェリアにおけるシャリーアの適用」佐藤章編『サハラ以南アフリカの国家と政治のなかのイスラーム――歴史と現在』日本貿易振興機構アジア経済研究所。

川田順造(二〇〇九)『アフリカ史』〈新版 世界各国史10〉、山川出版社。

栗本英世(一九九六)『民族紛争を生きる人びと――現代アフリカの国家とマイノリティ』世界思想社。

栗本英世(二〇〇一)「スーダン」(第三章第三節)、総合研究開発機構・横田洋三編『アフリカの国内紛争と予防外交』国際書院。

佐藤章編(二〇一二)『サハラ以南アフリカの国家と政治のなかのイスラーム――歴史と現在』日本貿易振興機構アジア経済研究所。

柴宜弘(二〇二一)『ユーゴスラヴィア現代史 新版』岩波新書。

島田周平(二〇一九a)「ナイジェリアの選択――大統領選と示されたメッセージ」『世界』九二〇号。

島田周平(二〇一九b)『物語 ナイジェリアの歴史――「アフリカの巨人」の実像』中公新書。

島田周平(二〇二一)「ナイジェリア人ディアスポラとブハリ政権」『アフリカレポート』五九号。

白戸圭一(二〇一七)『ボコ・ハラム――イスラーム国を超えた「史上最悪」のテロ組織』新潮社。

武内進一(二〇〇九)『現代アフリカの紛争と国家』明石書店。

武内進一編(二〇一七)『現代アフリカの土地と権力』日本貿易振興機構アジア経済研究所 研究双書 六三一巻。

沼沢均(一九九五)『神よ、アフリカに祝福を』集英社。

服部正也(二〇二一)『ルワンダ中央銀行総裁日記――増補版』中公新書。

羽渕一代・内藤直樹・岩佐光広編著（二〇一二）『メディアのフィールドワーク――アフリカとケータイの未来』北樹出版。
平野克己編（一九九九）『新生国家南アフリカの衝撃』日本貿易振興機構アジア経済研究所 研究双書 四九五巻。
松田素二、フランシス・B・ニャムンジョ、太田至編（二〇二二）『アフリカ潜在力が世界を変える――オルタナティブな地球社会のために』京都大学学術出版会。
三浦有史（二〇二一）「拡張する中国の対外融資――債務危機で揺らぐ国際社会における地位」『RIM環太平洋ビジネス情報』二一巻八〇号。
三阪夕芽子（二〇一二）「サハラ以南アフリカのキリスト教――ペンテコステ派の興隆」『関西学院大学社会学部紀要』一一五号。
三島禎子（二〇〇二）「ソニンケにとってのディアスポラ――アジアへの移動と経済活動の実態」『国立民族学博物館研究報告』二七巻一号。
吉國恒雄（二〇〇八）『燃えるジンバブウェ』晃洋書房。
Hanke, Steve H. (2009), "New hyperinflation index (HHIZ) puts Zimbabwe inflation at 89.7 sextillion percent", Cato Institute.
Kettani, Houssain (2010), "Muslim population in Africa: 1950–2020", *International Journal of Environmental Science and Development*, 1-2.
Mustapha, A. R. & Kate Meagher (2020), *Overcoming Boko Haram: Faith, Society & Islamic radicalization in Northern Nigeria*, Woodbridge, James Currey.
Pew Research Center (PRC) (2006), "Spirit and power—A 10-country survey of Pentecostals: Overview: Pentecostalism in Africa".
Pew Research Center (PRC) (2012), "The global religious landscape".
Sun, Yun (2014), "Africa in China's foreign policy", Brookings, John L. Thornton China Center and Africa Growth Initiative.
Taye, Thomas Adino (2019), "A critical reappraisal of Pan-Africanism: A quest for supra-state formation and authentic development in Africa", *International Journal of Innovative Research in Electronics and Communications* (IJIREC), 6-4.
Tull, Denis M. (2008), "China in Africa: European perception and responses to the Chinese challenge", SAIS Working Papers in African Studies, 02-08.
United Nations. High Commissioner for Refugees (UNHCR) (2020), "Global Report 2020", 10-11.

焦点 *Focus*

ラテンアメリカの模索

大串和雄

はじめに——冷戦の熱から冷めて

第二次世界大戦後のラテンアメリカ諸国[1]では冷戦が激しく戦われた。すなわち、左右のイデオロギー対立が政治の基本的力学を成した。とりわけ一九五九年のキューバ革命とそれに続くラテンアメリカ各地の左翼ゲリラ運動、および学生運動から派生した新左翼勢力の興隆と、それらに対する（主として軍事政権による）弾圧は、その力学のハイライトであった。これは単なる米ソ冷戦の反映ではない。そもそもラテンアメリカにおいて、急進的な社会思想に基づく政治勢力の台頭とそれに対する対抗・弾圧という力学は、一九世紀末のアナキズムおよびそれに続くアナルコ・サンディカリスムの登場に遡る。共産党も、一九三〇年代までに一九カ国で結成されている。ラテンアメリカのインテリ層は知的にヨーロッパと「地続き」であり、ヨーロッパ発の社会思想を自らのものとしてきた。また主要な政治勢力の指導層は、二〇世紀末まで白人または白人との混血であり、人種・民族対立が政治を規定する程度が少ない。その分だけ、ラテンアメリカでは左右のイデオロギー対立が純粋に現れたと言えよう。

しかし一九七〇年代以降、弾圧による急進左翼の押さえ込み、未曽有の経済危機と新自由主義経済モデルへの転換、民主主義体制への移行、左右対立の相対化などの現象が、ラテンアメリカの風景を大きく変えた。本稿では、歴史的経緯を踏まえつつ、政治的側面を中心にしてラテンアメリカの現在の姿を考察する。

一、経済構造の大転換

二〇世紀後半のラテンアメリカは、「開発熱」(西語 desarrollismo)に邁進した。今日では「観光立国」という言葉もあり、サービス産業も開発の重要な柱となりうるが、二〇世紀半ばの世界において「開発」は工業化とほぼ同義であった。その中でもラテンアメリカ諸国が採用したのは、国家主導の輸入代替工業化というモデルである。具体的には、外国製品の輸入制限、保護関税、国内工業に対する免税措置などによって国内工業を保護するとともに、国営企業によって国家自らが工業分野を含めた生産を担い、流通や金融にも参画した。この経済モデルは一定の繁栄をもたらした。一九五〇―七〇年代に、ラテンアメリカ諸国の国内総生産実質成長率は年五%台を記録している(2)。しかし一九八〇年代に入ると経済は失速し、輸出志向工業化を追求したアジア諸国とは対照的に、ラテンアメリカは厳しい経済危機に突入した。

一九八〇年代はラテンアメリカで「失われた一〇年」(lost decade)と呼ばれた。一九八〇年代の一人あたり国内総生産はラテンアメリカのほとんどの国で実質マイナス成長を記録し、世界の国内総生産に占めるラテンアメリカの比重は、一九八一年に七・六%だったものが、一九八九年には四・六%に低下した(3)。一九八〇年代はハイパーインフレーションの時代でもあった。ラテンアメリカ諸国の消費者物価上昇率は年率で平均一二六%を記録し、中でもニカラグアは五七〇〇%、アルゼンチンは四三八%であった。単年では、一九八〇年代にボリビアが五桁、ニカラグア、ペルー、アルゼンチン、ブラジルが四桁の消費者物価上昇率を経験した(4)。

ラテンアメリカの経済危機は、一九八二年八月のメキシコの債務不履行宣言に端を発する累積債務危機として表面化した。債務を払えなくなった各国は、資金の借入れ先である国際金融機関、先進国の民間銀行、先進国の政府系機関などに債務繰延べを要請し、国際通貨基金(IMF)の指導下で経済運営を改善することを条件として繰延べが認められた。IMFによる短期的経済安定化(総需要抑制によるインフレの抑え込み)はその後、世界銀行を中心とする中長期的な「構造調整プログラム」に引き継がれる。こうしてラテンアメリカは、国営企業の民営化、貿易と資本取引の自由化、労働者の雇用保護の弱体化、物価と賃金の自由化、その他経済規制の緩和によって特徴付けられる、「新自由主義」の時代に突入した。

一九七〇年代半ばに世界に先駆けて新自由主義を採用したチリを例外として、ラテンアメリカの新自由主義は、累積債務危機という文脈で、国際金融機関や先進国からの圧力の下でいやいや採用させられた政策であった(5)。圧力の下で押しつけられたという新自由主義の性格を反映して、一九九〇年代初頭までは、新自由主義政策を採用すると公言して大統領に当選した人はほとんどいなかった。しかしそのうち、米国に留学したエコノミストや経済自由化の淘汰を生き延びた企業家を中心に、新自由主義政策を積極的に提唱する人たちが国内に登場してくる。そして、新自由主義を採る政権でも、経済成長などのパフォーマンスがよければ、再選される事例が出てきた。

とはいえそれは、人々が新自由主義という経済モデルに納得したことを必ずしも意味しない。世論調査によれば、ラテンアメリカ諸国では「市場経済」を肯定する意見が多いものの、特に教育、医療、水道、年金、電気、電話などの公共サービスにおいては国家が主要な役割を担うべきであるという意見が大勢であるし、石油産業についても同様である。民営化されたサービスへの満足度は概して低いし、経済的不平等に不満を持つ人は多い(LB 2008: 34-40; LB 2009: 87-97; LB 2010: 106-110; LB 2011: 93; LB 2013: 76-83; LB 2018: 44; LB 2021: 44-45)。

このような世論調査結果を踏まえれば、ラテンアメリカの人々の多くが経済に満足している場合でも、それは新自由主義モデルの正しさへの信念ではなく、結果としての経済パフォーマンスに対する満足だと解釈されよう。二〇〇〇年代前半から二〇一〇年代半ばにかけて、石油、鉱産物などの一次産品価格が高騰し、資源輸出国が多いラテンアメリカは潤った。「奇跡」にはほど遠いものの、二〇〇三年から二〇一三年にかけて、リーマン・ショックでマイナス成長を記録した二〇〇九年を除き、実質二・五―六・四%というまずまずの国内総生産成長率を経験した。(6) この間、ラテンアメリカの政権支持率の平均も、一次産品価格と連動するように推移した(LB 2021: 48)。

しかし経済が下向きになれば、隠れていた不満が噴出する。とりわけ衝撃的であったのは、それまで新自由主義の優等生と見られてきたチリの各地で、二〇一九年一〇月以降に噴出した大規模な抗議運動と暴動である。一九九〇年にピノチェト軍事政権を退陣させた民主化勢力は、軍事政権が導入した新自由主義政策を基本的に継承した。抗議運動のきっかけは地下鉄運賃の三〇ペソ(約四・五円)値上げであったが、抗議で連呼された「三〇ペソの問題じゃない、三〇年の問題だ」というスローガンは、民主化以降三〇年間の不平等やそれを放置してきた既成政治家に対して、明確にノーを突きつけたのである。

二、政治の変容と現状

民主化の軌跡と人権状況の現在

ラテンアメリカの民主化は長いタイムスパンで考える必要がある。発展途上国の多くは、一九七〇年代半ばに始まる「民主化の第三の波」(ハンチントン 一九九五)で民主主義体制に移行したが、ラテンアメリカの民主化はそこから見たのでは捉えきれない。ラテンアメリカ諸国は、一九世紀初頭に独立して共和制を選択したときから、選挙で指導者を選ぶ仕組みを整えた(帝政として独立したブラジルは一八八九年に共和制に移行した)。ラテンアメリカの民主化はその時から始まっている。

もっとも、選挙ではなく反乱や革命で権力に到達する政権は多かった。また当初は選挙自体も、(同時代のヨーロッパ諸国と同様に)性別、財産、識字能力に基づく制限選挙が多く、不正選挙や当局による選挙干渉、さらには暴力沙汰もしばしば見られた。さらに、選挙で選ばれた政権であっても、政治的反対派を迫害するのは珍しいことではなかった。二〇世紀前半になってもまだ、質の悪い選挙で当選した政権や、当選してから反対派を迫害する政権(選挙不正と反対派弾圧の程度が著しければ非民主制だが、それほどでなければ民主制と非民主制の中間の「半民主制」と見なしうる)と、クーデターや反乱で成立した純然たる非民主制とが併存していた。

しかしその後、選挙の質が改善してあからさまな不正選挙は徐々に減少していった。また選挙権も、一九世紀から時として前進と後退を伴いながら拡大していった。財産資格の撤廃は、早い国では一九世紀半ば、最も遅い国で二〇世紀半ばに確立した(いったん実現した後で再び制限が課されたものを含めればその歴史はさらに遡る)。女性の参政権は、一九二九年から一九六一年の間に実現された(Smith with Sells 2017: 180-181)。非識字者は、早い国では一九世紀から選挙権を得ていたが、最も遅かったブラジルでは、一九八五年にようやく選挙権を獲得した(Kellam 2013: 29)。もっとも、二〇世紀を通じて初等教育が普及していったため、非識字者に選挙権が与えられていない国でも、実際に選挙から排除される人口は次第に減少していった。

このような選挙権の拡大と不正選挙の減少によって、人民の意思によって指導者を選ぶという選挙の実質が次第に確立していった。それと並行して、選挙で選ばれた政権による反対派迫害も減少していく。その結果、二〇世紀の後半には、「半民主制」ではなく「民主制」と分類できるような国が増えていくことになる。

しかしこうした民主化は、すべての国で一様に起こったわけではない。大まかに言って、ラテンアメリカ諸国には三つのパターンを区別できる。すなわち、①民主化の「第三の波」に至るまで民主制を経験しなかったか、民主制があったとしてもごく短期間でつぶれた国(ハイチ、パラグアイ、エルサルバドル、メキシコ、ドミニカ共和国、ニカラグアなど)、②「第三の波」の前に数十年にわたる民主制を経験した国(チリ＝一九三二―七三年、ウルグアイ＝一九四三―七三年、コスタリカ＝一九五三年―、ベネズエラ＝一九五九―九九年など)、③「第三の波」の前に非民主制と(半)民主制の交替を振り子のように繰り返した国(ペルー、アルゼンチン、パナマ、エクアドルなど)である。他の発展途上地域と比べれば、ラテンアメリカの特徴は、独立が早く、選挙が早くから導入されたことと、②、③のパターンが存在することに認められるであろう。③の振り子運動が観察されるのは、それらの諸国の人々に、民主主義の理念が半分根付いていたことと関連している。それらの国の人々の多くは、民主主義の理念を受け入れていたが、常に死守すべき価値だとは考えず、政治や経済が混乱したときには一時的に民主制を棚上げにして、軍のクーデターに期待した。しかし他方で、民主制がノーマルな体制であるという意識があるので、軍政がうまく行かなかったり、長引いたりすると、民主化を求める民主化バネが働くことになった。

このように国単位でも振り子運動が起こるが、ラテンアメリカ全体としてみても民主制が多い時期と非民主制が多い時期とがある。第二次世界大戦終結の頃から民主制が増え始め、一九六〇年頃に民主制の小ピークを迎えた。その後クーデターが頻発してラテンアメリカは独裁政権に覆われてゆき、一九七〇年代後半に民主制は底を打った。その当時、(半)民主制に分類できるのはコスタリカ、ベネズエラ、コロンビアくらいであった。しかし一九七〇年代末から再び民主化の波が始まり、一九八〇年代を通じてラテンアメリカ諸国は次々と自由選挙で選ばれた文民政権に移行していく。こうして一九九〇年代前半にいったんは、キューバとメキシコを除く一八カ国が民主制ということになり、二〇〇〇年にはメキシコも民主化を果たした。

ところがとりわけ二〇〇〇年代以降、いくつかのラテンアメリカ諸国では、民主制から半民主制、さらには非民主制の方向への揺り戻しが見られる。それはかつて見られたようにクーデターで民主制が転覆されるという事態ではなく、選挙によって選出された大統領が民主主義制度を浸蝕する形で起こっている。具体的には、本来党派的に中立であるべき司法府、検察、選挙管理機関、会計検査院、軍などの組織に対して党派的人事で中立性を奪い、行政府に権力を集中させるとともに、批判的なマスメディアを迫害し、さらには政治的反対派を迫害することが目立つようになる。このため、いくつかの国は民主制から半民主制に変質し、ベネズエラとニカラグアは明確に非民主制に転化した。これは世界の趨勢とも一致している。ラテンアメリカ以外でも、二〇〇〇年代半ば頃から民主化よりも非民主化の傾向が優勢になり、しかも非民主化では、選挙で選出された政権による民主主義の浸蝕が目立っている(本巻「展望」論文参照)。

以上、民主主義体制の推移についてラテンアメリカ全体の傾向を述べてきたが、ラテンアメリカ諸国の多様性も強調しておきたい。民主化の軌跡の多様性についてはすでに述べたが、現在の民主主義の質においても、ラテンアメリカはきわめて多様である。たとえば、民主主義に関する代表的な指標であるV-Demプロジェクトの「自由民主主義指標」において、コスタリカやチリのスコアは日本や米国よりも高い(V-dem Institute 2023: 42)。非民主制の国があると同時に、先進国並みの民主制もあるのが現在のラテンアメリカの姿である。

次に、ラテンアメリカの人権状況を考える上では、人権侵害(ここでは経済的社会的文化的権利ではなく、市民的政治的権利の侵害に限定する)を三つの種類に分けることが有用であろう。第一のタイプは、政治的ライバルや批判者に対する迫害、弾圧である。第二のタイプは、反体制武装勢力鎮圧に伴う人権侵害、特に反体制武装勢力への加担を疑われた人たちに対する拷問や殺害である。第三のタイプはそれ以外の雑多な人権侵害、たとえば、一般犯罪の容疑者に対する警察の虐待や拷問、ローカルな権力構造を背景にした人権侵害、民間人による暴力を取り締まらないことによる不作為の人権侵害などである。第一、第二のタイプの人権侵害は政府の中枢または軍部の中枢が関与しているが、第三のタイプの場合は必ずしもそうではないという特徴がある。

このように人権侵害を三つのタイプに分けた場合、第一のタイプの人権侵害は民主制の下では見られない。なぜならば、民主制の定義からして、このタイプの人権侵害が著しければそもそも民主制と見なされないからである。すでに述べたように、ラテンアメリカ諸国は一九七〇年代末以降ほとんどの国が民主化したので、第一のタイプの人権侵害は激減している。もっとも二〇〇〇年代以降は、いくつかの国が半民主制、非民主制の方向に移動したことによって、第一のタイプの人権侵害が増える傾向にある。しかしそれでも一九七〇年代の独裁政権下における苛酷な弾圧と比較すれば、ラテンアメリカ全体として第一のタイプの人権侵害は少なくなったと言える。第一のタイプの人権侵害とは異なり、第二、第三のタイプの人権侵害は、非民主制の下でより苛酷になる傾向があるものの、民主制に分類される国でも起こりうる。しかしラテンアメリカでは、第二のタイプの人権侵害も大幅に減少した。それは、一九七〇年代以降ニカラグア、エルサルバドル、グアテマラ、ペルー、コロンビアなどで吹き荒れた国内武力紛争が、中米三カ国では終結、ペルーではほぼ終息し、コロンビアでも二〇〇〇年代から左翼ゲリラが弱体化したからである。

しかし第三のタイプの人権侵害は、今日でもまだ多くの国で見られる。とはいえ、他の発展途上地域と比較すると、現在のラテンアメリカでは非民主制と国内武力紛争が相対的に少ないため、人権侵害の総量も少なくなっている。

また人権状況を考える上でも、民主主義の現状を考えるときと同様に、ラテンアメリカの多様性に留意する必要がある。V-Demプロジェクトの「市民的自由指標」では、コスタリカの〇・九四一、ウルグアイの〇・九二、チリの〇・九〇二に対して、ドイツは〇・九五三、日本〇・九三、米国〇・九二八、フランス〇・九二一、イギリス〇・八九一である(数字が大きいほど市民的自由の度合が高い。次のフリーダム・ハウスのスコアも同様)(7)。米国のNGOフリーダム・ハウスの「市民的自由」のスコアは、ウルグアイとチリが五六、コスタリカ五三に対して、日本五六、ドイツ五五、イギリス五四、フランス五一、米国が五〇である(8)。このように欧米諸国並みの国がある一方で、キューバ、ベネズエラ、ニカラグアのように、市民的政治的権利が広範に侵害されている国もあるのだ。

政治の新しい特徴

一九八〇年代以降に起こった大きな変化のひとつは、とりわけ経済的次元において、政党間のイデオロギーおよび政策的距離が縮小したことである。その原因は、左翼勢力の穏健化と経済のグローバル化に求められる。

一九六〇年代から七〇年代にかけて、キューバ革命(一九五九年)の影響などによって、ラテンアメリカ各地で学生やインテリ層が急進化し、急進左翼運動が伸長した。しかしこれに危機感を抱いた軍部による弾圧によって左翼は大きな打撃を被った。「ブルジョワ民主主義」を軽視していた左翼、特に知識人は、自分たちが受けた苛酷な弾圧の経験から、暴力革命を放棄し、人権を尊重する自由民主主義を受容した。またそれと同時に、世界的な社会主義経済モデルの凋落などにより、経済的次元でも穏健化し、市場経済を受容するに至った(大串 一九九五:第二部)。すべての左翼が穏健化したわけではないが、主要政党間の競合は、少なくとも従来型の「資本主義対社会主義」という対立軸を失うことになった。穏健化した左翼勢力は積極的な社会政策とともに、女性・先住民・性的マイノリティの権利を含む人権の促進や、移行期正義(過去の人権侵害に関する裁判や真実解明など)の推進を目指すようになる。

他方で、グローバル化した経済の下では、新自由主義的政策を採ることを強いられるという面がある。新自由主義から逸脱すれば、外国投資の激減、株式と国債価格の暴落、政府や企業の海外市場における資金調達の困難などを覚悟しなければならないからである。ラテンアメリカで左派的政権が誕生しそうになると株価が暴落し、新政権は市場をなだめるために財務大臣に経済テクノクラートを指名するというパターンがしばしば見られる。こうして、とりうる経済政策の幅は狭くなり、経済モデル間の競争という要素は薄くなる。もっとも経済モデル間の競争は、一部の国ではいわゆる「左派政権」の「急進派」の登場によって部分的に復活した。

「ピンクの潮流」(pink tide)とも呼ばれたいわゆる「左派政権」は、二〇〇〇年前後からラテンアメリカに登場して注目を集めた。数え方にもよるが、一時はラテンアメリカ諸国の半数以上が、広く捉えれば「左派政権」となった。

これらの「左派政権」は、「急進派」と「穏健派」に分けることができる。

「穏健派」は、経済的には新自由主義の枠組を大きく外れず、マクロ経済の均衡の維持や民間投資の促進に努力する一方で、社会政策に力を入れる。政治的には、自由民主主義の枠組に忠実である。対外政策では、米国からやや距離を置き、是々非々の独立的態度をとるが、対決的ではない。また国内の政治スタイルも対決的でなく、反対派への敵意を煽るようなことはない。具体例としては、チリのリカルド・ラゴス政権(二〇〇〇—〇六年)、ミチェル・バチェレ政権(二〇〇六—一〇年、二〇一四—一八年)、ブラジルの労働者党(PT)中心の連立政権(二〇〇三—一六年)、ウルグアイの拡大戦線(FA)政権(二〇〇五—二〇年)などが挙げられる。

他方で「急進派」は、経済的には単に社会政策を充実させるだけでなく、新自由主義モデルそのものに反発し、国営企業や経済的規制において国家の役割を復活させるとともに、対外的には経済ナショナリズムを主張する。また、程度の差はあるが、自由民主主義のルールを必ずしも遵守しない。前述したように選挙で当選してから民主主義制度を浸蝕した政権には、「左派政権」の「急進派」が多い。対外政策においては、強硬な反米姿勢とキューバとの親密な関係を特徴とする国が多い。またロシアなど世界で反米の色彩が強い政権との関係を強化する傾向がある。国内の政治スタイルは対決的で、国民を敵と味方に峻別して政敵を徹底的に罵倒するなど、国民を分極化する。具体例としては、ベネズエラのウーゴ・チャベス政権(一九九九—二〇一三年)とニコラス・マドゥーロ政権(二〇一三年—)、エクアドルのラファエル・コレア政権(二〇〇七—一七年)、ボリビアのエボ・モラレス政権(二〇〇六—一九年)、ニカラグアのダニエル・オルテガ政権(二〇〇七年—)などが挙げられる。

実際の「左派政権」の有り様はさまざまであり、必ずしもこの二つの型にぴったり当てはまるわけではない。特に「急進派」は自由民主主義からの逸脱の程度が大きく異なることに注意されたい。系譜的には、「左派政権」の「穏健派」には、一九七〇―八〇年代頃まで急進左翼だった勢力が穏健化したものが多い。それに対して「急進派」には、ナショナリストの軍人や先住民運動など、ニカラグアを例外としてかつての急進左翼とは異なる系譜から登場し、新たに政治に参入したアウトサイダーが多い。

さて前述の通り、「左派政権」の「急進派」の登場により、経済モデル間の競争は部分的に復活した。しかしここで留意すべきは、「左派政権」の「急進派」の経済モデルは、かつての急進左翼が目指していたものではないということである。かつての急進左翼は資本主義の克服を目指していた。しかし「左派政権」の「急進派」は、「二一世紀の社会主義」のレトリックにも拘わらず、基本的に資本主義モデルの枠内にある。キューバ型経済よりは、一九七〇年代までラテンアメリカで一般的であった国家主導の資本主義モデルに近い(かつての輸入代替工業化は資源輸出依存に置き換わっているが)。共産主義のシンボル・カラーの赤ではない「ピンクの潮流」と呼ばれた所以である。

さて、二一世紀のラテンアメリカ政治で目立ってきたのは、同性婚、人工妊娠中絶などのジェンダー道徳をめぐる問題が、保守的な立場から政治争点化される傾向である。ラテンアメリカはマチスモという言葉の発祥の地でありながら、高学歴層の間ではフェミニズムが強く、また性的マイノリティによる権利要求も目立つようになってきた。近年ジェンダーをめぐる争点が政治化したことには、このような女性や性的マイノリティの主張と権利拡充へのバックラッシュという面がある。他方でこうした問題を政治争点化する主体、とりわけ保守的プロテスタンティズムの指導者の台頭も重要な要因である。キューバとハイチを除くラテンアメリカの一八カ国とプエルトリコにおける調査によれば、一九七〇年にカトリックが九二%、プロテスタントが四%を占めていたのに対して、二〇一四年にはカトリックが六九%、プロテスタントが一九%、その他の宗教が四%、無宗教が八%と、プロテスタントが急増している。急増したプロテスタントの約三分の二はペンテコステ派である。そして世論調査によると、同性愛、妊娠中絶、離婚、婚外性交渉、妻は夫に服従すべきか、飲酒は道徳的によくないかといった質問に対して、ラテンアメリカのほぼすべての国で、プロテスタントのほうがカトリックよりも保守的であることが明らかになっている(Pew Research Center 2014)。カトリックの聖職者と異なり、プロテスタントの牧師はしばしば政治に進出する。その際の彼らの旗印は多くの場合、同性愛反対や彼らが言うところの「ジェンダー・イデオロギー」反対といった、ジェンダーをめぐる争点なのである。

近年ラテンアメリカの多くの国で見られるもう一つの現象は、政治の分極化である。国によって始まる時期に違いはあるが、二〇一〇年代になるとラテンアメリカの多くの国で分極化が目立つようになった。一九六〇年代から七〇年代にかけても激しい分極化の時代であったが、小康期を経て、再び分極化の時代が到来したかに見える。

前述したように経済政策の幅は小さくなっている。そこに新たな争点として社会道徳の対立軸が加わったが、現在の分極化は何よりも、イデオロギーや政策の距離とは区別される、「感情的分極化」(affective polarization)である。「感情的分極化」の一因として、政治に対する不満が増加したことを指摘できよう。キューバとハイチを除く一八カ国の世論調査で、自国の民主主義のパフォーマンス(funcionamiento)に対して「不満」または「やや不満」と答えた人の割合は、一九九五年の五六%から二〇二〇年の七〇%に増加した(LB 2021: 38)。しかし「感情的分極化」には、政治的反対派を徹底的にこき下ろして敵意を煽る指導者が台頭したことも大きく影響している。ペルーのフジモリ、ベネズエラのチャベスとマドゥーロ、エクアドルのコレア、ブラジルのボルソナーロ、エルサルバドルのブケレ、メキシコのロペス・オブラドールなどが典型的である。彼らは民主主義制度を軽視する点でも共通しているが、それ以外のイデオロギー・政策における位置はバラバラである。分極化は、街頭での激しい動員や、SNSでのヘイト・スピーチに見て取れる。ベネズエラのマドゥーロにとって反対派はすべて「ファシスト」であり、逆に右派が左派を「コミュニスト」「テロリスト」と罵ることも頻繁である。一部の勢力は暴力にも訴える。言うまでもなくこのような分極化は、民主主義の質の低下をもたらす一因となっている。

国際関係

一九二〇年代以降、ラテンアメリカの域外関係において、米国の地位は圧倒的であった。しかし一九六〇年代頃から、ラテンアメリカ諸国は米国から自律的な傾向を見せるようになる。

そのひとつの表れは経済ナショナリズムである。外国投資がホスト国に充分に役立っていないという認識の下に外資に厳しい規制を課す経済ナショナリズムは、天然資源に対する恒久主権を謳った資源ナショナリズムとして一九六〇年代に始まり、一九七〇年代には製造業にまで波及した。七〇年代半ばにピークに達したこのナショナリズムは、左翼や中道左派だけでなく、左翼を弾圧するために登場した右派軍事政権にまで共有されていた（右派の経済ナショナリズムが払拭されるのは七三年に登場するピノチェト軍政以降である）。

米国からの自律化は、外国投資以外の分野でも現れた。一九六〇年代末から七〇年代にかけて、東西デタントという環境条件にも助けられ、東側諸国と通商関係や外交関係を樹立する国が増えていった。東側諸国との関係回復の動きはイデオロギー的ではなく、通商相手や援助供与国のオプションの拡大という実利的な動機が主たるものだった。さらに一部の政権は、第三世界諸国との連帯と新国際経済秩序の実現を志向する「第三世界主義外交」を積極的に追求した。域内の関係においても、米国が米州システムの中心であることに変わりはなかったが、ラテンアメリカのより自律的な協調が模索されるようになった。

経済ナショナリズムは、一九八〇年代の経済危機とそれに続く新自由主義化の中で雲散霧消し、二〇〇〇年代の「左派政権急進派」の登場で部分的に復活するに留まった。しかしそれと対比して、自律的な外交姿勢のほうは一九八〇年代以降も一貫して維持された。たとえば、一九八二年にイギリスとアルゼンチンがフォークランド／マルビナス戦争を戦った際には、米国がイギリス側についたのに対して、米州機構はアルゼンチンを支持した。一九八九年に米軍がパナマに侵攻したときには、米州機構は米軍の即時撤退を要求する決議を採択した。二〇〇九年の米州機構総会は、米国の抵抗にも拘わらず、キューバを米州機構から締め出すという一九六二年の外相協議会の決定を破棄して、キューバの米州機構への復帰に道を開いた（ただしキューバは復帰の意思を示していない）。米州機構が米国の道具だという反米「左派政権」の非難にも拘わらず、米州機構は米国の思い通りにならないのである。

この自律的外交姿勢が、キューバや「左派政権急進派」などの反米的政権で最も強いのは言うまでもない。しかし重要なのは、反米的ではない政権でも、それぞれの政治志向や実利によって米国に是々非々の態度を取るようになってきたことである。反米でない政権は、米国に対決的ではないが、米国が望む行動を取るとは限らない。最近の文脈で言えば、米中の激しい対立の中でも、ラテンアメリカは中国との貿易や中国からの投資に期待している。それは必ずしも中国に親近感があるからではない。米国が経済力を相対的に低下させ、かつ保護主義的傾向を強める中で、中国は経済関係では魅力的なパートナーと映っているのだ。実際中国は、ラテンアメリカにとって米国に次いで二番目の貿易相手となっており、いくつかの国ではすでに最大の貿易相手である。投資における比重は貿易ほどではないが、急速に存在感を高めつつある。ただし政治的な関与は大きくなく、台湾と外交関係を持つ国々への切り崩しと、ベネズエラ、エクアドルなどの反米的政権への融資が目立つ程度である。

次にラテンアメリカの域内関係に目を転じると、そこには愛憎関係の色彩がある。すなわち、一方では共通の文化、歴史、言語を背景にして、ラテンアメリカ諸国の間には兄弟国という連帯感がある。しかし他方では、隣接する諸国はしばしば国境紛争を戦い、軍はそれぞれ互いの国を仮想敵国としている。

ここで重要なことは、ラテンアメリカではかつて国境が人為的に引かれたにも拘わらず、一部の先住民族を除いて国民意識が強く浸透しており、ナショナリズムが非常に強いという事実である。ラテンアメリカ諸国のナショナリズムはエスニシティの別に拘わらずネーションとの自己同一化を基礎とする「公民型ナショナリズム」(civic nationalism)

である。それぞれの国内に複数の人種の人が住み、隣国との間で人種構成が似通っていようと、ナショナリズムは国ごとに成立する。ラテンアメリカのナショナリズムというと、ラテンアメリカ全体として欧米支配に対抗するという意味での「ラテンアメリカ・ナショナリズム」ばかりが注目される傾向があるが、国ごとのナショナリズムが強いことを見逃してはならない。

しかし域内の国境をめぐる敵対関係は、一九八〇年代以降かなり改善されている。たとえば、ペルー・チリ関係は一九世紀後半の「太平洋戦争」以来険悪で、一九七〇年代には戦争が懸念されるほどであったが、一九八〇年代以降は改善の傾向にある。チリとアルゼンチンも、南米大陸南端の島の帰属をめぐって一九七〇年代末に戦争の一歩手前まで行ったが、土壇場で戦争が回避され、一九八〇年代に領土に関する合意が成立した。ペルーとエクアドルは国境をめぐって二〇世紀に三度戦火を交えたが、一九九八年の両国の合意により国境問題はほぼ解決した。近年のラテンアメリカ諸国が、国境問題の解決を国際司法裁判所(ICJ)に託す傾向にあることも注目に値する。戦争ではなく裁判による決着を求めるのは、見倣うべき傾向であると言えよう。

三、社会的課題

不平等と犯罪

ラテンアメリカは、世界銀行の分類で中所得国に位置する国が多いが、国内に深刻な不平等を抱えている。世界銀行の World Development Indicators に近年の所得ジニ係数が載っている国・地域が一六七あり、その中で相対的に不平等の度合が高い、係数四五以上の国は二七カ国あるが、そのうち一三カ国がサハラ以南のアフリカ、九カ国がラテンアメリカ、五カ国がカリブの非ラテン系諸国である(二〇二三年五月二九日最終閲覧)。ラテンアメリカでは過去二〇年ほどの間にジニ係数が改善した国が多いが、それでも依然として不平等度が高い地域となっている。

ラテンアメリカ(および非ラテン系のカリブ諸国)の社会が直面するもうひとつの大きな問題は、犯罪とその暴力である。国連薬物犯罪事務所(UNODC)によれば、データのある直近の年で人口一〇万人当たりの殺人犠牲者数が一五人を超えている二〇カ国のうち、一六が中南米にある(内訳はラテンアメリカが七、非ラテン系のカリブ諸国が九)[9]。

またラテンアメリカは、ローカルな場で広義の人権擁護活動に従事する人々に対する殺害が世界で最も多い地域である。国際NGOフロント・ライン・ディフェンダーズ(Front Line Defenders)が毎年刊行している報告書によれば、近年はこの種の殺害の大半がラテンアメリカで起こっている(直近の二〇二二年では七割。Front Line Defenders 2023: 5)。鉱山開発やダム開発などに絡み、環境や土地を守ろうとするコミュニティ・リーダーが殺害されることが目立つ。殺害するのは多くの場合、開発や土地収奪を目論む民間の主体であり、その多くは多国籍企業の子会社を含む悪徳企業であるが、国家が充分な取締を行わず、ときには治安部隊がそれらの攻撃に関与する場合もあるため、国家による人権侵害と見なしうる。人権侵害の総量が他の発展途上地域に比して少ない一方で、この種の人権侵害はむしろラテンアメリカにおいて顕著である。

社会的マイノリティの地位

ヨーロッパ諸国はアメリカ大陸の先住民族を征服し、その後アフリカから多くの黒人奴隷を連れてきた。一五〇一—一八六六年にアフリカから連れ出された奴隷のうち、約九六%が中南米、約六五%が今日のラテンアメリカ諸国に到着したと推計される[10]。先住民と奴隷は、最初から社会の底辺に位置づけられていた。その後ラテンアメリカでは混血が進み、混血の中には社会的上昇を遂げた人も多い。しかし先住民と黒人のほとんどは、いまだに社会の底辺に留め置かれている。他方で、先住民人口の多い国では、社会運動や政治における先住民の存在感が増している。コロンブスによるアメリカ大陸到達五〇〇年に当たる一九九二年に向けて、ラテンアメリカ全体で先住民族運動が活性化し、特にエクアドルやボリビアにおいては先住民の社会運動が強力に展開された。またペルーとボリビアでは先住民出身と見なされる大統領が誕生している。

社会における女性の地位は、時代によって大きく変化してきた。現在のラテンアメリカでは、単純化して言えば、女性の役割に関して三つの文化が国内に混在している。第一は男性優位のマチスモの文化であり、概して下層階級で優勢である。第二は伝統的な上層階級の文化であり、女性は尊重されるものの、その社会的役割は「女性にふさわしい」ものに限定される。第三は高学歴層を中心とした広義のフェミニズムの文化であり、そこでは女性が男性と同様に社会や政治に参画することが当然と考えられる。上層階級はほぼ全員、中産階級もかなりの部分が高学歴層であるので、第二の文化は急速に廃れつつある。

皮肉なことに、ラテンアメリカの経済的不平等は、中産階級以上の女性の社会進出に有利に働いている。低賃金の家事労働者を雇用することが容易であるため、家庭・育児かキャリアかという選択の深刻さが相対的に少ないからである。他方で、社会の一部に残るマチスモ文化を反映して、女性に対するDVや殺害は多い。

女性の社会的地位には、国ごとの差異も大きい。世界経済フォーラムが公表しているジェンダー・ギャップ指数は、経済、教育、健康、政治参加の四つの次元の一四の指標を総合して算出されるが、ラテンアメリカ・カリブ全体として見れば、この指数による平等度は北アメリカ、ヨーロッパに次いで高い。しかしラテンアメリカ諸国は、一四六カ国中七位から一一七位まで幅広く分布している(ちなみに日本は一二五位である。World Economic Forum 2023: 11, 19)。政治参加度においても国ごとの多様性は大きい。ラテンアメリカでは、女性の大統領を出している国がいくつもある。また列国議員同盟(IPU)のデータで二〇二三年一月現在の下院における女性の議席占有率を見ると、データが欠落しているベネズエラとハイチを除くラテンアメリカ一八カ国の平均順位は一八六カ国中約五七位であるが、ラテンアメリカの国が上位の二、三、四、八、一二、一六位を占める一方で、一一九、一二三、一二九位の国もある(ちなみに日本は一六四位)[11]。また、二〇二二年二月に憲法裁判所の判決で妊娠二四週目までの人工妊娠中絶を合法化したコロンビアのような国がある一方で、中絶を一切認めず、自然流産であっても殺人罪で起訴される恐れのあるエルサルバドルのような国もある。

こうした多様性は、性的マイノリティに関しても同様である。同性愛を認めていないカトリック教の信者が多数派であるにも拘わらず、ラテンアメリカでは性的マイノリティの権利の拡充が進み、九カ国で同性婚が認められている(Council on Foreign Relations 2022)。他方で、同性愛者やトランスジェンダーに対する襲撃、殺害事件も頻繁に起こっている。二〇二一年一〇月から二〇二二年九月の一年間に、世界で殺害されたトランスジェンダー等多様な性自認の人(同性愛者は含まない)の六八%は、ラテンアメリカ・カリブの犠牲者である(TMM 2022)。

注

(1) 本稿において「ラテンアメリカ(諸国)」とは、スペイン、ポルトガル、フランスを旧宗主国とし、二〇世紀初頭までに独立国となったいわゆる「二〇の共和国」を指す。一九六〇年代以降にイギリスまたはオランダから独立したカリブ諸国は含まれず、また欧米諸国に帰属する非独立地域も対象としない。また「中南米」は、領土の帰属に拘わらず、メキシコ、中央アメリカ、南アメリカ、カリブ諸島の地理的総称として使用する。

(2) 国連ラテンアメリカ・カリブ経済委員会(ECLAC)の *Cuaderno estadístico*, no. 37 (2009) のウェブ版(https://repcsitorio.cepal.org/handle/11362/4315)に含まれるデータセットに基づく。数字はデータが存在する国の加重平均である。

(3) 世界銀行のデータから筆者が計算。

(4) 出典は注2に同じ。

(5) チリの場合もピノチェト軍事政権が激しい弾圧の下で一方的に採用したので、外からではないが国内的な「押しつけ」ではあった。

（6）世界銀行の World Development Indicators のデータによる。

（7）V-Dem Dataset Version 13（https://v-dem.net/）の二〇二二年の数字。二〇二三年五月二九日最終閲覧。

（8）フリーダム・ハウスのウェブサイト（https://freedomhouse.org/countries/freedom-world/scores）による。二〇二三年五月二九日最終閲覧。

（9）UNODCのウェブページ（https://dataunodc.un.org/content/homicide-country-data）のデータから筆者が計算。二〇二三年五月二九日最終閲覧。

（10）SlaveVoyages のウェブサイト（https://www.slavevoyages.org/assessment/estimates）のデータから筆者が計算。今日のラテンアメリカ諸国に到着した奴隷の数を計算するに当たっては、ブラジルとスペイン領アメリカと仏領サンドマングを合計し、そこからプエルトリコを差し引いた。

（11）"Women in Politics: 2023"（https://www.ipu.org/resources/publications/infographics/2023-03/women-in-politics-2023）による。二〇二三年五月二九日最終閲覧。

参考文献

大串和雄（一九九五）『ラテンアメリカの新しい風――社会運動と左翼思想』同文舘。

ハンチントン、S・P（一九九五）『第三の波――二〇世紀後半の民主化』坪郷實・中道寿一・藪野祐三訳、三嶺書房。

Council on Foreign Relations（2022）, "Marriage Equality: Global Comparisons"（https://www.cfr.org/backgrounder/marriage-equality-global-comparisons）最終閲覧日二〇二三年五月二九日。

Front Line Defenders（2023）, *Global Analysis 2022*.

Kellam, Marisa（2013）, "Suffrage Extensions and Voting Patterns in Latin America: Is Mobilization a Source of Decay?", *Latin American Politics & Society*, 55-4.

LB（Corporación Latinobarómetro）, *Informe* 各年版。https://www.latinobarometro.org/latContents.jsp からダウンロード可能。

Pew Research Center（2014）, "Religion in Latin America"（https://www.pewresearch.org/religion/2014/11/13/religion-in-latin-america/）最終閲覧日二〇二三年五月二九日。

Smith, Peter H., with Cameron J. Sells（2017）, *Democracy in Latin America*, 3rd ed., New York, Oxford University Press.
TMM（Trans Murder Monitoring）（2022）, "TMM Update・Trans Day of Remembrance 2022"（https://transrespect.org/en/tmm-update-tdor-2022/）最終閲覧日二〇二三年五月二九日。
V-Dem Institute（2023）, *Defiance in the Face of Autocratization: Democracy Report 2023*, Gothenburg, Sweden.
World Economic Forum（2023）, *Global Gender Gap Report 2023*, Geneva.

焦点 | *Focus*

移民・難民

森 千香子

はじめに――「問題」から「構造」の包括的な把握へ

本書の「展望」で木畑も述べるように、国境を越えた人の移動の増大は二一世紀の世界で観察されたもっとも重要な変化の一つである。国際移住機関(IOM)によれば、一年以上にわたって居住国を変えた人の数は二〇二〇年半ばで二億八一〇〇万と言われる(https://www.migrationdataportal.org/themes/international-migrant-stocks)。世界人口ランキング四位のインドネシアの総人口(二〇二一年、約二億七五〇〇万)を上回る数の人びとが移民・難民として暮らす。この数字は二〇〇〇年(約一億七〇〇〇万人)と比べ、約六五%増加という顕著な伸びを示しており、各国の総人口に移民・難民が占める割合も増加傾向にある。OECD加盟国のうち外国生まれの人口比率はルクセンブルクで四八%、オーストラリア三〇%、スイス二八・八%、ニュージーランド二八・七%、イスラエル二二・六%、カナダ二一・三%となっている(OECD 2020 https://data.oecd.org/migration/foreign-born-population.htm)。

二一世紀の国境を越える人の移動は量だけでなく質の面でも変化した。その一つが移動手段を簡易化する一連の措置である。欧州のシェンゲン協定、カナダ＝米国国境渡航優遇プログラム(通称NEXUS、両国を頻繁に往来する個人に条件付きでスマートカードを発行)、さらにアジアでもAPEC・ビジネス・トラベル・カード(通称ABTC、同域内を移動するビジネス関係者に対して発行され、ビザなしの入国のほか、迅速な出入国を可能にする専用レーンの設置)などが導入され、このように移動の自由を享受する人びとは「ビジネス・クラス・シチズン」(森・ルバイ 二〇一四:五頁)、「旅行者」(バウマン 二〇一〇)と呼ばれた。また労働力の不足からグローバルな人材争奪戦が展開されてもきた。日本でも一九九〇年代以降、外国人労働者の数は増大してきたが、それらは正式な移民政策によるものではなく、日系人の定住者ビザ発給や技能実習制度といった「サイドドア」を通じたものであった。だが二〇一九年四月に在留資格「特定技能」が創設され、ついに日本も移民開国に舵を切った。

同時にこのような流れと相反する動きも見られる。それは二〇〇一年九月の米国同時多発テロ事件以降、急激に加速した国境管理の厳格化と移民の安全保障化である。このような動向がもたらす影響は移民として移動する人たちの地位や環境に多大な影響を及ぼしただけでなく、さまざまな要因で発生する難民の条件にも大きな影響を及ぼしている。

こうしたなか、移民・難民の存在は何よりも「移民・難民問題」という「問題」として捉えられてきた。そのような「問題」が政治空間で重要な争点になるという「政治シンボル化」がすすみ、それと並行して排外主義が世界各地で高まり、移民排斥を訴える政党が欧州を中心に高得票を記録してきた。このように移民・難民をめぐるイシューは各地で論争を引き起こし、ともすると「賛成か反対か」といった単純な二元論に陥りがちである。だがこのような問題の立て方は現状の正確な認識を妨げてきた。

本稿は、移民・難民を「問題」として捉えることを回避し、より俯瞰的な視座から移民・難民現象が二一世紀に入ってどのように変化したのかを概観し、構造を包括的に把握することを目指す。そのために参照したいのが、フランス＝アルジェリア間の移民研究で知られる社会学者アブデルマレク・サヤードの指摘である。サヤードは大著『二重の不在』で、従来の移民研究が移民を受け入れ国側の立場からのみ捉えてきたと批判し、移民現象の全容を理解するには受け入れ国、送り出し国の双方を視野に入れなければならないこと、また移民現象は法や道徳、経済などの個別領域に還元できないものであり、現代社会の人類学的かつ政治的基盤を明らかにする「全体的社会事実」(fait social total)として理解する必要があることを主張した(Sayad 1999)。本稿もサヤードの指摘にならい、二一世紀における移民・難民現象を送り出し国・受け入れ国の双方を視野に入れながら、そして歴史、社会、経済、政治と領域横断的、かつ巨視的に概観し、どのような新たな課題が生まれているのかを検討する。

一、国境を越える人の移動はなぜ起きるのか?——主要理論の利点と限界

二一世紀の移民・難民現象を巨視的かつ構造的に捉えるため、本節では国際的な人の移動の発生、定住、帰還などを説明する主要理論の内容と問題点、新たな展開を整理しておく。

プッシュ=プル理論

国際移住を説明する上でもっとも一般的に知られるのが「移民たちは貧困や生活苦から逃れるため、より豊かで自由な国に移動する」というプッシュ=プル理論である。出移民国の低賃金や失業などの押し出し要因(push factors)と、入移民国の高賃金や社会保障などの引き付け要因(pull factors)のなか労働・生活する場所を選ぶという移民像は「経済合理的に行動する自由な個人の選択」という新古典派経済学の影響を強く受けている。

個人の選択の集積として移民現象を捉える見方は一見説得力をもつが、多様な移民のパターンを検証するとその説明力の限界が見える。第一に、移民は世界人口のごく少数(二〇二〇年世界総人口の三・六%、IMO)を占めるが、経済

格差だけで人が移動するのなら移民数はもっと多くなければならない。第二に、経済的合理性に逆行する人の移動（たとえば在日ブラジル人はバブル崩壊後日本の景気後退が始まった一九九〇年代に大幅に増加した）を説明できない。第三に、人の移動はもっとも貧しい地域からもっとも豊かな地域へと発生しているわけではない。たとえば米国には一〇〇〇万を超えるメキシコ移民が居住するがメキシコは世界的にみて最貧国ではない。つまりトマス・ファイーストが言うように「なぜほとんどの場所において移民は少数なのか」「なぜ少数の場所で多数の移民が発生するのか」という疑問を説明できないのである（Faist 2000）。

歴史＝構造視角

プッシュ＝プル理論における単純な移民理解を批判したのが歴史＝構造視角である。出移民国と入移民国の間で歴史的に作られた不平等な構造を考慮し、世界的な資本主義の展開のなかで国際移民を捉える。

この系譜の研究のなかでも知られるのが「海外投資が移民を生む」というサスキア・サッセンの議論だ。サッセンはプッシュ要因とプル要因が特定の国・地域間で作用するための条件を分析する必要を指摘し、海外投資＝生産の国際化の役割に注目した。具体的には、海外直接投資が一、投資受け入れ国の「伝統的労働構造」（非賃金労働構造）を解体し、農民の賃金労働者化と雇用の不安定を招き、その結果、潜在的失業者プールを増大させる、二、外国資本の工場で雇用されることで、投資受け入れ国の労働者が投資国の文化的影響を受けたり、意識面での距離が縮まったりして、海外での就労に対する心理的障壁が低下する、という二つの帰結を生み出し、国際人口移動を引き起こしていると指摘した（サッセン 一九九二）。たとえば、二一世紀に入って加速した製造業を中心とした日本企業のベトナム進出が、日本国内でのベトナム人労働者の増大に寄与していることが説明できる。

トランスナショナル視角

だが歴史＝構造視角は、エリートが作り出した不平等なメカニズムや構造に駆り立てられて移動するものとして移民を捉えるあまり、移民の主体性の軽視や下からの推進力という側面を捉え損ねているとの批判も受けてきた。これに対してトランスナショナル視角は、移民自身が生み出し発展させる中間的な社会組織やネットワークの役割を重視し、一方向ではなく、双方向の移動や関係性を通したトランスナショナルな社会空間に着眼する。たとえば移民ネットワーク概念は、特定の地域間に国境を越えたネットワークやコミュニティが形成され、恒常的かつ双方向的な人の流れが形成されていることを示した。同じ村出身者の相互扶助による農業労働者のメキシコ＝米国間移動（飯尾 二〇二二）や仲介業者を介して日本の製造業の集積地に移動する日系ブラジル人の移動（梶田・丹野・樋口 二〇〇五）などが説明されてきた。同概念は社会的ネットワークの重要性を強調し、賃金格差ではなく社会関係資本とネットワークから移民の流入を説明し、「孤立」した存在として捉えられてきた移民を「包摂」された存在として描きなおすと同時に、移民政策の「意図せざる結果」やシミュレーションに基づいて計算できない移民の動きの説明を可能にした。

またトランスナショナルな社会空間という概念は、送り出し国と受け入れ国、さらにその他の国を巻き込んで、双方向的に及ぼされるさまざまな社会関係や影響を分析する。国境を越えた政治資金集めや政党支援のあり方といった政治的影響、移民二世のアイデンティティなどの社会・文化的影響、さらに移民による海外送金額の増大（二〇二二年には前年比四・二％増の六三〇〇億ドル）と重要性（上位五カ国のインド、メキシコ、中国、フィリピン、エジプトでは外国政府からの援助額を大きく上回る、https://worldmigrationreport.iom.int/wmr-2022-interactive/）をはじめとする経済的影響などが論じられてきた。

二、二一世紀の移民政策――移民の安全保障化とリモート・コントロール

トランスナショナル視角は個人か構造かという二元論を棄却し、コミュニティやネットワークというメゾレベルの分析を重視し、二一世紀の人の移動を捉えるための新たな視座を提示した。その一方、トランスナショナル視角の研究に対しても批判がないわけではない。なかでもこれらの研究においては社会組織やネットワークのもつ多義的な意味が軽視されているとの指摘が行われてきた。

たとえば強い紐帯が生み出す拘束、社会的分裂と相互不信、不平等と支配関係といったコミュニティやネットワークの負の側面が論じられず、社会組織のポジティブな側面ばかりが強調されているとの批判がある。また人の移動に対する国家の規制力が軽視されているとの批判もある。実際、国家による政策は「どのような移民を受け入れ、どのような移民を排除するか」という選別のメカニズムを通して人の移動を上から規定しており、その重要性は特に二一世紀以降、拡大していることが指摘されてきた。

移民の安全保障化と「対移民戦争」

二一世紀の移民政策の特徴の一つにあげられるのが移民の安全保障化である。

冷戦終結以降、欧米を中心とする移民受け入れ国では治安の悪化や失業の増大などを移民のせいにする排外主義の機運が高まり、こうした状況を背景に移民を厳しく管理する政策への転換が進んだが、二一世紀に入り国境管理政策は新たなフェーズに入る。二〇〇一年の九・一一米国同時多発テロ事件以来、「移民の安全保障化」とよばれる政策が世界的にとられるようになったのである。安全保障化(securitization)とは「特定の問題が国家にとって死活の課題と

して認識されること」(伊藤 二〇一九)である。「移民の安全保障化」とは移民を国家の安全保障上の脅威とみなし、その対策を講じることとである。

入国要件の厳格化に加えて進められたのが「壁の政策」(teichopolitics)とよばれる政策で、「国土を防衛しなければならないという不安」を根拠にして空間を囲い込む措置を指す。二〇一二年の調査によると世界には建設中のものも含め、約三万二九〇〇キロメートルの国境障壁が存在し、それは全世界の国境の一六%にも及び、その四分の三以上が二一世紀に入ってから建設された(森・ルバイ 二〇一四:三〇頁)。障壁のなかには、サーモグラフィーカメラなど探知機能を備えた、高額のハイテクフェンスなども増加している。

さらに海路を通じた移民の上陸を防ぐために巡視船艇やヘリコプターなどを導入し、海上警備が厳格化されてきた。こうしたなか、地中海での移民船沈没など国境を越えようとして命を落とす人の数は年間四、五千人を超えるといわれる。ステファン・ロジエールは国境周辺の状況が単なる移民の「取締」という範疇をこえ、戦争というタームで理解すべき危機的状況にあると主張し、このような政策を「対移民戦争」と名付けた(同:三三―四四頁)。

リモート・コントロールと多国間ネットワークの構築――EUの事例

二一世紀の移民政策の第二の特徴にあげられるのが国境のリモート・コントロール政策の展開である。リモート・コントロール政策とは、ある政府が自国の移民・難民の管理を外部に委託し、遠隔操作するものである。そのような政策がいつ、どのように展開されてきたのかをEUの非正規滞在移民の管理を事例にみていこう。

一九九〇年代より欧州では「非正規滞在者の再入国に関する協定」(以下、「再入国協定」)が複数の国々の間で締結されてきた。再入国協定とは、ある者がA国からB国に入国したが滞在を許可されず退去させられる際、A国が受け入れ義務を負うことを定める協定である。一見当たり前に聞こえるが、重要なのは、受け入れ義務を負う対象には自国通過者も含まれる点である。本協定締結の背景には冷戦崩壊以降に東欧から西欧への難民・移民の流入が急増したことがあった。それまで欧州諸国では滞在資格のない外国人を強制送還しようとしても、出身国で迫害を受ける恐れのある者は強制送還できないというノン＝ルフルマン原則などがあり、送還できないケースも多かった。しかし本協定を結ぶことによって、出身国ではなく通過国に送り返すことが可能になった。こうして一九九〇年代より本協定はEUとその西側の外囲国境隣接国との間で締結され、移民・難民の流入を阻止する「EUの「警戒線」ないしは「篩《ふるい》」」の機能を期待されたのだった(森・ルバイ 二〇一四：八二頁)。

また二〇一〇年代以降、本協定はEUとアフリカ諸国やラテンアメリカ諸国との間で次々に締結されてきた。こうしてEU諸国から非正規滞在移民の大規模かつ大量の一斉強制送還が可能になったが、それだけではない。地中海をまたぐアフリカ諸国や東欧諸国に協定の枠組みで資金を与え、その対価として自国からEU諸国に渡ろうとする移民・難民を警備し、取り締まる役目が課されたのである。いわば国境管理のアウトソーシングである。こうして、モロッコ国境警察が移民の渡欧を妨害する、ということが日常的に行われたり、フランス難民保護局(OFPRA)の事務所がニジェールに設置され、フランスの庇護申請審査が現地で行われたり、国境管理のアウトソーシングの組織化が進められてきた。

同時にこのような隣接国での国境警備や、強制送還の過程では多くの移民が警察などの暴力にさらされていることが支援団体などの報告により明らかにされている。

政策の帰結としての移動格差の拡大と非正規移民の増大

このように二一世紀の国境政策の特徴は、「壁の政策」やリモート・コントロールなどを含め、一層の厳格化が進められてきた点にあるが、それと連動して進行したのがパスポート格差の拡大である。国籍に応じて、ビザなしでどの国でも行ける人と、ほとんどどこにも行けない人が存在する。二〇二三年のヘンリー・パスポート・インデックス(Henley Passport Index)によれば、一位シンガポールは一九二カ国、日本は三位(韓国、フィンランド、フランス、スウェーデン、ルクセンブルク、オーストリアと同順位)で一八九カ国入国できるのに対し、最下位三カ国はシリア三〇カ国、イラク二九カ国、アフガニスタン二七カ国と大きな格差があり、世界的な国籍の序列化が起きている(https://www.henleyglobal.com/newsroom/press-releases/2023-passport-index-global-mobility-q3)。

国境管理の厳格化とパスポート格差の拡大は複数の帰結を生み出したが、なかでも二一世紀に顕著なのが非正規移民(irregular migration)の増大である。非正規移民数はその性質上、正確な把握がむずかしい。特に各国政府や調査機関によって算出にもちいる方法や、どの集団を「非正規移民」とカウントするかによって(たとえば難民申請者を非正規移民に含む国とそうでない国があり、また自国で生まれた非正規移民の子どもについても国によって扱いが違う)数字が大きく変わる。だが以下では地域ごとに入手可能なデータを見ていこう。アジアでは、二〇一三年パキスタンでは数百万人、マレーシアでは二〇一七年に一二三万—一四六万人の非正規外国人労働者が存在すると報告された。また少し古いデータになるが、二〇一三年には、アフガン人の非正規移民のうち二七〇万人がパキスタンに、二二五万人がイランに在住すると言われる。欧州では、二〇〇八年時点では一九〇万—三八〇万の非正規移民がいると概算され、これは二〇〇五年時点の数値(二四〇万—五四〇万)を大きく下回る。国別に見ると英国では二〇一七年時点で六七万四〇〇〇人、米国では二〇一八年時点で一一四〇万という数字がある(データは全て以下参照 https://www.migrationdataportal.org/themes/irregular-migration)。

コロナウイルス感染症拡大にともなう世界的な国境封鎖施策の影響で非正規な形での入国者は減少した。二〇二〇年欧州の欧州国境沿岸警備機関(通称FRONTEX)によれば、二〇一三年以来非正規入国者数は最低数を記録した。だが正規の入国ルートの制限とポストコロナの経済復興の国ごとの格差拡大が、中長期的には非正規入国を斡旋するブローカーの需要を増やす可能性も指摘されている(UNODC 2021)。実際、米墨間国境では二〇一九年(九〇万人)に比べ二〇二〇年の非正規入国者数は五〇万と大幅に減少したが、二〇二一年には一五〇万を超えたことが報告されている(https://www.cbp.gov/newsroom/stats/southwest-land-border-encounters)。

三、ジェンダー、家族、セクシュアリティ

二一世紀の移民・難民現象を特徴づけるもう一つの重要な論点が、一九八〇年代から進行してきた「移民の女性化」(Feminization of Migration)の拡大である(Castles, de Haas & Miller 2014: 16)。かつての国際人口移動といえば大半が男性の労働移民と難民であり、女性は家族合流の枠組みでの移動にとどまっていたが、一九六〇年代以降、その傾向は大きく変化した。

移民の女性化と再生産労働のグローバル化

注意しなければならないのは、これが単に「国際移民に占める女性の割合が上昇した」という単純な話でない点である。数の面では、女性移民の増加率は男性よりも多いが、割合の面では一九六〇年代と比べて大きくは変わっていない。(1) むしろ重要なのは質的な変化である。

移民女性は以前より存在していたが、当初は移民男性の被扶養者や妻、母といった存在として理解され、労働者として注目されることはなかった。しかし一九八〇年代より欧米の先進国を中心に、家事労働などに従事する労働者として国境を越える女性の姿が顕著になった。実際、世界全体では移民に占める女性の割合は四八・一%であるが、北米では五一・八%、欧州でも五一・六%と半数を上回る(https://www.migrationdataportal.org/themes/gender-and-migration)。

移民女性労働者の多くが家事労働や高齢者、子どものケアなどの再生産領域に従事している。背景には、第二次大戦後に欧米の先進工業国や香港、シンガポールなどの新興工業国などで女性の社会進出が拡大し、その結果、家事・育児・介護などのケア労働の担い手を欠く「妻なき専門職世帯」が増加したことが指摘できる(Sassen 2003)。こうしたなか、従来女性が無償で担ってきた一連のケア労働を有償で外注化するニーズが拡大し、こうした領域に従事するため、途上国・地域の女性が移民として大量に流入するようになった。

移民の女性化とともに進行した「再生産労働のグローバル化」は、国家戦略とも密接に連動していた。移民女性労働者を受け入れた先進工業国において、それは福祉国家の縮小と並行するかたちで進行した。その一方、フィリピンをはじめとするアジアの途上国においては、ケア労働の「国際商品」化は、海外雇用を奨励することを通した外貨獲得手段として位置づけられ、たとえばフィリピンでは年間一〇〇万人を超える移民が送り出されている。

このような政策は当初は国家主導で進められてきたが、二一世紀に入ってからは「技能化」の名の下に、国家が制度面では積極的に関与するが、実体面では「個人負担」「自助努力」を重んじる新自由主義的な傾向が顕著になったことも指摘されている(小ヶ谷 二〇〇九)。

グローバル・ケア・チェーンとトランスナショナルな家族

ニューヨークやパリの公園に行くと、自分たちとは顔つきや肌の色の違う子どもたちの面倒をみる移民女性たちの姿をよく見かけるが、背景にはこのようなケア労働の国際分業が起きている。こうした移民女性たちは、先進工業国の女性たちが社会進出を果たし、家庭外で働いている間、子どもの世話や高齢者の世話、家事労働などを代行する。長時間の大変な労働であるが、賃金が安いため、こうした仕事に就こうとする女性は先進工業国ではほとんどいない。一方、移民女性たちにとっては、出身国よりも賃金が高く、割りの良い仕事ということになる。

だが移民女性の出身国における人間関係も視野に入れると、新たな問題が見えてくる。こうしたケア労働に従事する移民女性には、出身国に自分自身の子どもやケアを必要とする親がおり、これらの家族を養うために、先進工業国に出稼ぎにきているケースが少なくない。このような働き方をすることによって、これらの移民女性は出身国において経済的自立や社会進出を果たしている。だがその反面、彼女たちは家族が複数の国に離散して生活するトランスナショナルな家族関係を余儀なくされる。

彼女たちは遠くで暮らす自分の家族のケアができない。つまり先進工業国の家族の世話を途上国から来た移民女性がするため、途上国の移民女性の家族の世話をする人がいなくなる、という事態が生まれている。こうしたなか、先進工業国の家庭の子どもや高齢者の世話をして稼いだお金で自分よりさらに貧しい女性を雇い、出身国の自分の家族の面倒を見てもらう、というケアの連鎖が生じてきた。

このようにトランスナショナルに形成されるケア関係の連鎖の構造を、アーリー・ラッセル・ホックシールドは経済用語のサプライ・チェーンにたとえながら「グローバル・ケア・チェーン」と呼び、ケア・チェーンの末端では必ずケア労働の不足が生じている点に注意を喚起し、世界的なケアの不公正な配分を問題化した(Hochschild 2000)。

またラシェル・パレーニャスは移民女性の戦略と経験に光をあてた。ロサンゼルスとローマで働くフィリピン人家事労働者は最貧困層ではなく教育程度も相対的に高く、物質的な困難よりフィリピン国内の階級蔑視を逃れるため、海外雇用に活路を見出す。彼女たちは海外で高収入を得ることで経済面では上昇するが、自分の学歴や職歴にそぐわない家事労働に従事する点で社会的ステイタスの面で下降するという「矛盾した階級移動」を経験する(Parreñas 2015)。

性産業労働者と結婚移民

だが再生産労働のグローバル化という現象は、ここまで論じてきた家事労働者だけによって担われているのではない。その他の重要な論点として性産業労働者と結婚移民がある。

日本でも二〇〇〇年代以降は、介護労働力の深刻な不足から経済連携協定を通した看護師、介護福祉士や二〇一八年の入国管理法(入管法)改正以後の特定技能の枠組みによる介護労働者の導入が始まったが、それ以前は欧米とは異なり移民家事労働者のルートは存在しなかった。その一方で一九八〇年代以降、「性産業」と「結婚」という二つの枠組みで女性移民の導入が行われてきた。この点について在日フィリピン人を事例に見ていこう。

前者は、「興行」ビザを用いて性産業セクターにおける移民女性労働者の大量導入が進んだ。いわゆるフィリピンパブで接客をするために一〇代から二〇代の若年女性が一九八九年に創設された在留資格「興行」(最長六カ月)で滞在した。たとえば二〇〇二年に新規来日したフィリピン人約一二万人のうち五八%にあたる約七万五〇〇〇人が「興行」の資格で入国した。二〇〇四年に米国国務省により人身売買であるとの批判をうけ、二〇〇五年に入管法が改正され、興行ビザによる新規来日が厳格化されて興行ビザの発給が激減するまで毎年数万人単位のフィリピン人女性がこの枠組みで来日した。

後者は過疎化の進む農村などで「外国人花嫁」を導入する動きである。一九八〇年代半ばより一部の自治体で国際結婚事業の展開が行われたのである。先駆けとなったのは山形県朝日町で、一九八五年自治体主導でフィリピン・アブカイ町より九名の花嫁を、翌年も別の村より一〇名を受け入れ、行政が退いた後も、来日した花嫁のネットワークや斡旋業者を通した国際結婚が増加した。日本籍男性とのフィリピン人女性の国際結婚は一九九二—二〇一〇年まで毎年五〇〇〇件を超え、最盛期の二〇〇五年には一万件を超えた。

貧しい途上国からより豊かな国に国際結婚の枠組みで移民することが社会経済的な上昇をともなうことは「グローバル・ハイパガミー」と呼ばれ、結婚移民を分析する上での重要概念として参照されている。だが、全ての結婚移民がグローバル・ハイパガミーを達成するわけではない。出身国との経済格差から経済的上昇が達成できても、社会的には低位に組み込まれるという「矛盾した階層移動」となる事例や、そもそも経済的な上昇も達成できない事例も報告されている(原 二〇二三)。

このようにジェンダーの視座からの移民研究は二一世紀に入って蓄積が進んだが、その一方でセクシュアリティと国際移民に関する研究も少しずつ進められている。米国などを中心にLGBT外交と呼ばれる施策がとられる潮流が存在するなか、抑圧的な異性愛規範から脱するために、性的マイノリティに親和的な施策をとる国に移動したり(申 二〇二三)、また難民申請を行ったりする(工藤 二〇二二)現象が報告されている。

四、多様化する移動

二一世紀の国際人口移動のもう一つの特徴が「多様化」(Castles, de Haas & Miller 2014)である。本節では難民をめぐる新展開と、世界的な人口移動の多様化の二点を論じる。

難民の増大と受け入れ政策の変容

二〇二二年末、迫害、紛争、暴力、人権侵害などが原因で強制移住(forced displacement)した人は一億八〇四万人で、そのうち国連難民高等弁務官事務所(UNHCR)の承認する難民は二九四〇万人である(https://www.unhcr.org/about-unhcr/who-we-are/figures-glance)[2]。その数が二〇一〇年代に入って急激に増加(二〇一一年時点で強制移住者数三八五四万、うち難民数一五二〇万)した。二一世紀の難民現象を特徴づける増加の背景については本書の木畑の「展望」が詳しい。本節では難民増大が受け入れ国側に引き起こした帰結について、特に欧州を中心に見ていこう。

強制移住者の大半を受け入れているのは低中所得国で(七六%)、先進国の受け入れは二四%にすぎない(同上URL)にもかかわらず、これらの国々では難民の存在が問題視されてきた。特にシリア内戦が本格化し、二〇一五年に一〇〇万人を超える人が欧州に渡ると「欧州難民危機」が叫ばれるなか、難民を移民と明確に区別すべきとの主張が高まってきた。すでに一九九〇年代後半には難民支援の現場で、難民申請者数の増大にともない「政治難民」と「経済移民」を区別し、前者を救済しようとの議論は存在した。だが「欧州難民危機」以降は、前者の救済だけでなく、難民の包摂の条件として移民の排除を位置づける議論が広がった。(3)

こうした動きと並行して、欧州の難民認定の枠組みにも変化が生じた。第一に、審査の基準の厳格化である。とりわけ政治的迫害を逃れた集団に対する認定が厳しくなり、個別に事例を判断する傾向が強まった。第二に、ジェンダー・セクシュアリティに関連した迫害の受け入れの進行である。UNHCRは二〇〇〇年代以降、ジェンダー・セクシュアリティに関連する国際的保護に関するガイドラインを立て続けに発行してきた。二〇〇二年のガイドラインでは、これまで難民申請の基準とされてきた「人種、宗教、国籍、政治的意見やまたは特定の社会集団に属するなどの理由で、自国にいると迫害を受けるかあるいは迫害を受ける恐れがあるために他国に逃れた人びと」との記述内にある「特定の社会的集団」の内容を「女性、家族、部族、職業集団および同性愛者」と定めた。また、これまでの定義に追加するかたちで「ジェンダーに関連した迫害」をとりあげ、その内容を「性暴力、家族内の暴力やドメスティック・バイオレンス、強制的家族計画、女性性器切除(FGM)、慣習的違反の処罰、同性愛差別」と具体化した。(4)続いて二〇〇六年のガイドラインでは、人身取引の被害者の保護を優先的に行うとし、対象を「特に女性と児童」に定めた。(5)二〇一二年のガイドラインでは、性的指向とジェンダー・アイデンティティに基づいた難民認定の基準として「LGBTIの迫害」と定め、その保護を進めた。(6)以上の変化をディディエ・ファッサンは「選別的人道主義」と呼び、難民保護における論理が「権利」から「好意」に移行したと指摘する(Fassin 2018: 68-69)。

移民現象の多様化と背景

一方、二一世紀の世界的な人口移動にも新たな傾向が見られる。第一に、従来の「賃金格差」を説明変数とした「南(途上国)から北(先進国)への移動」とは異なる移動の増大があげられる。具体的にはアジア・アフリカ地域内での移動の拡大である。このような「南ー南移動」は全移動の三八%を占め、南から北への移動(三五%)を上回る(森 二〇二〇)。またこれら「南」の受け入れ国は欧米の先発移民受け入れ国で行われてきたような移民への権利付与を念頭に置かない非包摂型移民制度を敷いているのも特徴である(松尾 二〇二〇)。

第二に、先進国からの移動の新たな展開である。北からの移動は増加し、たとえばカナダ・米国からの移動者は一九九五ー二〇一〇年で三五%増加し、約三分の二が欧州との「北ー北移動」、残りが「北ー南移動」で、なかでもラテンアメリカが一五年間で四八%増加した。また重要なのは質的な変化である。これまで先進国からの人の移動といえば、かつては戦争や植民地支配など政治的事由によるもの、その後は高度人材、専門人材という観点から捉えられることが多かった。だが二一世紀以降は「ライフスタイル移民」とよばれる新たな形態での移動も増加している。従来の労働目的の移民とも政治的事由などでの難民とも異なる国際移動のあり方で、経済的要因よりも文化的要因、構造的要因よりも個人の主観的選択が移動の動機として重視される。具体的には、若者が働きながら言語や文化を学ぶというワーキングホリデーや医療と観光の融合をめざす医療ツーリズム、退職者が生活費のより安い国に移住する国際退職移住などがあげられる。実際、年金の海外受給者数は増加しており、米国では二〇一三年、海外での年金受給者は約三五万人と、一〇年間で四六・八%増加した(ABC News “American Retirees Stretch Their Dollars n Ecuador” 2013/05/16; https://www.youtube.com/watch?v=WtplLkQyfU)。また「北ー南」移住者による「南から北への国際送金額」も上昇している。

日本でも国外移住者(永住者と一年以上の長期滞在者)数は、総人口が減少する現在も増加を続け、一九八九年の五八・七万人から二〇一八年には一三九万人と三〇年間で二・三倍に増加したことになる(外務省領事局政策課 二〇一九)。「移民となる日本人」の増加は、日本が貧しかった頃の話でも戦争の時代の話でもなく、現在進行中の現象と言える。

五、誰もが移民になりうる「相対的よそ者」の時代

サヤードの言うように、移民現象を受け入れ国、送り出し国双方を視野に入れて捉えると、移民とは途上国の人間が先進国にむかってするものだけではないことが明らかになる。先進工業国の国民が移民となる現象も従来とは異なるかたちで拡大しており、それまで途上国出身の移民の経験として考えられていたことが、先進国出身者の問題としても経験されるようになっている。以上のことは先進工業国で「移民」について広く定着するイメージを相対化する機会ともなりうる。

これまで日本において移民は「客体」として位置づけられてきた。その存在を、「主体」として捉え直し、「移民受け入れ国」としてのみ語られてきた先進工業国の多くにも「移民送り出し国」としての歴史が存在し、そのような側面が今も形を変えながら存続していると知ることは、先進工業国内部に広がる「移民」への偏見を捉え返すことにもつながるだろう。

人類学者のミシェル・アジエは、現代社会では「よそ者=外国人」という考え方が定着しているが、これは「よそ者」概念を否定的、かつ矮小化して捉えていると批判し、代わりに「相対的よそ者」(étrangeté relative)概念を提示する。それぞれの場面で、それぞれの「差異」が立ち現れたり、姿を消したり、変化する。より具体的には同じ人間が、ある場面で「よそ者」となり、別の場面で「よそ者」でなくなる。これを理解することが、現代社会で共生を考える上

で決定的に重要だとアジェは述べる。

たしかに日本社会にいるかぎりは「目立たない」存在だったのが、海外に出た途端「異なる者」として好奇の視線を浴びることもある。帰国すると、そういった視線を浴びないことにホッとすると同時に、そのこと自体に違和感をおぼえることもある。以上は「当たり前」のことであるが、このような視点は「日本における外国人問題」の議論においては忘れられがちである。そこでは「日本人」「外国人」というカテゴリーが相互不浸透なものとしてたちあってくる。

だが実際には誰もが文脈に応じて「差異」の側に置かれたり、置かれなかったりする。「差異」は常に相対的で、関係論的で、文脈に依存するのだ。「差異」は他者からやってくるようでいて、自分自身の一部分でもある。

移民開国に舵を切った日本社会にもすでに多くの変化が生まれ、山ほどの課題が存在する。だが、そのような変化は単に困難をもたらすだけでない。多様化する社会で「相対的よそ者」という見方を身に付け、実践し、「よそ者」の経験に価値を見出して共有することは、排外主義に対抗するだけでなく、新たな創造の契機にもなるはずだ。

注

(1) 一九六〇年、すでに女性比率は四七%で、四九%という現在の数字と大きく変わっていない。

(2) 強制移住者には難民の他、国内避難者(二〇二二年、六二五〇万)、パレスチナ難民(五九〇万)、庇護申請者(五四〇万)、その他の国際的保護を必要とする者(五二〇万)が含まれる。

(3) たとえば二〇一八年四月二二日エマニュエル・マクロンの発言(森 二〇一九)。だが生活の実態をみると、『移民」と「難民」の厳密な区別はほぼ不可能である。迫害を受けた「政治難民」も生きるために労働しなければならないし、「経済移民」にも出身国が独裁国家だったり汚職がひどかったりして「祖国にとどまっても将来に一切希望も持てない」などの政治的理由がある。こうした実態を無視して強引に区別することは、「難民」が受け入れ国で直面する経済的困難や人種差別の問題を不可視化させると同時に、「移民」が出身国で直面する「安全」の問題や政治的、構造的問題を不可視化するリスクを孕んでいる。

（4）ジェンダーを理由とする迫害に関するガイドライン（https://www.unhcr.org/3d58ddef4.pdf）

（5）人身取引（特に女性と児童）の被害者保護に関するガイドライン（https://www.unhcr.org/publications/legal/443b626b2/guidelines-international-protection-7-application-article-1a2-1951-convention.html）

（6）性的指向とジェンダー・アイデンティティに基づいた難民認定に関するガイドライン（https://www.unhcr.org/media/unhcr-guidelines-international-protection-no-9-claims-refugee-status-based-sexual-orientation）

＊本稿記載のＵＲＬ最終閲覧日、二〇二三年八月二四日。

参考文献

飯尾真貴子（二〇二二）「米国移民規制の厳格化がもたらす越境的な規律装置としてのトランスナショナル・コミュニティ――メキシコ南部村落出身の移民の経験に着目して」『ソシオロジ』六五（三）。

伊藤るり（二〇一九）「移民政策への「人間の安全保障」アプローチと移住家事労働」『学術の動向』二四巻六号。

小ヶ谷千穂（二〇〇九）「再生産労働のグローバル化の新たな展開――フィリピンから見る「技能化」傾向からの考察」『社会学評論』六〇（三）。

外務省領事局政策課（二〇一九）「海外在留邦人数調査統計（令和元年版）」（https://www.mofa.go.jp/mofaj/files/100436807.pdf）

梶田孝道・丹野清人・樋口直人（二〇〇五）『顔の見えない定住化――日系ブラジル人と国家・市場・移民ネットワーク』名古屋大学出版会。

工藤晴子（二〇二二）『難民とセクシュアリティ――アメリカにおける性的マイノリティの包摂と排除』明石書店。

サッセン、サスキア（一九九二）『労働と資本の国際移動――世界都市と移民労働者』森田桐郎訳、岩波書店。

申知燕（二〇二三）「性的マイノリティのトランスナショナルな移住と家族形成――韓国人女性を事例に」『社会学評論』二九四号。

バウマン、ジグムント（二〇一〇）『グローバリゼーション――人間への影響』澤田眞治・中井愛子訳、法政大学出版局。

原めぐみ（二〇二三）「グローバル・ハイパガミーの帰結」『社会学評論』二九四号。

松尾昌樹（二〇二〇）「湾岸アラブ諸国の移民社会――非包摂型移民制度の機能」松尾昌樹・森千香子編『グローバル関係学6　移民現象の新展開』岩波書店。

森千香子（二〇一九）「フランスにおける「移民・難民危機」と尊厳――抵抗運動の背景としての「移民・難民をめぐる政治」」『年報社会学論集』三二号。

森千香子（二〇二〇）「「北からの移動」という視点の転換――移民研究の新たな展望とその意義」松尾昌樹・森千香子編『グローバル関係学6　移民現象の新展開』岩波書店。

森千香子、エレン・ルバイ編（二〇一四）『国境政策のパラドクス』勁草書房。

Agier, Michel (2013), *La condition cosmopolite. L'anthropologie à l'épreuve du piège identitaire*, Paris, La Découverte.

Castles, Stephen, Hein de Haas, and Mark J. Miller (2014), *The Age of Migration: International Population Movements in the Modern World*, Fifth Edition, Hampshire and New York, Palgrave Macmillan.

Faist, Thomas (2000), *The volume and dynamics of international migration and transnational social spaces*, Oxford, Clarendon Press.

Fassin, Didier (2018), *Life: A Critical User's Manual*, Cambridge, UK, Polity.

Hochschild, A. R. (2000), "Global Care Chain and Emotional Surplus Value", W. Hutton and A. Giddens (eds.), *On the Edge: Living with Global Capitalism*, London, Jonathan Cape.

Parreñas, Rhacel Salazar (2015), *Servants of Globalization: Migration and Domestic Work*, Second Edition, Stanford, Calif. Stanford University Press.

Sassen, Saskia (2003), "Global Cities and Survival Circuits", Barbara Ehrenreich and Arlie Russell Hochschild (eds.), *Global woman: nannies, maids, and sex workers in the new economy*, London, Granta Books.

Sayad, Abdelmalek (1999), *La Double Absence: Des illusions de l'émigré aux souffrances de l'immigré*, Paris, Le Seuil.

UNODC (United Nations Office for Drugs and Crime) (2021), *Covid-19 and the Smuggling of Migrants: A Call for Safeguarding the Rights of Smuggled Migrants Facing Increased Risks and Vulnerabilities*, Vienna, United Nations.

集点｜*Focus*

ジェンダーとセクシュアリティをめぐるアジアの政治

田村慶子

はじめに

まず、ジェンダーとセクシュアリティとは何を意味するのかを確認しておきたい。

ジェンダーとは「女はこうあるべき」「男はこうあるべき」といった社会的規範や、「女らしさ」「男らしさ」といった「らしさ」に含まれる諸要素を意味する。ただ、重要なのはジェンダーのカテゴリーの区別は決して中立ではないことで、「女らしさ」「男らしさ」に含まれる諸要素と特徴の間には、後者が前者に対して上位にあるという価値のヒエラルキーを伴い、男性は女性よりも価値と力のある存在と見なされた。ジェンダーとはまさに「肉体的差異に意味を付与する知」(スコット 二〇〇四：二四頁)であり、その差異の意味付けは何より政治的な行為なのである。

なお、もともとジェンダーは性別をあらわす文法用語だったが、一九七〇年代にフェミニストがセックス(性)に代わって使い始めた。ジェンダーは「性差は生物学的宿命ではない」ことを明らかにした(上野 一九九五：一―二頁)という意味で、画期的な概念装置となった。

一方、セクシュアリティとは性に関する欲望と観念の集合概念で、性的衝動や欲望、行動などの諸現象を指す。近代は多様で曖昧な性やセクシュアリティを認めず、同性間の性的関係を強く忌避し、男女を厳格に二分して男性を優位に、女性を劣位とする性別二元のジェンダー規範と、異性愛と生殖を直結させるセクシュアリティ観を国民に押し付けていった。個人的に見えるセクシュアリティにも政治権力が貫徹している。

本稿は、ジェンダーとセクシュアリティという視点から、伝統社会から近代、独立、国民国家建設に至るアジアを中国、東南アジア、インドを中心に概観し、現在のジェンダーとセクシュアリティをめぐる議論の広まりとその政治的社会的意味を考える。

一、前近代におけるジェンダーとセクシュアリティ

東南アジアの伝統社会では欧米よりも相対的に女性の地位は高く、セクシュアリティの多様性も認められていた。近世以前において地元の商業活動を担ったのは主に女性であり、近世になって交易のために来航する商人が増えると、商品生産や市場、さらには外来者との交流において彼女らの活動が拡大した。また、外来の商人は一時婚という形で現地妻を持つことを商業活動の一環と理解した。現地妻となることは女性にとっても多様な商業関係を有することを意味し、恥ずべきことではなかった(弘末 二〇二二:六七―七〇頁)。さらに、多くの地域で女性にも均分相続や家の相続権が認められ、遠くに住んでいても、親が離婚・再婚しても実の親子関係に変化はなく、個人の相続権や成員権を喪失することはなかった。

これらは、商売(金銭)に関わることは女性の仕事であり、権力と地位をめぐることが男性の関心事と理解されていたためである(リード 二〇二一:上巻四二―四三頁)。また、当時の東南アジアでは人口が少なかったために土地よりも労働力が重視され、「女性も外で働いていて当然」という社会通念が形成されたことや、多くの東南アジアの家族が

父系でも母系でもない凝縮力の弱い双系的親族の結合であったためでもある。もっとも、このような相対的な経済的地位の高さは、政治的・社会的地位には決して反映しなかった。女性の教育はほとんど無視され、また幼児婚や重婚、男性からの一方的な離婚も珍しいことではなかった。

ただ、一方で、性自認が身体的性に一致しない土着のトランスジェンダーを、インドネシアではワリア、マレーシアではパポッ、タイではカトゥーイ、ミャンマーではナッカドーのように様々な呼び名を与えて認識し、パポッは結婚式で服装やメークアップを担当、ナッカドーは土着の信仰を司る宗教的な役割を果たした(日下 二〇一二:二二頁)。

前近代の中国とベトナム北部、インドでは状況は異なっていた。中国とベトナム北部では「女は幼にしては父兄に従い、嫁しては夫に従い、夫死しては子に従う」という「三従」の儒教道徳によって、男性による女性の支配は正当化されていた。幼児期より足に布を巻いて足が大きくならないようにする纏足という習慣は、女性のセクシュアリティの象徴として明朝から清朝にかけて中国の一般庶民の間にも広まり、纏足しない女性は「賤しい女」と見なされた。

インドのマヌ法典(紀元前二世紀から紀元後二世紀にかけて成立したヒンドゥー教の規範の書)にも儒教同様の「三従の教え」があり、女性は公的な場から排除され、そのセクシュアリティも男性に支配されていた。サティ(寡婦殉死)は六世紀の碑文にも示され、一四世紀以後に来訪した外来の商人等の目撃談も多数残っている。特にカースト制度の第二階級とされる王族・武士階級のクシャトリアではサティは一般的で、藩王の荼毘に付すサティの数が功名の証であった(リドル 一九九六:五五—五六頁)。一九五〇年にサティは禁止されたものの、現在に至るまで根絶には至っていない。ただ、インドでは、男でも女でもなく、世俗社会の規範を捨ててヒンドゥー女神へ帰依するヒジュラと呼ばれる人々が存在し、聖なる力を人々に授けるとして一定の尊敬を集めていた(国弘 二〇〇五)。

二、近代アジア――ヴィクトリア王朝的性道徳との「融合」とセクシュアリティの再編

一八世紀後半からアジアに進出あるいはアジアの国々を(半)植民地化したキリスト教会や欧米諸国は女子教育にも力を注ぎ、都市部エリート階級の女性の一部は一定の教育を受けて医師や弁護士などの専門職にも従事するようになったものの、女性の地位が向上したとは決していえなかった。人々の生活全体を公的と私的領域に分離し、それを男性と女性に振り分け、女性に純潔や貞節と父や夫への従属を奨励し、女子教育はそのような道徳規範の伝達に力を入れるという、当時のヴィクトリア王朝的性道徳(清教徒主義の性道徳)にもとづく男女の理想像や性的規範がアジアに持ち込まれたためである。

すなわち、欧米を模範に近代化を急ぐアジアの為政者(男性エリート)は、ヴィクトリア王朝的性道徳とイスラームやキリスト教、ヒンドゥー教、仏教、さらに儒教的規範を含めたアジアの多様な文化を「融合」させて、それを自らの文化だと正当化してジェンダー関係を規定、セクシュアリティを再編していった。セクシュアリティは隠匿され貶められて女性により抑圧的に働き、女性の婚前交渉の否定、男性への従属、家事への専念が規範とされた。東南アジアでは近代的生活様式を取り入れて社会的上昇を遂げるにつれて女性が公共の場や商業から撤退していくという事態が、ヴィクトリア朝イギリスやオランダよりも明確に起きた(リード 二〇二一:下巻四三六頁)。トランスジェンダーなどの性の越境者の多くは周縁化され、同性愛者は社会に悪影響を及ぼす犯罪者となった。特にイギリス植民地となったシンガポールとマレーシア、ミャンマー、インドなどには「公共の場で、また私的に男性・女性および動物との自然秩序に反する性行為をした者に対して懲役や罰金を科す」という刑法三七七条が適用され、同性どうしの性行為が禁じられた(田村 二〇二一:一八三頁)。

二〇世紀になってアジア各地では民族意識が高揚したが、自治や独立の獲得という民族全体の解放がまず優先され、幼児婚や重婚、女子教育の遅れという問題は、社会全体の問題ではなく「女性の問題」として後回しにされた。

中国では、清朝末期に「女子教育は母親教育につながり、民族の質の向上をもたらす」として近代的な女子教育が認められたが、その教育においても封建的な女子の徳操は中華の伝統として重視された。一九一二年の中華民国建国と同時に纏足は禁止されたが、憲法に男女平等の規定はなく、女性参政権は認められなかった。抗日・反帝国主義を掲げた五四運動(一九一九年)を経験した少数の女子学生が、婚姻の自由、教育の男女平等、女性参政権の獲得を求めて運動したものの、当時は民族全体の解放が達成されなければ女性の解放も達成されないと考えられていたため、運動が実を結ぶことはなかった(中国女性史研究会 二〇〇四：二六—二七、六七—七四頁)。

一方、イギリス植民地支配下のインドでは一九世紀後半から民族意識が高揚した。カースト上位のエリート男性は、社会の激変のなかでヒンドゥー的国家を立ち上げるに際して文化の領域を物質的(外界)と精神的(内界)に二分、西洋文化を物質的、インド文化を精神的と規定し、インドの精神性は西洋に優越するという戦略を取った。さらに、「性的に無垢で家庭的なインド女性こそがその精神性を体現する存在」として、サティなどの「女性問題」へのイギリスの干渉を「精神的領域への侵犯」として拒否し(粟屋・井上 二〇一八：一八七—一九〇頁)、サティは「インド固有の精神性を示す」として擁護、称賛さえされた。女性は「民族の文化と名誉の象徴」になったのである。

女性が比較的高い経済的自律性を有していた東南アジアでも、エリート層においては女性の居場所は家庭であるとされるようになった。例えばインドネシアでは、植民地宗主国のオランダが都市部で作った学校で教育を受けた新しいエリート層が台頭し、民族意識の高揚が見られた。だが、インドネシア女性解放運動の先駆者といわれるカルティニ(Kartini)(1)がそうであったように、女性には中等教育以上の門は開かれず、幼少時に親が決めた相手と結婚し、結婚後は夫に服従せざるを得なかった。一方、男性の重婚は当然視されていた。カルティニ同様に西洋式の教育を受けた少数の女性たちは、インドネシア人女性の教育の向上や婚姻改革などを目的に掲げて活動した。しかし、後に初代大統領となる民族独立の英雄スカルノ(Sukarno)は、「女性の問題」は独立が達成されてから取り組むべきで、男性の指導者が進める国家利益がまず優先されるべきという方針を取ったために、婚姻の改革は取り上げられなかった。スカルノは、婚姻改革はイスラームの教義と関連するため、社会を分断する大きな争いの種になるとみなしたのである(田村 二〇二〇:二六五頁)。

東南アジアで唯一独立を維持したタイでは、立憲革命後の一九三五年という早い時期に近代家族法が制定され、一夫一妻制度が決定した。ただ、この家族法は、男性を家長とする家族、家族内での女性の父や夫への服従を合法化するものであった。妻は自らの意思で財産の管理や契約は出来ない、結婚後は夫の姓を名乗る、子どもの親権は父親が持つ、夫は妻の不倫を理由に離婚することが出来るが、妻にはその権利が認められないなど、「タイ式家父長制の誕生」「エリートのヴィクトリア化」とも評されている。

なお、日本における性の規範の変容という点において、明治国家の成立は非常に重要である。武士階級を除いて比較的穏やかであった性生活やセクシュアリティに関する風俗習慣を、明治政府はヨーロッパを範として矯正したからである(牟田 一九九六:七九頁)。生殖は結婚と家族制度へ、性の快楽は男性のみが享受する婚姻外の非生殖的な性の消費システムへ制度化されていった。

三、国民国家建設と家父長制

家父長制による国民国家の正当化

独立を獲得、あるいは半植民地状態を脱したアジアでは、国民国家を正当化するにあたって家父長制が利用された。

政治指導者(男性)は、国家を家、自らを父、妻を母、国民を子どもと見なす父系的なナラティブを使って、多様な社会集団を国民に統合しようとしたのである。家父長制は国民という共同体をひとつの家族に合致させるとともに、妻あるいは母の役割を逸脱する女性のセクシュアリティを抑圧し、同性愛者などの性的少数者を国民の外部に位置付けて彼らの周縁化された状況を放置した。「夫には妻と家族の扶養義務があり、正当な理由があれば、夫は妻の職業や商業活動に異議申し立てをすることができる」という一九四九年のフィリピン家族法や、「夫には扶養義務があり、最善を尽くして家事を行うことが妻の義務である」と謳った一九七四年インドネシア婚姻法などは、まさに家父長制イデオロギーそのものである。このインドネシア婚姻法では、条件付きであるが多妻婚も認められている。

家父長制イデオロギーは経済発展にも寄与した。経済発展を急ぐアジアでは、先進国からの資本・技術の導入と国内の安価な労働力の動員を集中的に行い、輸入代替工業化および輸出指向型工業化政策を進めた。「従順で使いやすい」というジェンダー的なステレオタイプゆえに、若い未婚女性は衣服製造などの労働集約型産業の単純・未熟練労働者として動員された。ただ、男性との賃金や昇進での差別は深刻で、女性労働者に扶養家族がいても家族は免税措置が受けられないなど、税制面でも女性は差別された。女性もまた「家族のため、兄や弟のため」という家父長的な規範を内在していた(させられていた)ために、単純・未熟練労働者として安価な給与と差別的な待遇で働くことを受け入れたのである。

中華人民共和国のジェンダー秩序とセクシュアリティ

一方、一九四九年に建国された中華人民共和国(中国)では、「天の半分は女性が支える」という毛沢東中国共産党主席の言葉通りに、憲法には男女平等が規定され、婚姻法や相続法、義務教育法がすべて男女平等になった。また労働者とその扶養家族には、所属する職場が給与から住宅・医療などのすべての社会保障を供与し、女性も社会進出して生涯働くことが前提の社会となった。他のアジア諸国の女性たちと異なり、あらゆる職域で男性と肩を並べて活躍する新中国の女性像は、映像や文学を通して世界に喧伝された。

ただ、女性労働力の評価は男性よりも低く(井川 二〇〇八:一三八頁)、男女同一労働同一賃金が達成されたわけではなかった。さらに、一九五七年の全国婦女連(2)の代表大会では「勤勉倹約して国を建設し、家を保持する」という有名な「両勤方針」が制定され、女性は家庭内労働をも担うことが国への貢献とされた。まさに社会主義中国における「新型良妻賢母」の勧めであった(泉谷 二〇二二:三八〇頁)。女性は、家庭内労働の負担を担いながら生産労働も担うという二重の役割を求められたにもかかわらず、その負担が注目されることはなかった。当たり前だと考えられていたからである。

しかし、一九八〇年代から改革開放が始まると、農村では建国以前の家父長主義的な労働のやり方が復活し、「婦女回家」の掛け声の下で村民委員会の女性幹部は減少した。都市部でも国家の労働者保護政策や提供されてきた福祉が次第になくなって市場に委ねられるようになると、女性労働者は過酷な競争に晒されてリストラの対象になっただけでなく、家庭内の性別役割分担も強化された。さらに、改革開放とほぼ同じ時期に開始された計画出産(一人っ子政策)は、女性により重い負担を強いた。社会に残る根強い男児選好に加えて、計画経済の改革の一環として開始された農家による生産請負制によって農村では労働力として男児を求めるようになったため、男児を産まない妻への虐待、女児の間引きや捨て子が急増した。加えて、二人目の避妊は女性の身体的負担の大きな卵管結紮や中絶が一般的だった(小浜 二〇一八:三三一頁)。

つまり、建国時から改革開放期までのジェンダー構造と女性のセクシュアリティへの抑圧構造は建国前とあまり変わっておらず、あらゆる政策ややり方に対して多くの女性たちは何らの決定権も持たずに、政権の「都合」に振り回されてきたと言っても過言ではないだろう。

四、ジェンダーの主流化を目指して

国際社会の動き

国家の経済発展や開発のなかで女性が男性と同じように便益を得ていないのではないかという問題意識が国際社会で示されたのは、一九七〇年代のことであった。女性が男性と同様に開発過程に参加でき、開発の便益を受けられるようにすることを掲げた「開発と女性」という考え方が、一九七六年から八五年の「国連女性の一〇年」を通じて世界中に広まった。国連で一九七九年に女性差別撤廃条約が採択されたことも、各国の開発政策や開発計画に女性を対象とする事業やプログラムが追加されることを後押しした。ただ、わずかな資金や人的資源を人口の半分を占める女性に振り分けただけで、大半の資金や資源が従来通りの開発や経済政策に配分され、女性が置かれている不利な状況は変わらない、さらに、性別役割分担に基づいて女性が家事労働を無償で担っている現実が見えにくくなるだけでなく、開発プロジェクトに女性が動員されることで、却って女性の負担が増す可能性もあることが明らかになった。

その反省として一九八〇年代後半から「ジェンダーと開発」という考え方が提唱された。これは女性だけに焦点を当てるのではなく、女性のエンパワーメントを通じて性別格差を是正、解消することを目指した。さらに一九九〇年代になると、すべての分野の政策、プログラムの立案、策定、実施、評価にジェンダーの視点を組織的・制度的に組み込むこと、女性の意思決定への参加を促進することという「ジェンダーの主流化」という考え方が示され、国際的に定着するようになった。一九九五年の第四回国連世界女性会議(北京)以後は、ジェンダーの主流化は国連機関、各国政府、NGOにとって取り組むべき課題とされ、女性に対する暴力は女性の人権問題であるという考えも広まった。

アジア各国で一九八〇年代になって女性の地位の向上が謳われ、国家政策にジェンダーの視点が入るようになった大きな要因の一つは、このような国際社会の動きであった。さらに国によって状況は異なるものの、女性NGOの活動を含む民主化運動がもう一つの大きな要因となった。

第四回国連世界女性会議と中国、インド

中国で第四回国連世界女性会議が開催されたのは、それが中国政府にとって一九八九年の天安門事件で失墜した国際的な信用を回復する有効な方法だったからである。政府間会議に参加するために申請をしたNGOのいくつかが中国に認証されなかった、NGOフォーラムの会場が北京市内から遠く離れた場所に急に変更されたなど混乱はあったものの、これまで周縁に置かれていた「女性の問題」が国家的な注目の的となったという意味で、重要な出来事となった。

会議の直前に、政府は、女性の政治権利と政策決定への参加、就業と労働保護、衛生保健など七項目にわたって具体的な目標を掲げた「中国婦女発展綱要」を発表しただけでなく、地方行政体に「綱要」に基づく女性発展計画を策定して社会経済計画の中に組み込むことを義務付けた。また、婦女連の出版物に「女性が自己の性と生殖の権利を自分の手に握る権利は、他の権利を享受する重要な基礎である」というアメリカのNGOの文章が掲載された。これは女性の性と生殖が国家の管理下に置かれている状況を考えると、画期的な意味を持った(秋山 一九九九:三三二―三三四頁)。一九九五年の国連世界女性会議は、中国におけるジェンダーとセクシュアリティの議論を大きく前進させたのである。

会議を開催した中国ほどではないが、国際社会の動きによってインドでも一九八〇年代末に憲法改正が行われて制度的に女性の政治参加が推進され、九〇年代には村の議会や村長の職は全体の三分の一が女性に割り当てられることになった。二〇〇一年には女性の地位向上のための「女性のエンパワーメントに向けた国家政策」が採択された。さ

らに女性のエンパワーメントは「第一〇次五カ年計画（二〇〇二―二〇〇七）」の明確な政策目標にもなった（Committee on the Elimination of Discrimination against Women 2005: 6-8, 25）。

ただ、カーストや所得、社会階級によって、女性の状況と地位は両極化している。上位カーストで裕福な女性は高等教育やキャリアへの道が開かれるが、低カーストで貧しく基礎教育すら受けられずに低賃金で働かざるを得ない女性も多い。人口の男女比不均衡は改善されたとはいえず、一九九一年には男子一〇〇〇人に対して女子九四五人であったが、二〇一一年には九一八人であり、地域によっては九〇〇人以下である。女性に対する暴力も一九九九年から二〇〇三年にかけて増加している（Committee on the Elimination of Discrimination against Women 2005: 7, 79-81; 国際協力機構 二〇〇七、古屋 二〇一八）。これらの数字は、女児殺しが続いていることを含め、インド社会における女性の生存の厳しさを示していよう。

民主化運動が進めたジェンダーの主流化

一方、民主化運動が大きな役割を果たしたのは、インドネシアとフィリピンであろう（田村 二〇二〇：二七二―二七三頁）。

インドネシアでは権威主義的体制が崩壊した後の一九九九年に新たな国策大綱が策定され、女性の地位と役割の項目に「ジェンダーの平等と公正」「女性組織の役割の質と自立性を向上させる」という文言が挿入されるなど、明確なジェンダーの主流化政策が打ち出された。二〇〇〇年には国家開発企画庁から出された「国家開発計画二〇〇一―二〇〇四年」にもジェンダーの主流化が謳われ、女性の人権や、政治における女性の権利の保障、ジェンダーバイアスのある法律の改正あるいは撤廃などが掲げられた。二〇〇一年に初の女性大統領が誕生したことは、イスラームの文化が支配するインドネシアで女性の政治参加の促進にはずみをつけたと言われ、多くの女性NGOが結集したインドネシア女性連合などの活動によって、「各政党は国会と地方議会選挙において候補者の三〇%を女性とする」という法案が可決されて、一定の成果を挙げている。

長期独裁政権を一九八六年の大規模な民主化運動で追放したフィリピンでは、市民社会とりわけ女性NGOが国家政策におけるジェンダー主流化のために活発なロビー活動を行い、政府もまた民主化を進めるために女性の地位向上を積極的に推進した。一九八七年に制定された新憲法には、法の下の男女平等や社会的弱者に下院議席の二〇%(五〇議席)を割り当てるという政党名簿制度などが明記された。また家族法が新たに制定され、夫と妻の双方が一家の稼ぎ手と家庭の運営者として想定され、妻の賃労働に対して夫が異議を申し立てる権利は失われた。一九九四年には開発における女性の視点の導入および女性の参画をめざし、各省庁や自治体、国立大学などあらゆる機関で予算の五%以上をジェンダー主流化のための事業に割り当てるという画期的なジェンダー予算も決定した。

縮小しないジェンダー格差

しかしながら、ジェンダー間格差は依然として大きい。**表1**は、本稿で主に取り上げたアジアの国の二〇二三年ジェンダー格差指数(GGI)の国別順位と各分野の主な指標をまとめたものである。GGIは国別の開発段階とは無関係に、国内の男女差を経済参加・機会、教育達成、健康・生存、政治エンパワーメントの四分野一二指標で計る。

アジアでは第一位とジェンダー格差がかなり小さいフィリピンでは行政官・上級公務員・管理職のほぼ半数は女性である。民主化運動においてジェンダー主流化が積極的に推進されたことが反映している。ただ、フィリピンが上位なのは性差よりも階級差が大きく、また貧しい女性を家事労働者として雇用し、中間・エリート層の女性の戸外労働を可能にしているからでもある。

インドネシアでも女性の平均所得は男性の半分程度で、政治進出もそれほど進んでいない。また、国策大綱に掲げられた「ジェンダーの平等と公正」は「女性の天性の特質」から逸脱しない限りにおいて認められるという言説は、特にイスラーム関係者に根強い。また、地方自治の拡大にともなって、イスラーム法の施行を政令として定めようとする地方政府がいくつか現れている。女性が政策決定に参画できる状況が保障されていないなかで進められるイスラーム法施行への動きは、ジェンダーの主流化政策に逆行するものだろう。

表 1　ジェンダー格差指数国別順位と主な指標別スコア（対象国 146 ヵ国・地域，2023 年）

国	順位	所得（M＝1.0）	15 歳以上の労働参加率（%）	行政官・上級公務員・管理職に占める女性比率（%）	国会に占める女性議員（%）
フィリピン	16	0.715	F＝44.05 M＝68.77	46.63	27.30
タイ	74	0.825	F＝59.23 M＝75.22	35.50	16.60
インドネシア	87	0.519	F＝52.50 M＝81.45	31.67	21.60
中国	107	0.643	F＝63.73 M＝78.16	—	24.90
日本	125	0.576	F＝54.20 M＝71.40	12.90	10.00
インド	127	0.228	F＝28.26 M＝76.14	15.94	15.10

注：M＝男性，F＝女性
出典：World Economic Forum（2023）.

建国時の憲法に男女平等を高らかに謳ったものの、中国のGGIの国別順位は二〇〇六年六三位（調査対象は一一五国・地域）、二〇一五年九一位（一四五ヵ国・地域）、二〇二三年一〇七位と下がり続けている。これは市場経済化のさらなる進展によって生活がますます不安定になり、貧困の女性化が拡大しているためである。国連世界女性会議前後の活発なジェンダーとセクシュアリティの議論は「一時的なもの」だったと言わざるを得ない。加えて、二〇一三年の全国婦女連の大会で選出された新指導部に対して、中国の最高指導者である習近平は「中華民族の家庭の美徳を発揚し、良好な家風を築くための女性独自の役割を期待する」と述べた（遠山 二〇一六：一七四頁）。二〇二二年一〇月の党大会で選出された新指導部に女性はいなかった。中国では家父長制イデオロギーが強まっている。

日本の順位は一二五位で、周知のようにG7（主要七ヵ国）中最低で、アジアでも最下位に近い。日本では男女ともに仕事と家庭を両立できる働き方を実現するための施策は「利益追求に待ったをかける制約」とみなされ、「男性は仕事、女性は家事育児介護（とパートの仕事）」という性別分業を前提とした制度と慣行が続き、女性の就業継続やキャリア形成に不利益を与え続けている。

「世界最大の民主主義国」インドの順位は一二七位である。女性の圧倒的多数がインフォーマルセクターで働いていることや教育水準の低い層で女性の雇用機会が限られていること、安全で清潔な交通インフラ、トイレなどの設備が限られていることが、インド女性の就業を困難にしていると言われる。国際的なジェンダー主流化の進展は、インドの草の根女性たちにとっては未だに遠い出来事なのかもしれない。

五、外向きの「セクシュアリティの解放」

「性差は生物学的宿命ではない」ことが徐々に明らかになって性別二元論と異性愛モデルが見直されるなか、多様で曖昧な性やセクシュアリティも認めようという運動が欧米を中心に始まり、一九九〇年前後にはアジア各地にも広がった。同性どうしの性行為を禁じる刑法三七七条はイギリスで一九六七年に、九〇年代になると香港やオーストラリアなどの旧イギリス植民地で次々と廃止され、二〇一八年にはインドでも廃止された。アジアでの運動の組織化は欧米留学から帰国したゲイやレズビアンの活動家が中心となって行われ、当初は同性間交渉でしかエイズウイルスに感染しないと思われていたため、その流行を防止したい政府も組織化を支援し、同性愛者はようやく「見える」存在となった。ただ、男性が女性より重んじられ、その発言が受け入れられやすいアジアの社会においては、レズビアンよりもゲイの発言力の方が大きい。経済力の差も大きいだろう。性的少数者の法的地位と権利拡大を求める運動を牽引したのは、アジアではゲイ団体が主であった。

もっとも、アジア諸国の政府は欧米へのアピールとして性的少数者の社会への包摂を掲げても、同性愛はジェンダー規範を不安定化する外国由来の危険な存在とみなしている。理想とすべき国民や家族像にイスラームの道徳言説が大きな影響を与えているマレーシアやインドネシアでは、その傾向が強い。現在でもマレーシアでは刑法三七七条は廃止されておらず、一九八〇年代から九〇年代に首相だったマハティール(Mahathir bin Mohamad)は、同性愛を「欧米の個人主義、快楽主義、物質主義に由来する病理の一つ」と見なしていた。二〇一八年に独立後初の政権交代が実現したものの、性的少数者が公に権利を主張せずプライベートな世界に留まっている限りはその存在を認めているに過ぎない(伊賀 二〇二二:一一四、一三一―一三二頁)。「性的少数者に寛容な、創造的で知的な都市」を掲げるシンガポールは、二〇〇六年に刑法三七七条を大きく改正したが、男性どうしの性行為を禁じる三七七条A項はそのまま残した。高まる批判の中でようやく二〇二二年にA項を廃止したものの、同時に憲法を改正して国会が結婚制度を定義すると明記した。これによって裁判所の司法判断で同性婚が認められる可能性が閉ざされ、結婚は男女間だけで有効とする現状が追認された(Tamura 2023: 242, 247; *The Straits Times* (Singapore), August 21, 2022)。

現在でも刑法三七七条を維持し続ける上座部仏教の国ミャンマーでは、二〇一一年に軍政が主導して民政移管を行った後は、性的少数者をめぐる状況は大きく改善した。これは、諸外国から人権に関する状況を批判され続けたため、政権の正統性を人権擁護の姿勢を通してアピールすることが目的だったと考えられる(小島 二〇二一:二三九―二四一頁)。「性的少数者のパラダイス」とも言われるタイでも、性の多様性は「国際的なイメージ」である(日向 二〇二一)。このようにイスラームやキリスト教に比べて非規範的なセクシュアリティに比較的寛容と言われる上座部仏教国でも、性の多様性は対外関係やその時々の政治状況によって左右されている。

一方、中国では、一九九七年まで同性間の性行為を行う者は行政処分と治療の対象であった。その後、国際社会に配慮して同性愛は非犯罪化・非病理化されたものの、学校教科書では「病気」「異常」と記述されることが多く、当局は性的少数者の集会や性的少数者をテーマにした映画への介入を続けている(遠山 二〇一五：一六九頁)。

他のアジア諸国同様に異性愛規範の強い日本では同性婚の議論はようやく始まったばかりだが、自治体が条例などで定める同性パートナーシップ制度は、自治体の「ダイバーシティ政策の看板」として全国に広がっている。自治体から同性パートナーという承認を受ければ、病院における面会権や医療行為における同意、公営住宅への入居などのメリットがあるものの、法的な拘束力があるわけではない。また、性別適合手術をしてないトランスジェンダーはこの制度を利用できないなど、性的少数者を分断するという批判もある。

ただ、台湾では二〇一九年に同性婚が合法化された。女性団体やレズビアン団体がその運動を牽引したという意味でもアジアではユニークな事例である。台湾では、長期にわたった戒厳令が解除された後の一九九〇年代に様々な民主化運動が盛んになった。ジェンダー平等と性的少数者の権利獲得は、国際的に孤立する台湾の存在をアピールし、同時に共産党の権威主義的統治が続く中国と差別化するためにも重要なイシューだったため、政権は女性団体やレズビアン団体との協力を惜しまなかったのである。二〇二〇年末までに全婚姻数の二・一%にあたる五三二六組の同性カップルが誕生し、新しい家族形態が台湾で出現しつつある(田村 二〇二二：一〇一頁)。ただ、法案成立まではキリスト教団体を中心に「伝統家族を守ろう」という運動が立ち上がり、賛成派と反対派が激しく対立した。台湾においても異性愛規範は根強い。

おわりに

第四回国連世界女性会議から二五年以上が過ぎ、アジアにおいてもジェンダーとセクシュアリティの議論は急速な広がりを見せ、各国政府は「ジェンダーの主流化」に取り組み、一定の成果は上げている。社会に悪影響を及ぼす犯罪者として周縁化されてきた性的少数者も、ようやく可視化されてきた。

しかし、性差別的なジェンダー規範は容易に変化させられるものではない。ステレオタイプ的なジェンダー規範は、様々な法律、慣習、そして国民のジェンダー意識や日常生活に大きな影響を与えている。国民国家を正当化するにあたって家父長制を「利用」したアジアでは、イスラームやキリスト教、ヒンドゥー教、仏教、さらに儒教的規範を含めたアジアの多様な文化における性別役割の道徳言説に基づいて、家父長制を自文化の本質だとした。そのため、女性の社会進出および経済的自立が進んでも、女性を家族・親族内での母・嫁・娘という役割に縛り続けている。冷戦終了後、多くのイデオロギーがその価値を失うか、揺らいでいるなかにあっても、家父長制は残念ながらアジアだけでなく、世界の多くでほとんど揺らいでいない。

新型コロナウイルスの猛威に世界が騒然となった二〇二〇年四月、国連は「政策概要――新型コロナウイルスの女性への影響」を発表、ウイルスが及ぼす影響は女性及び女児にとってより大きい、世界的に医療労働者の七〇％が女性であるが、その声は新型コロナウイルスへの対応についての意思決定に反映されていない、ジェンダーに基づく暴力が急激に増えていることなどを挙げて、「ジェンダー平等は揺り戻しの危険にさらされている」と警告した（United Nations 2020）。アジアでも女性に対する暴力が増加し、在宅者が増える中で女性の無償労働の負担が増加している。日本では二〇二〇年、女性それも主婦の自殺者が急増した（コロナ下の女性への影響と課題に関する研究会 二〇二一：二一頁）。アジアでもジェンダー平等は揺り戻しの危機にある。

また、ほとんどのアジアの国ではセクシュアリティは自由ではなく、女性は未だに自らのセクシュアリティの主体にはなっていない。また、性の越境者を容認あるいは尊敬する文化は維持されているが、国家は異性愛規範と生殖を目的とするセクシュアリティを「正常」として規範化しつづけている。そのため、性的少数者は公的な権利を主張せずにプライベートな範囲に留まっている限りで容認されている。

コロナ禍によってジェンダーとセクシュアリティの不平等が改めて顕在化した。ただ、人権を擁護し、推進することが世界共通の認識であることは変わりない。わたしたちがコロナ禍から学ばねばならないのは、「疎外されてきた人々」を包摂する社会を創るための議論の中心に、ジェンダーとセクシュアリティの平等を位置付けることであろう。

注

（1）貴族階級の家で一八七九年に生まれたカルティニは、祖父が開明的な人物だったために幼児期から家庭教師についてオランダ語を学んでオランダ人小学校に通ったが、卒業後は結婚準備のために家庭に引き戻された。しかし、自宅で多くの書物を読み、同胞のジャワ人女性とともに民族的自覚の向上とくに女性の民族的自覚の向上を志したが、親が決めた相手と結婚し、産褥熱のために二五歳という若さで亡くなった。

（2）婦女連とは中華全国婦女連合会の略称。婦女連は中国の全女性を代表する公的女性組織で、村や職場という末端レヴェルまで組織のネットワークを持ち、専従職員の給与は公的経費で賄われる。中国の女性政策は、基本的には政府→婦女連→一般女性という形で上から下へと進められる。

参考文献

秋山洋子（一九九九）「第四回国連女性世界会議をめぐって——中国における国家と女性」中国女性史研究会編『論集　中国女性史』吉川弘文館。

粟屋利江・井上貴子編（二〇一八）『インド　ジェンダー研究ハンドブック』東京外国語大学出版会。

伊賀司（二〇二一）「希望連盟政権下のセクシュアリティ・ポリティクス——「新しいマレーシア」の下でも進まなかった性的少数者の政治・社会的包摂」日下渉・伊賀司・青山薫・田村慶子編『東南アジアと「LGBT」の政治——性的少数者をめぐって何

が争われているのか』明石書店。

井川ちとせ（二〇〇八）「ジェンダー・アイデンティティという虚構」中野知律・越智博美編『ジェンダーから世界を読むⅡ　表象されるアイデンティティ』明石書店。

泉谷陽子（二〇二二）「人民共和国建国初期の大衆運動と主婦――上海市家庭婦連を中心に」小浜正子・板橋暁子編『東アジアの家族とセクシュアリティ――規範と逸脱』京都大学学術出版会。

上野千鶴子（一九九五）「差異の政治学」井上俊他編『岩波講座　現代社会学11　ジェンダーの社会学』岩波書店。

日下渉（二〇二一）「性的少数者をめぐって何が争われているのか――東南アジアの視座から」日下渉・伊賀司・青山薫・田村慶子編『東南アジアと「LGBT」の政治――性的少数者をめぐって何が争われているのか』明石書店。

国弘暁子（二〇〇八）「ヒジュラ――ジェンダーと宗教の境界域」『ジェンダー研究』第八号。

国際協力機構（JICA）（二〇〇七）「国別ジェンダー情報整備調査報告書――インド」JICA。

小島敬裕（二〇二一）「現代ミャンマーにおけるLGBT権利擁護運動の展開と性的少数者の地位の変容」日下渉・伊賀司・青山薫・田村慶子編『東南アジアと「LGBT」の政治――性的少数者をめぐって何が争われているのか』明石書店。

小浜正子（二〇一八）「中華人民共和国の成立とジェンダー秩序の変容」小浜正子他編『中国ジェンダー史研究入門』京都大学学術出版会。

コロナ下の女性への影響と課題に関する研究会（二〇二一）「コロナ下の女性への影響と課題に関する研究会報告書――誰一人取り残さないポストコロナの社会へ」内閣府男女共同参画局。

スコット、ジョーン（二〇〇四）『ジェンダーと歴史学』増補新版、荻野美穂訳、平凡社。

田村慶子（二〇二〇）「ジェンダー」川中豪・川村晃一編『教養の東南アジア現代史』ミネルヴァ書房。

田村慶子（二〇二一）「シンガポールにおける性的少数者の人権と市民社会」日下渉・伊賀司・青山薫・田村慶子編『東南アジアと「LGBT」の政治――性的少数者をめぐって何が争われているのか』明石書店。

田村慶子（二〇二二）「重い家庭の負担からの逃避――台湾の家族と女性」田村慶子・佐野麻由子編『変容するアジアの家族――シンガポール、台湾、ネパール、スリランカの現場から』明石書店。

中国女性史研究会編（二〇〇四）『中国女性の一〇〇年――史料にみる歩み』青木書店。

遠山日出也（二〇一五）「近年の中国におけるＬＧＢＴ運動とフェミニスト行動派」『現代思想』四三巻一六号。

遠山日出也（二〇一六）「フェミニスト行動派の運動とその特徴」小浜正子・秋山洋子編『現代中国のジェンダーポリティクス――格差・性売買・「慰安婦」』勉誠出版。

日向伸介（二〇二一）「冷戦期タイにおける性的少数者の空間形成――パッタヤー歓楽街を事例として」日下渉・伊賀司・青山薫・田村慶子編『東南アジアと「ＬＧＢＴ」の政治――性的少数者をめぐって何が争われているのか』明石書店。

弘末雅士（二〇二二）『海の東南アジア史――港市・女性・外来者』ちくま書房。

古屋礼子（二〇一八）「インド女性の社会進出　現状と今後」ＪＥＴＲＯ地域分析レポート、ＪＥＴＲＯ。

牟田和恵（一九九六）「セクシュアリティの編成と近代国家」井上俊他編『岩波講座　現代社会学10　セクシュアリティの社会学』岩波書店。

リード、アンソニー（二〇二一）『世界史のなかの東南アジア――歴史を変える交差路』上・下巻、太田淳・長田紀之監訳、名古屋大学出版会。

リドル、ジョアンナ・ジョーシ、ラーマ（一九九六）『インドのジェンダー・カースト・階級』重松伸司監訳、明石書店。

Committee on the Elimination of Discrimination against Women, India (2005), *Consideration of reports submitted by States parties under article 18 of the Convention on the Elimination of All Forms of Discrimination against Women: Combined second and third periodic reports of States parties.*

Tamura, Keiko Tsuji (2023), "Looking into States and Civil Societies in Taiwan and Singapore through the Lens of Sexual Minorities", Khatharya Um and Chiharu Takenaka (eds.), *Globalization and Civil Society in East Asian Space*, London, Routledge.

United Nations (2020), UN Secretary-General's policy brief: The impact of COVID-19 on women.（https://www.unwomen.org/sites/default/files/Headquarters/Attachments/Sections/Library/Publications/2020/Policy-brief-The-impact-of-COVID-19-on-women-en.pdf）最終閲覧日：二〇二三年一月五日。

World Economic Forum (2023), *The Global Gender Gap Report 2023*.

焦点｜*Focus*

コンピュータの普及とメディアの変容

喜多千草

一、特権からすべての人々の権利へ

二一世紀の現在、人々はインターネットに繋がらない場所にいると、不便を感じたり、時には逆にほっとしたりするようになった。しかしながら、携帯電話・スマートフォンや電子書籍リーダ、スマートウォッチなどを身に付けた人々が、常時オンラインであるのが当たり前のようになったのは、近年のことである。

技術的専門知識を持つ先端的な少数者から始まったコンピュータ・ネットワーク利用が一般に普及し始めたのは、インフラの観点からいえば、いわゆるインターネットの基盤(バックボーン)の全米科学財団ネットワーク(National Science Foundation Network: NSFNET)の商用利用解禁が始まった一九九一年以降のことであり、ソフトウェアの観点からは、ウェブ(World Wide Web)およびその閲覧のためのブラウザが使われるようになった一九九三年頃からということになるだろう。そして米国政府がネットワーク利用から取り残される人々の存在を問題視し始めたのは、早くも一九九〇年代半ばのことだった。すなわちまず、一九九五年に「ネットからこぼれ落ちる」と題される米国商務省電気通信情報局の報告書が「アメリカの地方と都会の「持たざる者」に関する調査報告」という副題のもとに出され、さらに第二弾の一九九八年報告から「持たざる者」問題に、「デジタル・デバイド」という表現が使われるようになった。しかしこの報告書に掲げられている数字を見るかぎり、この「デジタル・デバイド」が問題にされ始めた時点においては、ネットを利用していない人口のほうが利用者人口よりまだ多かったのである。報告書によれば、一九九七年の四万八〇〇〇件の訪問調査による結果から、米国全体で電話の普及が九三・八％、パソコン保有が三六・六％、モデム(電話線とパソコンを繋ぐための通信機器)保有が二六・三％、電子メール利用が一六・九％だった。つまりインターネット利用はこの時点でまだ一般的な普及の途上期だったということである(NITA 1998: 7)。

国防総省の高等研究計画局(Advanced Research Projects Agency: ARPA)の情報処理技術部(Information Processing Techniques Office: IPTO)が開発・実装を進めた高等研究計画局ネットワーク(Advanced Research Projects Agency Network: ARPANET)は、コンピュータ・ネットワークを支える技術とそれを担う技術者コミュニティの連続性から「インターネットの源流」とも言われるが、そのネットワークが稼働し始めた一九六九年末には、ネットワークに接続していたのは四つの高等研究機関のみであった。このことを起点に考えれば、実のところ一九九〇年代にいたるまで、ネットワーク利用者は増加の一途であった。一般的普及が右肩上がりであった一九九〇年代半ば過ぎに、ネットワークへのアクセスが困難な人々の存在が注目されるようになったことこそ、コンピュータおよびネットワークの利用が少数者の特権からすべての人々の権利へと転換しつつあったことの証左といえよう(喜多 二〇〇二：八頁)。

情報技術(Information Technology: IT)または、情報通信技術(Information and Communications Technology: ICT)が社会の大きな変革をもたらしているとする「IT革命」あるいは「ICT革命」という表現が米国の書籍で取り上げられるようになったのは、この時期以降のことである(もっとも、「情報革命」「コンピュータ革命」という表現は一九五〇年代末から使用されており、そのうち「情報革命」はこの時期に使用が大きく増加していることがわかる。一方で「コンピュータ革命」の使用のピークは一九八五年にあり、減少傾向にある)［**図1**］。これが歴史用語として適切であるか否かは措くとして、少なくとも米国では、全米科学財団ネットワークの利用条件が緩められた一九九二年の科学技術法の修正、そして一九九三年のクリントン政権下での全米情報基盤構想(National Information Infrastructure: NII)といった情報通信ネットワークの普及政策が推進された一九九〇年代初めに、こうした表現も使われるようになったのである。

そこで本稿では、一九九〇年代にコンピュータおよびネットワークの利用が社会全体の、つまり万人のためのインフラとみなされるようになった画期があったことをふまえた上で、まず、これを準備したコンピュータおよびネットワークの普及過程を概観する。つぎに、そうした過程からインターネット普及期までを通じて、「情報革命」あるいは「IT革命」といった表現をふくめて、コンピュータおよび情報通信技術がもたらす変容のもつ意味がどのように論じられてきたか確認し、今後、歴史としてどのように語るべきかについて考える材料を提供する。最後に、インターネットが普及した時代において、大きな変化が実際におこったメディア環境を例に、本巻がとらえようとするグローバリゼーションの進展の観点を含めつつ、あらためてこの変容のもつ意味について考える。

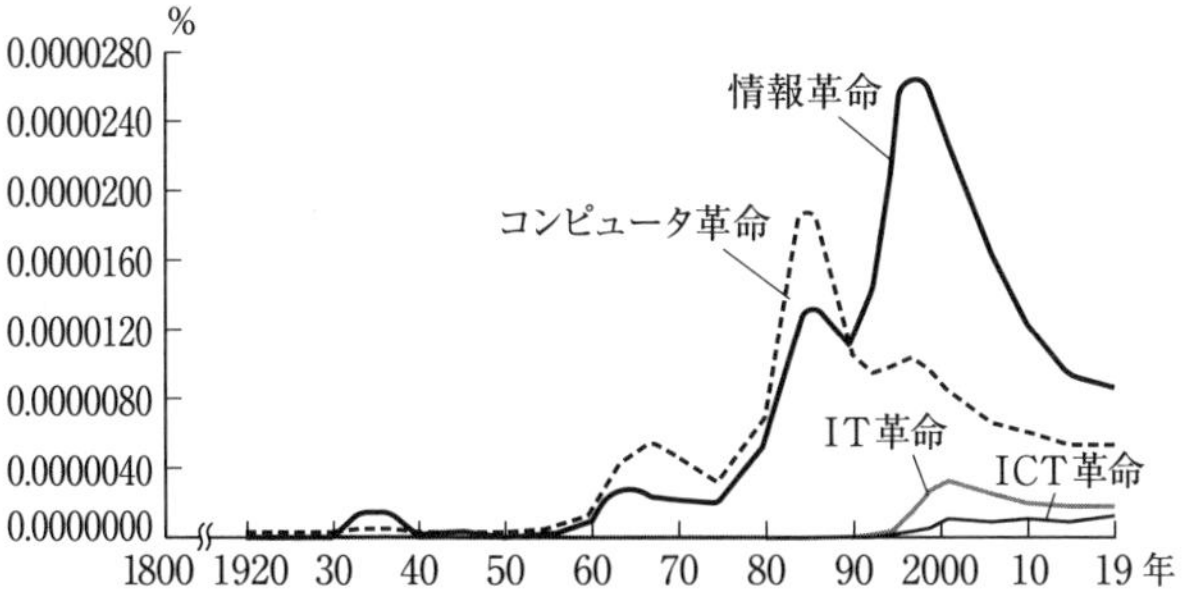

図1 米国書籍に登場する「情報革命」「コンピュータ革命」「IT革命」「ICT革命」の頻度(Google Books Ngram Viewerを使用して作成)

二、コンピュータおよびネットワークの普及過程

ジャネット・アバーテは、一九九九年の自著(アバテ 二〇〇二)を含めたインターネット史研究では、この一九九〇年代の一般への普及の過程、特に先に触れた全米科学財団ネットワークの民営化をあまり詳しく扱ってこなかっ

たことを反省しつつ、短期間での急速な民営化の背景とその問題点を指摘した論文を発表している。この中でアバーテは、テネシー州選出の米国上院議員だったアル・ゴア(Al Gore, 在任一九八五―九三年、のちの副大統領、在任一九九三―二〇〇一年)ら政治家が万人のための情報通信ネットワークの普及を目指した背景として、ヨーロッパや日本、特に日本の第五世代コンピュータプロジェクトを脅威として、米国の高性能コンピュータ開発への支援を強化する必要性が感じられていたことと、レーガン政権下で行われた米国電信電話会社(American Telephone and Telegraph Company: AT&T)の分割民営化によって通信基盤を複数の企業が担うイメージができていたこと、さらに「最後に挙げるが、小さくはない理由のひとつ」として、一九八〇年代に安価で高性能になったワークステーションやパーソナルコンピュータ(特にIBM社が一九八一年に発売したIBM PC)が普及し、それを通信サービスに接続する人々が増えていたことを挙げている(Abbate 2010: 13)。本節では、こうして実際に一般の人々が先駆的なネットワーク利用者となった一九八〇年代にいたるまでに、それを準備した技術やその開発思想が存在していたことに着目する。

「コンピュータ・ユーティリティ」の思想

ネットワークを含めたコンピューティング環境が、研究環境ひいては社会全体のインフラになるという考え方は、じつはその開発の初期から提示されている。さきにも触れた「インターネットの源流」とも言われる高等研究計画局ネットワークのARPANET計画に最初から参画していた機関のひとつに、マサチューセッツ工科大学のプロジェクトMACという研究グループがあった。ここで、大型計算機の先端的な共同利用システムが開発されていた。ジェネラル・エレクトリック社とAT&Tの研究部門であるベル電話研究所の協力を得て開発されていた大型コンピュータの共同利用環境「多重化情報計算サービス」(Multiplexed Information and Computing Service: MULTICS)である。それまでの大学の計算機利用は、主に大型計算機センターに自作のプログラムとデータを預け、専門のオペレータに科学計算を実行してもらう間接利用が一般的であった。これに対し、このプロジェクトでは多数の研究者が、同時に大型計算機を直接利用できる環境の開発をおこなっており、そのような利用環境を電気・水道・ガスのようなインフラになぞらえて、「コンピュータ・ユーティリティ」と呼んでいた。

この後一九六九年には、ベル電話研究所がこのプロジェクトから撤退した。同研究所から参加していたデニス・リッチー(Dennis M. Ritchie)とケネス・トンプソン(Kenneth Thompson)が、複雑な「多重化情報計算サービス」(MULTICS)からこの開発思想を引き継いで、比較的単純なUNIXというシステムを開発しはじめ、一九七三年にそのシステムを学会で発表した。これが全米の大学で中型計算機の共同利用のためのオペレーティング・システムとして広まり、さらにUNIXを搭載したコンピュータ間の通信を電話回線を利用して可能にする仕組み(Unix to Unix Copy Protocol: UUCP)が一九七八年にベル電話研究所から発表された(サルス 二〇〇〇:一一七頁)。

こうして各地の大学で独自に改良が進んでいたUNIXのうち、カリフォルニア大学バークレー校版UNIX(Berkeley Software Distribution: BSD)は評判が高かった。このバークレー版の開発チームに対し、高等研究計画局から助成が行われ、高等研究計画局ネットワーク(ARPANET)の新しいプロトコル階層(TCP/IP)[1]を仕様に組み込むための助成が行われた(マクージック 一九九九:七〇―七二頁)。このように現在のインターネットでも使われている新しい階層構造への移行があった一九八三年のバークレー版UNIX(4.2 BSD)は、「十八ヶ月の間に千以上のサイトライセンスが発行された」ほど人気があったという(同:七六頁)。さらに一九八六年のバークレー版UNIX(4.3 BSD)の完成度が高く、その後、現在に至るまでのネットワーク用サーバの基盤的なソフトウェア設計に大きな影響を与えた。こうして、一九六〇年代の大型計算機の共同利用のためのシステムが目指した「コンピュータ・ユーティリティ」、つまり情報通信技術による社会のインフラ構築は、インターネットの広がりとともに、それを支えるサーバ群に息づいて今日の社会を支えている。

ネットワークとネットワークをつなぐインターネットの必要性

「インターネット」の「インター」は高速道路のインターチェンジなどの「インター」と同じで、間をつなぐという意味がある。一九八三年を機に、高等研究計画局ネットワーク(ARPANET)から、国防総省関係機関用の閉じたネットワーク(MILNET)が分離した。国防総省としてはこの切り離しに際して、国防用の複数の情報通信網を新しいプロトコル階層(TCP/IP)を使って束ねることにした。国防総省としてはネットワーク間接続(インターネットワーキング)ができることにメリットがあったのである。さらに準備していたセキュリティを向上する措置も施し、新しいネットワークの技術仕様を公開した。これは、成熟してきたコンピュータ通信技術をオープンにすることで、一般企業からネットワーク接続機能を備えたコンピュータや関連機器を調達できるようにするためであった(Norberg and O'Neill 1996: 195-196 など)。いっぽう研究用ネットワークとして存続することとなった高等研究計画局ネットワーク(ARPANET)では、メーリングリストを含む電子メールが研究環境の一環としてよく使われており、このネットワークに参加できない研究機関の研究者たちも、それを利用したがっていた。そこで、国防総省の助成金をうけていない大学の間で、同様のネットワークが構築されることになった(村井 一九八七:一〇二三―二四頁)。これが、後に全米科学財団ネットワーク(National Science Foundation Network: NSFNET)へと発展し、やがて高等研究計画局ネットワーク(ARPANET)が担っていたインターネットのバックボーンを肩代わりすることになる。また、公開された新しいプロトコル階層を利用した商用ネットワークもできるようになり、そうした商用ネットワークの連合体がバックボーンへの接続を模索した(Abbate 2000: 15-16 など)。

また、UNIXを利用していたプログラマたちを中心に、以前からあるUUCPを活用したUSLNETと呼ばれるニュースグループ(メーリングリストのようなサービス)を中心とした情報交換ネットワークも広まった。これは当時はしばしば「貧者のARPANET」と呼ばれていた種々の草の根的なネットワークのひとつである。このネットワークによりコンピュータ通信をつかう人々の裾野が広がり、ネット上のいざこざやそれを乗り越える努力といったネット上の社会の原型が生まれ、そこでの協力的な振る舞い方を身につけた人々、「ネット市民」が生まれたと指摘する研究者もある(ハウベンら 一九九七)。この他に、もっと安価なコンピュータを電話線につないでパソコン通信を行う人々もあり、それぞれ自分が契約したサービスを使っている人々の間でのコミュニケーションの輪が広がっていた。こうしたさまざまな情報通信ネットワークが、一九九〇年代に複数のネットワークをつなぐ仕組みであるインターネットに合流していった。こうして種々のコンピュータ通信を介して、他の人々と情報交換しようとするユーザたちがあったからこそ、商用解禁後すみやかにインターネット利用者が拡大していったのである。

その他の情報通信ネットワークの合流

いっぽうコンピュータのネットワークは、大学の初期利用者らのように自らプログラムを書く利用者のためにのみ発展してきたわけではない。むしろ大勢の人々が早くから恩恵に浴してきたのは、いわば見えないコンピュータによる情報通信システムである。

こちらの流れも源流を遡れば、一九五〇年代初期から開発が始まり、冷戦期に稼働していた米国の巨大防空システム、半自動警戒管制組織(Semi-Automatic Ground Environment: SAGE)という国防予算で構築されたシステムにたどり着く。この防空システムは、全米に配置されたレーダー群で集められた航空情報を、高速コンピュータのネットワークで統合した航空管制および爆撃機迎撃支援システムであった。

このシステムのために量産されることになった高速コンピュータが、マサチューセッツ工科大学で開発されていた「つむじ風」(Whirlwind)である。この製造を請け負ったのが、デジタルコンピュータの製造へと進出したばかりの会計機製造会社のＩＢＭ(International Business Machine)であった。一九五七年から五八年にかけてこのプロジェクトに七〇〇〇人以上を投入した同社では、この機に技術移転を受けて人材育成や製造技術の洗練が進んだため、コンピュータ製造ビジネスでの確固たる地位を獲得することができた。そのＩＢＭが半自動警戒管制組織プロジェクトから得た、広域に散らばる多数の機器・端末と通信しながら刻々と変化するデータの入出力を短い制限時間内で処理するシステム(オンライン・リアルタイムシステム)の実装力をビジネスに転用したのが、アメリカン航空と共同開発した航空機の座席予約システム(Semi-Automatic Business Environment Research: ＳＡＢＲＥ)であった。それまでの航空券の予約は、一部は機械化されていたものの手作業のデータ処理の割合が大きく、増え続ける便数と顧客数に対応しきれなくなっていた。航空会社にとってこの座席予約システムの導入は、大きなビジネス上の変革となった。この最先端の軍事システムの民間転用の成功をうけて、徐々に金融サービスにもオンライン・リアルタイムシステムが広がり、クレジットカードの認証や現金自動預け払い装置(Automatic Teller Machine: ＡＴＭ)にも導入されるようになった(Campbell-Kellyら二〇二一：第七章など)。

総務省の通信利用動向調査によれば、今日のインターネット利用では「商品・サービスの購入・取引」を行う人々が半数を超えており、決済にクレジットカードを使っている人がその七割以上を占めていることから、金融系の情報通信システムに由来する機能がインターネットの利便性を高めていることがうかがえる。例えば、公共料金や税金、通信販売等の料金支払いをインターネット経由でも行えるようにしている日本マルチペイメントネットワークの推進協議会は、金融機関の「無人化店舗の拡大」、ＡＴＭの二四時間化、テレフォンバンキングやインターネットバンキングのなどのサービスチャンネルの拡大」といった環境変化に対応して二〇〇〇年に設立されている。このような金融システムのインターネットへの合流は一九九〇年代半ばから徐々に始まって、今日の広範なオンライン経済活動の基盤が整っていった。

このように概観すると、今日のインターネットは起源の異なる多様な機能を実現しているため、総体として現代社会のインフラとみなされるようになっていることが理解されるだろう。そして一九九〇年代のウェブブラウザの浸透を経て、インターネット接続用の情報通信端末はもはや携帯電話などの組み込みシステムのはいった小型コンピュータで事足りるようにすらなった。こうしてインターネット利用者は、最新の通信利用動向調査によれば、一三歳から五九歳の各年齢層で九割を超える時代になったのである。

三、情報通信技術のもたらした変容への視点

「情報社会」論の系譜

デジタル・コンピュータの利用がもたらす社会の変容についての議論は、すでに早くも一九五〇年代に始まっていた。当時の生産ラインに導入されたコンピュータは、自動化(オートメーション)の要となる技術で、この時期の関心事は、コンピュータの導入による失業である。『人間機械論』を著したノーバート・ウィーナー(Norbert Wiener)は自動化を「新しい第二の産業革命」と表現し、自動化の影響で失業がでるかもしれないと考えたひとりであった。この後、一九五〇年代半ばすぎに「人工知能」という表現が生まれてからは、さらに社会に警戒感が拡がった。自社の研究所でチェスやチェッカーをする「人工知能」プログラムを開発して耳目をあつめたIBM社では、顧客への心理的な悪影響を懸念して、計算機は計算が速いだけで愚鈍な機械だというキャンペーンを行ったことが知られている(マコーダック 一九八三：一八四頁)。

一九六〇年代はじめに始まった「知識産業」と分類されうる経済活動への注目から、一九七〇年代から八〇年代にかけて、文明のあらたな段階としての「情報社会」の到来を論じる議論が盛んになる。この時期は、オフィス用コン

ピュータやテレビ放送などの普及が議論の背景にあり、生産様式の革命的転換を論じる文明論のスタイルが取られていた。

また国民に関する大規模データの集積を行う大型コンピュータによる「国家データバンク」の概念が出て以降、一九六〇年代半ばからは、欧米を中心にプライバシーの侵害、監視に関わる議論も始まっていた(Warner and Stone 1970)。こうしたコンピュータの導入がもたらす負の側面は、このような早期からの警告にもかかわらず国家的なネットワークの監視・検閲や、安全保障を謳った通信傍受が現実のものとなったことから、今世紀に入っても「管理社会」「監視社会」に関する議論はむしろさかんに続けられている。(2)

さらに一九七〇年代のパーソナルコンピュータ黎明期から一九八〇年代の普及期には、人間の知的活動を拡張する道具としてのコンピュータの可能性が議論され、図1に見られるように、従来の文明論的観点にそうした新しい観点が加わって、「コンピュータ革命」の米国書籍での使用頻度がピークを迎える。

この後、第一節で述べたように、一九九〇年代にインターネットの普及を踏まえた「IT革命」「ICT革命」という表現の使用が始まる。つまり、情報技術の導入による社会の変容を「革命」になぞらえることは一九五〇年代から見られ、しかも何が革命的かという指示内容は時代によって変化していることがわかる。こうした技術史的観点とは異なるが、一九九〇年代半ばまでの「情報社会」論を検討したフランク・ウェブスター(Frank Webster)は、現代社会において「情報」を重要とみなす論者の間でも「情報社会」論の重点の置き方は多様であるうえ、現代社会の変容を「情報革命」ととらえる見方と、「情報化」という言葉を用いてこれまでの時代との連続性を重視する見方の違いは大きく、自身は前者には懐疑的な立場であることを表明している(ウェブスター 二〇〇一:八―一五頁、三二八―三三〇頁)。

二〇〇〇年代に入ってからも、行政用語をはじめとして「情報革命」という表現がときに空虚に使い続けられる一方で、「情報化」という表現をことさらに使わない論者にも、『第三の産業革命』(二〇一五)を編んだ山形浩生のように、現在進行形の変化が、「革命」というよりは過去との連続性が認められることを前提にしつつ、その変化をどう捉えれば根本的な性質を見極められるかを考察する人々が出てきている。ただしこの場合の射程は、もはやネットワークを前提としたコンピュータの利用がもたらした変容であることは言うまでもない。

未来予測と「アーキテクチャ」の分析

こうした情報通信技術がもたらした変容を、コミュニケーションにおける距離と時間の観点から整理しようとした論者のひとりに、ウィリアム・ミッチェル(William J. Mitchell)がいる。その著書『シティ・オブ・ビット』(一九九五)について、田畑暁生は「建築家、芸術学者であるミッチェルのこの本の主題は、情報化によって都市がどのように変化するか、であるが、どこでも好きな場所で好きな情報が得られ、サイバースペース内でヴァーチャルに様々な用が足りるとする未来像は、基本的に極めて楽観的に見える」と評している(田畑 二〇〇四：二九頁)。ミッチェルは国内外でこのような評価を受けて、考察を深めて次著を出版した。『e-トピア』という題名からして、楽観論を大きく踏み出したものではないにせよ、この中で「economy of presence」(その時その場所にいることの経済性)という概念の四象限が提示された[図2]。軸のひとつが「現地か遠隔か」、もうひとつが「同期か非同期か」である。現地かつ同期というのは、もっともコストのかかるコミュニケーションで、対面での会話・ミーティングや、ライブなどがそれにあたる。これに対し、遠隔・非同期がもっともコストがかからず、古典的かつ典型的なのが手紙であろう。ミッチェルは「遠隔通信技術は、遠隔・同期の象限を可能にし、各種組織の規模が拡大し、グローバリゼーションが徐々に本格的に進行した」と指摘し、さらに「近年ではデジタルネットワークの普及により、急速かつ大規模に遠隔・非同期の活動が拡がった。これこそがデジタル革命のもっとも本質的な効果である」とした(ミッチェル 二〇〇三：二一〇頁)。

	同期	非同期
現地	移動が必要 スケジュール合わせが必要 親密，パーソナル 非常にコストがかかる	移動が必要 スケジュール合わせは不要 時間の調整不要 コストが下げられる
遠隔	移動が不要 スケジュール合わせは必要 場所の調整不要 コストが下げられる	移動が不要 スケジュール合わせが不要 場所の調整不要 非常にコストがかからない

図 2　その時その場所にいることの経済性（Mitchell 2000: 138 より作成）

これは確かに、情報通信技術がひきおこした変容の質を説明するのに重要な基本的枠組みを示しているし、実際に技術的には情報通信を使ったサービス設計の際にこの区分の違いで要件が異なってくるため、情報技術者が意識せざるをえない軸を示してもいる。

しかし二〇〇〇年代以降においては、現実にはもう少し複雑で中間的なありようが実現しており、情報通信技術環境をインフラとして含んだ社会を記述しようとする、あたらしい「情報社会」論では、むしろそれこそが記述すべき対象になってきている。

濱野智史は、数十・数百万以上の利用者がいる大規模なグループウェアを「ソーシャルウェア」と呼び、情報環境における人々の動きをコントロールしているしくみに注目して、二〇〇七年以降のウェブサービスやコミュニティのありようについて考察した。この中で、同期・非同期といった時間軸のコントロールを分析観点のひとつにとりあげており、ツイッター（二〇二三年にXに名称変更）のように誰かの投稿に比較的すぐに反応する（つまり同期的につかう）こともできるし、時間をおくこと（非同期的につかう）もできる、同期・非同期の両立ができる環境を「選択同期」と呼んだ。またニコニコ動画のように、あるコンテンツのどの場面に視聴者がどのように反応したかが記録・再生されるしくみ（コンテンツの画面上にあらわれる内容と同期したコメント表示のしくみ）によって、いつ（非同期に）視聴しても、あたかも他の人と一緒にそのコンテンツの時間軸にそって（同期に）視聴経験を共有できるかのように感じられる「疑似同期」で賑わいやコミュニティが形成されている例を指摘した。そして後者のタイプのサービスは当時は日本特有とも言えるもので、これを分析することで日本的なインターネット文化のひとつの側面が記述できることを示した（濱野 二〇〇八：一九五―二四〇頁）。

このようにインターネット上のアプリケーション層のソフトウェアが、利用者の嗜好に合わせて設計され、また利用者の行動を促す環境となっていることに着目した濱野は、こうしたしくみを「アーキテクチャ」であるととらえた[3]。これは本巻の「展望」で言及された『帝国』（ネグリ、ハート 二〇〇三）が描いた、多様な群衆《マルチチュード》を柔軟に管理する権力システムと通じる「環境管理型権力」の秩序維持のしくみのことである（東 二〇〇三）。こうした、利用者にそれとわからせずに行動を誘導するデザインは、認知心理学や工学では、管理というよりは利便性を高める方向から、「アフォーダンス」や「説得的テクノロジー」と呼ばれているものでもある。しかし「ソーシャルウェア」であれば、それは単なる工学的な人工物というより新しい社会的環境であり、濱野は政治学的・現代思想的問題意識をもってその「技術（アーキテクチャ）と社会（集団行動）が、密接に連動するかたちで変容していくプロセス」を記述しようとしている（濱野 二〇〇八：三三二頁）。こうした記述のありようこそ、未来予測的にというよりいわば生きる場としての現実の「情報社会」を論じる時代にはいったことの象徴であったといえよう。

マス・メディアの変容

「メディア」を論じる領域のなかでも古典的な、マス・メディアと世論形成あるいはプロパガンダといった関心軸からも、インターネットが社会のインフラとなって以降の変容を確認しておこう。社会学者の遠藤薫は、二〇〇〇年、二〇〇四年の米国大統領選挙でのインターネット利用の事例や、二〇〇〇年代初期の時点であたらしい言論の場として主に米国で注目されていたブログ圏、あるいはインターネット上のオルターナティブメディアなどについて、具体的な事例をもとに、インターネットを世論形成の場とみなしうるかについて検討した（遠藤 二〇〇四）。また当時は

「インターネットを介した政治的、社会的運動は、諸外国ではかなり報告されているが、日本ではまだ大きな動きは見られない。しかし、もちろんまったくないわけではない」(同：六七頁)、として日本国内での先駆的な事例も分析対象とした。こうした作業にあたり、「群衆」「公衆」あるいは「公共圏」といった従来の世論形成にかかわる概念がインターネット上の言論空間に当てはまるか、それらの同時代的な有効性を検討した遠藤は、インターネットでは多層化した「小公共圏」群が形成されており、それぞれが従来のマス・メディアを含む他メディアの言説との相互参照を行っているとして、そうしたインターネットを含む「複合メディア環境におけるメディア間の相互参照」を「間メディア性」と名付けた(同：六一―六二頁)。

こうした構造は二〇二〇年代も続いているが、インターネット上のコミュニケーションツールのユーザ数が大きくなるにつれ、インターネットそのものが、大衆にリーチするための媒体としての「マス・メディア」へと加速的に成長した。このことは、広告媒体としてのインターネットの価値の上昇から確認できる。広告代理店の電通が毎年発表している「日本の広告費」のデータの経年変化を辿ると、インターネット広告費は、二〇〇四年にラジオ広告費を上回ってから、雑誌広告費、新聞広告費、テレビ広告費を次々に上回り、二〇二一年にはついに従来の「マスコミ四媒体」の総額をも上回ったのである[表1]。こうして、大衆にリーチするために支払われていた広告費は、インターネット広告に向けられるようになった。

興味深いことに、一九六二年の著作でダニエル・ブーアスティン(Daniel J. Boorstin)が指摘した、当時の米国社会で人々がマス・メディアからの情報に日々接する中で「とほうもない期待」を抱くようになり、メディアが作り上げる「擬似イベント」に夢中になっている状況の記述(ブーアスティン 一九六四)は、現在のインターネットで人々が広く世間に向けて発信できるソーシャルメディアにもよくあてはまる。たとえば、いわゆる「インスタ映え」と呼ばれる見栄えのする写真を投稿して素敵な日常(とほうもない期待に応えた日常)を演出することに夢中になる人々のありようは、一九六〇年代に新聞・テレビといったマス・メディアの作用としてとらえられた現象が、ソーシャルメディアを利用する人々の日々の行動にまで浸透していると解釈できるだろう。このような状況下で、かつては新聞・テレビ・雑誌が担っていたプロパガンダの器としての機能がインターネット上のメディアでも担われるようになってきたことは、二〇〇八年の米国大統領選挙以降の選挙でのインターネット利用や、各国首脳を含む政治家によるソーシャルメディア利用に見られるように、二〇一〇年代以降では広く認識されている。

一方、従来の寡占的なマス・メディアであった報道機関が担ってきたジャーナリズム、特に調査報道は資金力と専門性を必要とする。そこで収入が減っている報道機関以外に、国際調査報道ジャーナリスト連合(International Consortium of Investigative Journalists: ICIJ、一九九七年―)やプロパブリカ(二〇〇七年―)のように寄付等を財源とする非営利調査報道組織も作られ始めている。このように、インターネットが社会のインフラとなり、「ソーシャルメディア」が発達した結果、従来のマス・メディアが担ってきた複合的な機能が解体され、再編成されつつあるのである。

さらにいえば、二〇二一年度には、「マスコミ四媒体由来のデジタル広告費」も初めて一〇〇〇億円を超えたことも報告された。これが意味するものは、従来の報道機関もまた、インターネット上のサービスへの移行が進んでいるということである。こうしてますます多様なサービスが合流したものとなる「インターネット」は、今後はますます安定していて当たり前の、意識もされないユーティリティとなっていくであろう。最終章にこうして「インターネット」を論じる本稿がおかれたことこそ、本講

表1　日本のインターネット広告費の推移

年	特記事項	インターネット広告費	総広告費に占める割合
2004	初めてラジオ広告費を上回る	1814 億円	3.0%
2007	初めて雑誌広告費を上回る	6003 億円	8.6%
2009	初めて新聞広告費を上回る	7069 億円	11.9%
2019	初めてテレビ広告費を上回る	2 兆 1048 億円	30.3%
2021	初めてマスコミ四媒体広告費の総額を上回る	2 兆 7052 億円	39.8%

(電通「日本の広告費」より作成)

座が二〇二〇年代初頭に編まれたことの刻印でもあると言えそうだ。

こう書いていったん筆をおいたあと、二〇二二年二月末からのロシアのウクライナ侵攻に伴い、都市が破壊されてインターネットの基盤である物理的な通信層を復旧する努力が行われていることや、衛星を利用する高速インターネット接続の提供によるウクライナ支援などが話題となる事態となった。戦争は、もはや社会のインフラとなったインターネットの安定的運用も脅かすものであり、技術史的観点からは、インターネットの下位層の存在を忘れていられる社会こそが平和な社会であるということなのだろう。

注

（1）ネットワークの通信規則をプロトコルという。通信プロセスが階層化されてそれぞれの階層にプロトコルがあり、より上位の階層が下位の階層のプロトコルに則ることによってその下の技術的な通信を行う層がどのように実現されていても、影響を与えないという考え方をプロトコル階層構造と呼ぶ。たとえば、このひとつの階層としてＩＰ（インターネットプロトコル）層があり、最上位の層であるアプリケーション層たとえば、メールのためのプロトコル（Simple Mail Transfer Protocol: ＳＭＴＰ）や、ウェブのためのプロトコル（Hyper Text Transfer Protocol: ＨＴＴＰ）などでの通信を可能にしている。詳しくは、堀・池永・門林・後藤（二〇〇二）などの技術的しくみの解説を参照のこと。

（2）こうした国家的なインターネットの監視については、たとえば中国のいわゆる「グレート・ファイヤーウォール」と呼ばれる検閲のしくみや、米国の国家安全保障局（National Security Agency: ＮＳＡ）などが運営する「ＰＲＩＺＭ」などの存在が知られている。

（3）濱野はこの概念を「米国の憲法学者ローレンス・レッシグが『ＣＯＤＥ』（二〇〇一年）のなかで論じたものです。レッシグは、このアーキテクチャという概念を、規範（慣習）・法律・市場にならぶ、人の行動や社会秩序を規制《コントロール》するための方法だといいます」（濱野 二〇〇八：一六頁）と説明している。

＊本文および参考文献欄記載のＵＲＬ最終閲覧日、二〇二三年七月二〇日。

参考文献

東浩紀(二〇〇三)「情報自由論 第一〇回」『中央公論』(ウェブ版:http://www.hajou.org/infoliberalism/10.html)。

アバテ、J(二〇〇二)『インターネットをつくる――柔らかな技術の社会史』大森義行ほか訳、北海道大学出版会。

ウェブスター、フランク(二〇〇一)『「情報社会」を読む』田畑暁生訳、青土社。

遠藤薫(二〇〇四)『インターネットと〈世論〉形成――間メディア的言説の連鎖と抗争』東京電機大学出版局。

喜多千草(二〇〇三)「ネットワーク社会論の起源――開発思想史の観点から」『情報通信学会年報』平成一四年。

Campbell-Kelly, Martin, William Aspray, Nathan Ensmenger, and Jeffrey R. Yost(二〇二一)『コンピューティング史〔原著第三版〕』杉本舞ほか訳、共立出版。

サラス、ピーター・H(二〇〇〇)『UNIXの1/4世紀』QUIPU LLC訳、アスキー。

総務省通信利用動向調査(世帯編)、令和二年報告書(https://www.soumu.go.jp/johotsusintokei/statistics/statistics05b1.html)。

田畑暁生(二〇〇四)『情報社会論の展開』北樹出版。

電通 日本の広告費(https://www.dentsu.co.jp/knowledge/ad_cost/index.html)。

日本マルチペイメントネットワーク推進協議会設立趣意(https://www.jampa.gr.jp/company/)。

ネグリ、アントニオ、マイケル・ハート(二〇〇三)『〈帝国〉――グローバル化の世界秩序とマルチチュードの可能性』水嶋一憲他訳、以文社。

ハウベン、マイケル、ロンダ・ハウベン(一九九七)『ネティズン――インターネット、ユースネットの歴史と社会的インパクト』小林博樹ほか訳、中央公論社。

濱野智史(二〇〇八)『アーキテクチャの生態系――情報環境はいかに設計されてきたか』NTT出版。

ブーアスティン、ダニエル・J(一九六四)『幻影(イメジ)の時代――マスコミが製造する事実』後藤和彦ほか訳、東京創元社。

堀良彰・池永全志・門林雄基・後藤滋樹(二〇〇一)『岩波講座 インターネット2 ネットワークの相互接続』岩波書店。

マクージック、マーシャル・カーク(一九九九)「バークレー版UNIXの二〇年」クリス・ディボナほか編著、倉骨彰訳『オープンソースソフトウェア――彼らはいかにしてビジネススタンダードになったのか』オライリー・ジャパン。

マコーダック、P（一九八三）『コンピュータは考える――人工知能の歴史と展望』黒川利明訳、培風館。

ミッチェル、ウィリアム・J（二〇〇三）『e－トピア』渡辺俊訳、丸善株式会社（William J. Mitchell, *e-topia: "urban life, Jim—but not as we know it"*, Cambridge, Mass.; London, MIT Press, 2000）。

村井純（一九八七）「研究ネットワーク」『情報処理』二八巻八号。

山形浩生監修（二〇一五）『角川インターネット講座10　第三の産業革命――経済と労働の変化』角川書店。

吉見俊哉（二〇一二）『メディア文化論　改訂版』有斐閣。

Abbate, Janet (2010), "Privatizing the Internet: Competing Visions and Chaotic Events, 1987-1995", *IEEE Annals of the History of Computing*, 32-1.

Ceruzzi, Paul (2008), "The Internet before Commercialization", William Aspray and Paul Ceruzzi, *The Internet and American Business*, Cambridge, Mass., MIT Press, 2008.

NTIA（米国商務省電気通信情報局）(1998), "Falling Through the Net II: New Data on the Digital Divide"（ネットからこぼれ落ちる――デジタル・デバイドについての新データ）、PDF版（https://www.ntia.doc.gov/files/ntia/publications/falling-through-net-ii.pdf）。

Norberg, Arthur L. and Judy E. O'Neill (1996), *Transforming Computer Technology: Information Processing for the Pentagon, 1962-1986*, Baltimore, Johns Hopkins University Press.

Warner, Malcom and Michael Stone (1970), *The Data Bank Society: Organizations, Computers and Social Freedom*, London, George Allen & Unwin.

コラム｜*Column*

デジタルアーカイブの拡充がもたらす歴史学の変化

菊池信彦

この小欄を執筆している二〇二二年は、日本におけるデジタルヒューマニティーズ（ＤＨ）研究史上記念すべき年となった。七月、国際的なＤＨ学会組織であるＡＤＨＯ（Alliance of Digital Humanities Organizations）による世界大会ＤＨ２０２２が東京を拠点に開催されたからである。コロナ禍による一年の延期を経て、また、残念ながらオンラインという開催形態とはなったが、ＡＤＨＯによるＤＨ大会開催はアジア初である。ＤＨ２０２２の開催は、これまで欧米が先行していたＤＨ研究が日本においても確固たる地位を築いたことを示すものとなった。

　ＤＨ研究は一九九〇年代に始まったデジタルアーカイブと歩調を合わせるように拡大してきた。このことは歴史学にとっても無縁ではない。それというのも、ＤＨ研究の一領域としてのデジタルヒストリーは、その最初期からデジタルアーカイブが重要なテーマとされてきた事情もあるからである。そして、デジタルアーカイブは誕生から三〇年近くを経て、研究活動としてだけでなく図書館等の文化施設による日常業務となるなど一定の成熟を見せつつあり、これを利用する歴史学にとっては、史料を検索しアクセスする上で必須のツールとして位置づけられるに至っている。

　しかし、デジタルアーカイブが歴史学にもたらしたのはただ利便性だけではない。デジタルアーカイブのデータが拡大していくことによって、「データ駆動」と評されるような新しい分析手法と、それを可能にするビッグデータ環境が生まれつつある。冒頭のＤＨ２０２２に話を戻せば、その会期に先立ち、ヨーロッパにおける「過去のビッグデータ」（Big Data of the Past）構築を目指す「欧州タイムマシン計画」（Time Machine Europe）をテーマとしたオンラインセミナーが開催されている。これが意味するのは、史料のビッグデータ環境が欧州規模ですでに作られようとしているという現実である。

　それでは、ビッグデータの構築とそれが可能とするデータ駆動は、歴史学にどのような変化をもたらしているのか。あるいは、もたらそうというのか。

　まず、これまで数量経済史のような一部の領域以外には困難であった巨視的な分析を、歴史学の様々なテーマや関心のもとで実践できるようになることが挙げられる。それは「長期波動」のような長期間にわたる変化を捉えることでもあるし、同時に、国や言語の壁を越える空間的な広がりをも視野に入れることでもある。また、その分析に必要な大量の史料を一人の研究者が生涯を費やして渉猟し目で読むのではなく、目の前にあるパソコンを使うことでデータセットを作り、わ

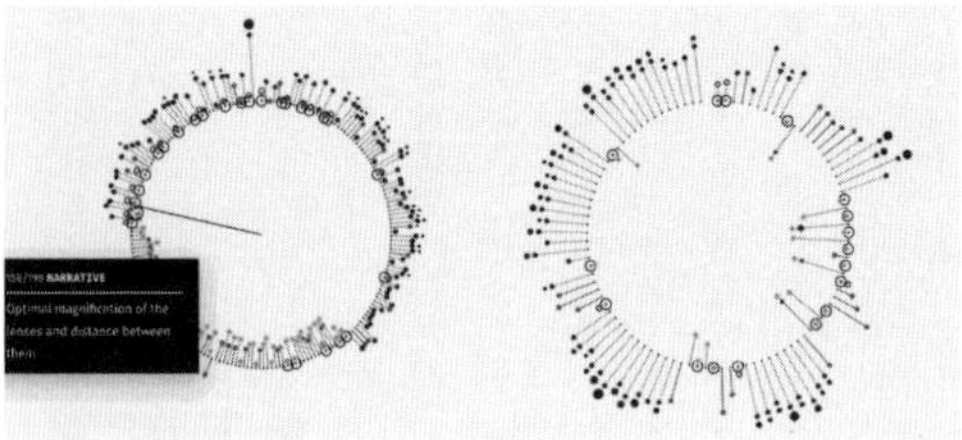

Journal of Digital History の「指紋型」論文ナビゲーション．論文の複数の層を視覚的かつインタラクティブに確認できる．なお，図では静止しているように見えるが，実際は「針」を動かしている様子を見ることができる．（F. Clavert & A. Fickers (2022), "Publishing digital history scholarship in the era of updatism", *Journal of Digital History*, 2(1). https://doi.org/10.1515/JDH-2022-0003?locatt=label:JDHFULL）

ずか数日（場合によっては数分）で分析を終えることができるようになるなど、研究速度にも変化をもたらしている。

そして、成果の発信として、いわゆる可視化《ビジュアライゼーション》も使われるようになってきている。さらにそのことは、可視化表現を含んだ研究成果を掲載するメディアの変化にも波及している。例えば、二〇二一年に創刊された *Journal of Digital History* は、可視化表現を含んだ語りとしての歴史叙述だけでなく、分析方法や利用したツールの検証、分析対象となったデータセットとその作成という、いわば歴史学における論証過程自体の議論——創刊者らはそれを「デジタル解釈学」と表現している——も複数の層として収録する複合的な特徴を持っている。これまでのように動きのない文字情報だけを主とした紙の本と雑誌では、研究成果を発信する場としては不十分とみなされてきている。

一方、デジタルアーカイブを含め、「過去のビッグデータ」は、ただ歴史学だけのためにあるのではない。それは、学問以外の様々な社会領域での活用を目指して構築されているのであって、当然公衆《パブリック》自身によるパブリックヒストリーの素材として利用されることも含まれている。そのことは、同時に、歴史研究者がどのようにビッグデータを利用して公衆《パブリック》と交わり、また公衆《パブリック》へ歴史学を発信するかという、パブリックヒストリーの実践上の変化にもつながる問題である。

このようにデジタルアーカイブは、歴史学に検索やアクセスの利便性をもたらしただけでなく、それが拡充してデータ基盤として整備されることで、研究の視角、方法、分析、発表、そして公衆《パブリック》とのコミュニケーションという、社会のなかの学問としての営み全てに影響を与えるようになってきている。その傾向は、今後強まり、そして加速していくだろう。デジタルアーカイブという環境が変化しつづけていくことで、歴史学はさらに変化しつづけていく——そのように未来を考え、それに向けて行動していくことを、これからの歴史研究者には提案したい。

【執筆者一覧】

酒井啓子（さかい けいこ）
1959年生．千葉大学大学院社会科学研究院教授．中東政治研究．

水島治郎（みずしま じろう）
1967年生．千葉大学大学院社会科学研究院教授．オランダ政治史．

半澤朝彦（はんざわ あさひこ）
1963年生．明治学院大学国際学部教授．イギリス帝国史．

栗田禎子（くりた よしこ）
1960年生．千葉大学大学院人文科学研究院教授．中東近現代史．

川島　真（かわしま しん）
1968年生．東京大学大学院総合文化研究科教授．アジア政治外交史．

島田周平（しまだ しゅうへい）
1948年生．京都大学・名古屋外国語大学名誉教授．アフリカ地域研究．

大串和雄（おおぐし かずお）
1957年生．東京大学名誉教授．ラテンアメリカ現代政治研究．

森 千香子（もり ちかこ）
1972年生．同志社大学社会学部教授．国際社会学・都市社会学．

田村慶子（たむら けいこ）
1957年生．北九州市立大学名誉教授・特別研究員．NPO法人国境地域研究センター理事長．東南アジア地域研究．

喜多千草（きた ちぐさ）
1962年生．京都大学大学院文学研究科教授．現代技術文化史．

大門正克（おおかど まさかつ）
1953年生．早稲田大学教育・総合科学学術院特任教授．歴史学・近現代日本社会経済史．

池本大輔（いけもと だいすけ）
1974年生．明治学院大学法学部教授．イギリス政治・EU政治．

立石洋子（たていし ようこ）
1980年生．同志社大学グローバル地域文化学部准教授．ロシア・ソ連史．

太田　修（おおた おさむ）
1963年生．同志社大学グローバル・スタディーズ研究科教授．朝鮮近現代史．

菊池信彦（きくち のぶひこ）
1979年生．国文学研究資料館特任准教授．デジタルヒストリー，スペイン近現代史．

【責任編集】

木畑洋一(きばた よういち)
1946年生．東京大学・成城大学名誉教授．イギリス近現代史・国際関係史．
『帝国航路(エンパイアルート)を往く——イギリス植民地と近代日本』(岩波書店，2018年)．

中野 聡(なかの さとし)
1959年生．一橋大学学長．アジア太平洋国際史．『東南アジア占領と日本人——帝国・日本の解体』(岩波書店，2012年)．

岩波講座 世界歴史 24　　第23回配本(全24巻)

二一世紀の国際秩序

2023年10月27日 第1刷発行

発行者 坂本政謙

発行所 株式会社 岩波書店 〒101-8002 東京都千代田区一ツ橋2-5-5
電話案内 03-5210-4000 https://www.iwanami.co.jp/

印刷・法令印刷 カバー・半七印刷 製本・牧製本

© 岩波書店 2023 Printed in Japan
ISBN 978-4-00-011434-9

岩波講座

世界歴史

A5 判上製・平均 320 頁（黒丸数字は既刊，＊は次回配本）

全㉔巻の構成

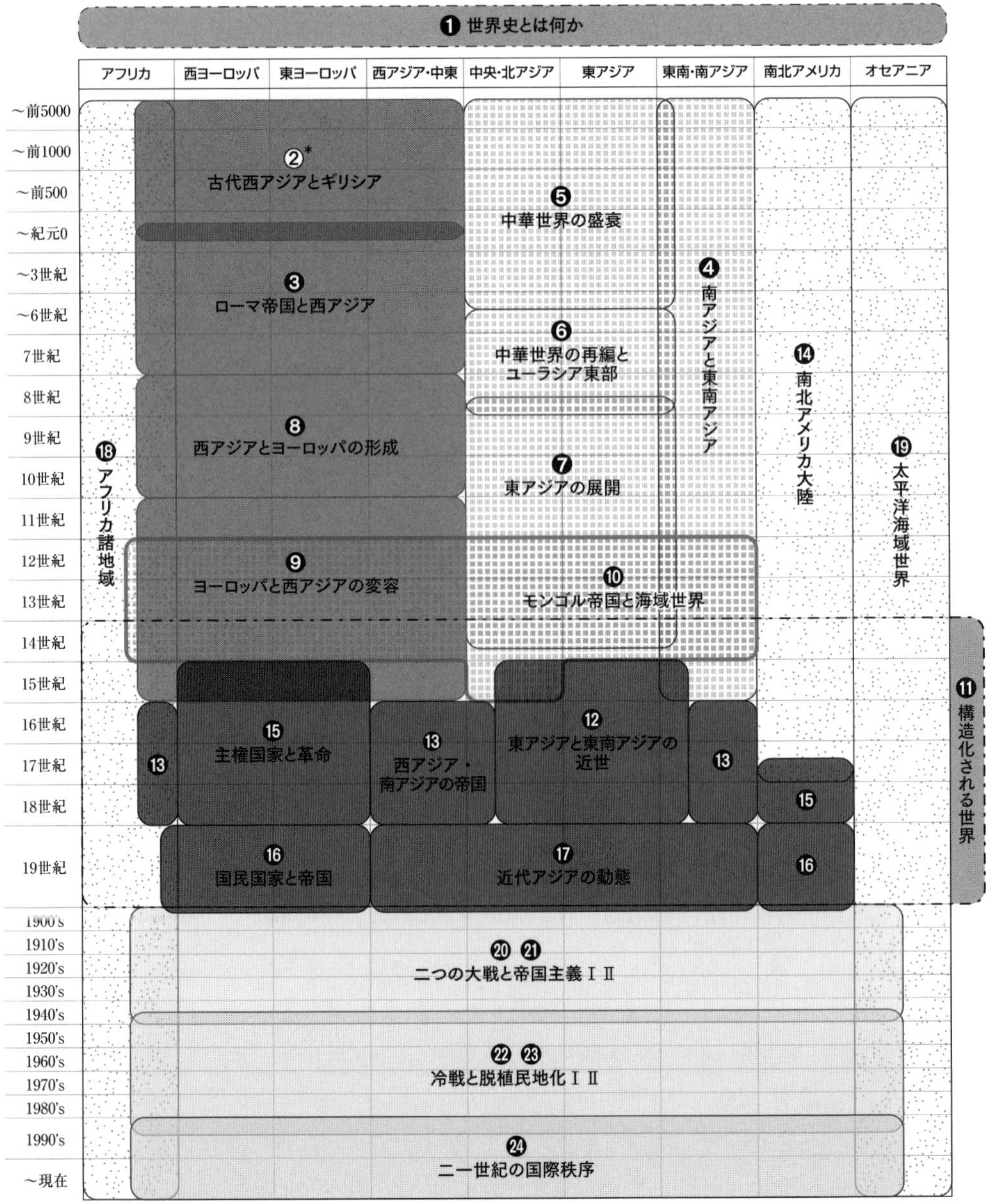

※本図は各巻の内容を厳密に反映したものではなく，便宜的に図示したものです．